D0263996

« NéO/Plus/fantastique »
dirigée
par Hélène Oswald

NéO/Plus :

Parus :

1/Graham Masterton : Le démon des morts
(Fantastique)
2/Wilkie Collins : La dame en blanc
(Policier)
3/H. Rider Haggard : La fille de Montezuma
(Aventures fantastiques)
4/Ambrose Bierce : La fille du bourreau
(Fantastique)
5/Francis Marion Crawford : La sorcière de Prague
(Surnaturel, ésotérique)
6/Erle Cox : La sphère d'or
(Science-fiction)
7/Wilkie Collins : La pierre de Lune
(Policier)
8/Ann Radcliffe : Les mystères d'Udolpho
(Gothique)
9/David Seltzer : Prophétie
(Fantastique)
10/Guy Endore : Le loup-garou de Paris
(Fantastique)
11/Richard Marsh : Le Scarabée
(Fantastique)
12/Guy Boothby : Pharos l'Egyptien
(Fantastique)
13/Erckmann-Chatrian : Contes fantastiques complets
14/Graham Masterton/Le portrait du mal
(Fantastique horreur)

Cet ouvrage a été réalisé
sous la direction de François Truchaud

Couverture illustrée par
Jean-Michel Nicollet

Maquette : NéO

Dennis Wheatley

Etrange conflit

Roman

Traduit de l'anglais
par Robert-Pierre Castel

Introduction
par François Truchaud

La présente publication constitue
la première édition française
de cet ouvrage

Titre original :
Strange Conflict (1941)

Si vous souhaitez être tenu au courant de nos publications, il vous suffit d'adresser vos nom et adresse à NéO, 5, rue Cochin, 75005 Paris.

ISBN : 2-7304-0468-6

Vous avez dit zombie ?

L'amitié est un narcisse noir promis aux vents mauvais.

Proverbe chinois

« Le Chemin des Ténèbres est illustré par l'horrible culte vaudou qui est apparu pour la première fois à Madagascar et a maintenu l'Afrique sous son emprise pendant des siècles, se répandant même, avec le commerce des esclaves, à travers les Indes occidentales et contaminant votre propre pays »... est-il écrit dans Les vierges de Satan, *phrase prémonitoire s'il en fût, puisque antérieure de sept années au présent ouvrage.*

Pour le lecteur qui n'aurait pas lu Territoire Interdit *ou* Les vierges de Satan, *découvrant ainsi Dennis Wheatley par hasard — mais le hasard n'est jamais innocent et fait bien les choses — je le rassure tout de suite, car notre auteur, avec un flegme très* british, *joue cartes sur table et explicite son propos dès les premières pages, quitte à se répéter afin de mieux se faire comprendre. Ainsi, le préambule, au didactisme délibéré et au ton professoral voulu, d'* Etrange Conflit *est-il très exactement calqué, ou recopié, sur celui des* Vierges de Satan, *et nous avons droit à nouveau à un avertissement solennel, car pour Weathley « se mêler de l'Occulte peut conduire à la folie ».*

Une nouvelle fois, il est question de l'âme, du salut de l'âme ou de sa damnation éternelle, et de la lutte qui oppose le Bien au Mal, les Forces de Lumière aux Puissances des Ténèbres. Et les Ténèbres peuvent revêtir de nombreuses formes : au culte satanique des Vierges de Satan *succède le culte vaudou d'*Etrange Conflit, *et Mocata, le grand prêtre démoniaque (Aleister Crowley* himself, *n'en doutons pas, « la Bête » !) est remplacé par... au lecteur de le découvrir au fil des pages ! C'est pourquoi toute histoire, fantastique ou non, est, pour Wheatley, le récit d'un itinéraire spirituel et ésotérique, la recherche de la Lumière.*

Au cours de ce préambule, destiné à « mettre le lecteur dans le bain », il est fait allusion à de précédentes aventures survenues aux « Quatre Mousquetaires » que sont de Richleau-Athos, Richard Eaton-d'Artagnan, Simon Aron-Aramis et Rex Van Ryn-Porthos, et racontées dans Territoire Interdit *et* Les Vierges de Satan, *mais aussi dans* The Golden Spaniard *(inédit en France). Anecdote amusante : De Richleau mentionne qu'il vient de rentrer de Pologne, où il a eu certains démêlés avec les Allemands, peu de temps avant l'entrée en guerre effective. Après avoir lu* Etrange Conflit, *les lecteurs anglais envoyèrent des lettres perplexes à Wheatley, lui demandant de quoi il parlait. Ils voulaient savoir ce qui s'était passé ! Aussi Wheatley écrivit-il* Codeword - Golden Fleece *qui se situe avant* Etrange Conflit, *mais qui fut imaginé après, pour satisfaire la demande des lecteurs avides de connaître toute la* saga *des « Mousquetaires modernes ». Un bel exemple de vie autonome de personnages romanesques mettant leur Créateur en demeure de raconter leurs aventures !*

Etrange Conflit, *paru en 1941, fut donc écrit en pleine guerre, ce qui donne à ce roman un aspect d'*actualité *très curieux et en fait un récit au jour le jour, avec une fin « ouverte » : qui gagnera la Bataille d'Angleterre ? Même si l'issue du conflit ne fait aucun doute pour Wheatley, puisque le duc de Richleau et ses amis ont vaincu les Forces des Ténèbres. Une nouvelle fois, Wheatley « met le paquet » dans ce roman, et le lecteur y trouvera amplement son compte, comme dans* Les Vierges de Satan *ou dans* Territoire Interdit *(véritable* Tintin au pays des Soviets *qu'Hergé n'aurait pas renié !). Au lieu d'une secte satanique, le duc de Richleau affronte les Nazis qui se sont alliés à un sorcier vaudou d'Haïti ! Ce qui nous vaut des aventures plutôt délirantes — et superbes — avec incantations, envoûtements, pentacles, rituels, zombies et morts-vivants, bien sûr, sans oublier des affrontements sur le plan astral où Wheatley fait preuve d'une imagination débridée. Ce livre retrouve la veine, le rythme et le suspense des meilleures pages des* Vierges de Satan, *et le récit fantastique, tout naturellement, est un itinéraire ésotérique concrétisé par la trajectoire de nos héros, leur voyage et leur combat qui les conduit d'Angleterre en Haïti. Notons que notre auteur savait lorsqu'il « tenait » une bonne idée, puisque, presque vingt-cinq ans plus tard, il publiait* They Used Dark Forces, *un énorme « pavé » fantastique de cinq cents pages, où, cette fois, c'est Hitler qui fait appel à la magie noire... les dernières scènes se passant dans le bunker du Führer tandis que les Russes progressent dans Berlin en flammes !*

La grande originalité du présent ouvrage réside dans sa seconde partie, qui se passe à Haïti. Vous avez dit zombie ? Wheatley s'en donne à cœur joie et le lecteur n'est pas au bout de ses surprises. Houngans, mambos, *sacrifices et cérémonies vaudou, tout y est, et même davantage ! Et une constatation s'impose : Wheatley savait de quoi il parlait, ou plutôt il s'était soigneusement documenté. Avant de commencer à écrire* Les Vierges de Satan, *il avait demandé à rencontrer des occultistes célèbres (Aleister Crowley, Montague Summers, Rollo Ahmed). Cette fois, il avait entre les mains le précieux livre de William Seabrook,* L'île magique, *témoignage irremplaçable sur l'île d'Haïti et les rites vaudou. Il est évident que Wheatley connaissait cet ouvrage par cœur et qu'il s'en est abondamment servi, reprenant des passages entiers et les transposant sur le plan romanesque et fantastique, dans le cadre de cet* Etrange Conflit. *Le procédé n'est pas nouveau et l'art « se nourrit » de la réalité. Zombies et rites vaudou ont inspiré depuis toujours la littérature et le cinéma fantastiques : nous citerons simplement la nouvelle d'August Derleth,* The House in the Magnolias, *les deux recueils, superbes, de Henry S. Whithehead,* Jumbee *et* West India Lights, *et l'œuvre de Hugh B. Cave, tant ses nouvelles fantastiques (vous pouvez lire* La femme de marbre[1] *ce mois-ci !) que ses ouvrages sur les rites vaudou :* Haiti : Highroad to Adventure, The Cross on the Drum, The Evil, Shades of Evil, *etc. Pour le cinéma, nous saluerons le film génial de Jacques Tourneur,* I Walked With A Zombie *(1943) où tout est* dit *!*

A présent installez-vous dans un fauteuil confortable, allumez un cigare, de préférence un Hoyo de Monterrey, — peut-être un verre de sherry *? — et plongez-vous dans ce roman d'espionnage occulte qui ne vous lâchera plus, car voici venir les zombies !*

François Truchaud
Ville d'Avray
23 janvier 1988.

1. NéO, coll. « Fantastique/SF/Aventure », n° 205.

CHAPITRE I

Une théorie fantastique

Le duc de Richleau et sir Pellinore Gwain-Cust avaient commencé de dîner à huit heures, mais le café ne fut pas servi avant dix heures passées.

La guerre durait depuis plusieurs mois et le bombardement de Londres depuis quelques semaines. Une pluie de bombes incendiaires s'étant abattue sur Curzon Street, juste en face de l'appartement du duc, le repas s'était trouvé interrompu le temps qu'ils descendent prêter main-forte pour éteindre l'incendie, mais tous deux étaient maintenant tellement endurcis à la guerre éclair qu'après avoir fait toilette ils s'étaient remis à table comme si rien de très extraordinaire ne s'était produit.

Le duc et son hôte avaient bien des points communs. Tous deux avaient le bonheur de posséder un nom ancien, un physique agréable, de l'intelligence et du charme, ce qui avait fait d'eux des personnages éminents dans la société de leur époque. Cette époque était en train de disparaître, mais ils en avaient profité au maximum et ne regrettaient rien de leurs tumultueuses années de jeunesse durant lesquelles ils avaient lutté et aimé jusqu'aux limites de leurs possibilités, ou de la période de calme qui avait suivi, au cours de laquelle ils avaient tâté avec succès de la haute finance et joué un rôle dans bon nombre de manœuvres secrètes derrière la scène diplomatique. Tous deux espéraient qu'un monde meilleur naîtrait avec la disparition de la caste privilégiée qu'ils représentaient, mais ils en doutaient quelque peu, et comme chacun était inébranlablement convaincu qu'il n'en serait rien si les nazis n'étaient pas totalement anéantis, il était douteux qu'Hitler eût deux ennemis plus acharnés.

Ces hommes avaient vécu leur vie, et peu leur importait maintenant de la perdre. Ils n'avaient ni place à préserver, ni faveurs à obtenir, ni ambition qui ne fût déjà satisfaite, et pas plus l'un que l'autre ne se reconnaissait de maître, sinon le roi d'Angleterre ; aussi disaient-ils ce qu'ils pensaient, souvent avec une brutale franchise, et utilisaient-ils chaque parcelle du pouvoir et du prestige qu'ils possédaient, grâce à leurs nombreuses relations dans les hautes sphères, pour forcer l'allure de la guerre sans autre considération que la Victoire.

Bien qu'ayant tant de choses en commun, ils paraissaient très différents. Sir Pellinore, qui était de loin le plus âgé des deux, mesurait, déchaussé, près d'un mètre quatre-vingt-dix. Il avait une belle chevelure blanche, des yeux bleus lumineux, une grosse moustache allongée à la hussarde, une voix tonitruante et une façon de parler cassante et directe. Le duc, lui, était un homme mince, d'apparence délicate, d'une taille un peu au-dessus de la moyenne, aux mains fines et fragiles, aux cheveux grisonnants, mais dont le beau visage distingué ne montrait aucune trace de faiblesse. Son nez aquilin, son vaste front et ses sourcils gris « méphistophéliques » auraient très bien pu appartenir au Cavalier de Van Dyck qui les contemplait depuis le mur faisant face à son fauteuil.

Il aurait été absolument contraire à leurs principes à tous deux de laisser la guerre déranger leur habitude de s'habiller pour dîner, mais, au lieu du noir classique, le duc portait un habit de soirée en vigogne de couleur bordeaux, à revers de soie et brandebourgs. Cette note de couleur accentuait sa ressemblance avec le portrait.

Au cours du dîner, ils avaient parlé de la guerre mais, une fois le café servi, il y eut un bref silence, tandis que Max, le domestique du duc, sortait de longs cigares Hoyo de Monterey qui étaient la fierté particulière de son maître, et le duc songeait : « Maintenant je vais savoir réellement pourquoi ce vieux Gwain-Cust a voulu me voir. Je parierais gros qu'il ne s'est pas proposé pour venir dîner ici uniquement afin de discuter de la situation générale. »

Au moment où Max quittait la pièce tranquille, éclairée à la bougie, les canons antiaériens de Hyde Park entrèrent en action, brisant le silence. Sir Pellinore le regarda et dit, l'air quelque peu songeur :

— Me demande pourquoi vous restez ici, avec ce sacré tapage nuit après nuit.

De Richleau haussa les épaules.

— Je ne trouve pas les bombardements particulièrement terrifiants. Peut-être parce que Londres s'étend sur une aussi vaste surface. De toute manière c'est un jeu d'enfant comparé à certains bombardements auxquels j'ai survécu dans d'autres guerres. Je pense que le journaliste américain a mis dans le mille quand il a dit qu'à ce rythme il faudrait deux mille semaines aux nazis pour détruire Londres, et qu'il ne pensait pas qu'Hitler ait encore quarante ans à vivre.

— Fichtrement juste ! pouffa sir Pellinore. Fichtrement juste ! Tout de même cela rend les choses diantrement difficiles. Ils ont rendu inhabitables deux de mes clubs et c'est une affaire du diable pour obtenir ses amis au téléphone. Comme vous n'avez aucun travail qui vous retienne ici, je me demande pourquoi vous ne filez pas à la campagne.

— Pour la même raison que vous, mon cher ami — car n'êtes-vous pas dans le même cas ? Ou bien le gouvernement a-t-il eu la sagesse d'utiliser vos services ?

— Grand Dieu, non ! Ils ne se soucient guère de vieilles badernes comme moi. Et ils ont bien raison. C'est une guerre pour les jeunes. Néanmoins cela ferait mauvais effet si certains d'entre nous ne tenaient pas le coup, alors qu'il y a tant de gens qui y sont bien obligés.

— Exactement, répondit doucement le duc. Et c'est la réponse à votre question. Je déteste le manque de confort et l'ennui mais, si grands soient-ils, ni l'un ni l'autre ne me ferait quitter Londres alors qu'il y a des milliers et des milliers de pauvres gens qui n'en ont pas les moyens.

Il y eut encore un silence, de Richleau attendant avec un amusement intérieur que sir Pellinore fasse une nouvelle ouverture. Et, peu après, le baronet d'âge respectable dit :

— Naturellement, en restant on peut demeurer en contact avec les choses. Le fait même de connaître des tas de gens me permet ici et là de donner une impulsion au navire.

Un petit sourire moqueur naquit dans les yeux gris du duc qui, par instant, pouvaient briller d'un éclat perçant.

— Peut-être, alors, aimeriez-vous me dire dans quelle direction particulière vous envisagez en ce moment de donner une impulsion à mon canoë à moi ?

— Ah ! Sir Pellinore caressa sa belle moustache de hussard. Vous êtes un garçon perspicace — depuis toujours. J'aurais dû me douter que vous comprendriez que je ne m'étais pas invité ici pour l'amour de votre cave et de vos cigares, pour excellents qu'ils soient. Cela fait un moment, pourtant, que je ne vous ai pas vu en tête à tête depuis le début du carnage ; aussi voudriez-vous avoir l'obligeance de me dire ce que vous êtes devenu depuis lors ? Je suis fichtrement certain que vous n'avez pas été inactif.

Le sourire gagna la bouche ferme et aux lèvres minces de de Richleau.

— Je me suis battu dans pas mal de guerres ; mais je suis trop vieux pour redevenir officier subalterne, et beaucoup trop jeune de tempérament pour devenir jamais fonctionnaire ; aussi, comme vous-même, n'ai-je pas même le statut de gardien de la Défense Passive sans solde. Par conséquent vous me pardonnerez si j'avance qu'aucun de nous deux n'a le moindre droit de poser des questions à l'autre.

— Vous êtes un vieux renard ! Vous m'avez coincé, hein ? Très bien. Je suis proche du Cabinet de Guerre. Pourquoi ? Dieu seul le sait ! Mais certains de ceux qui y sont semblent penser que je suis encore utile, bien que tout le monde sache que je ne suis pas intelligent. J'ai toujours eu le coup d'œil pour un cheval ou une jolie femme, et un jugement très sûr pour le porto de grand cru ; mais pour l'intelligence : zéro.

— Cela explique le fait, murmura le duc, qu'après avoir été contraint de quitter l'armée à cause de vos dettes, dans les années 90, vous soyez parvenu à amasser une fortune d'une bonne dizaine de millions de livres. Dois-je supposer qu'on vous a envoyé me voir ?

— Non. Mais cela revient au même. J'ai des pouvoirs passablement étendus. Je ne peux pas faire fusiller les gens, comme je l'aimerais, pour négligence criminelle, mais j'ai contribué à faire saquer quelques-uns de nos dirigeants les plus mous, et la plupart de mes recommandations aboutissent, sauf si elles se trouvent en contradiction absolue avec la politique du gouvernement. Officieusement aussi, j'ai été à même de lancer différentes petites affaires qui ont causé quelques ennuis aux nazis. Nous sommes tous dans le bain, et quand je vous ai vu en train d'admirer les canards dans St James's Park, l'autre jour, j'ai eu le pressentiment que vous étiez peut-être bien exactement l'homme susceptible de nous aider dans une affaire qui, en ce moment, donne de très graves soucis au gouvernement. *Maintenant* voulez-vous me dire ce que vous avez fait jusqu'ici ?

De Richleau fit tournoyer le vieux cognac dans le verre ballon de taille moyenne qu'il tenait, en huma l'arôme d'un air appréciateur et répondit :

— Certainement. Avant que la Grande-Bretagne ne déclare la guerre à l'Allemagne je me suis rendu en avion en Pologne avec quelques amis à moi.

Sir Pellinore posa sur lui un regard pénétrant.

— Les gens qui vous ont accompagné lors de vos exploits en Russie et en Espagne ? Je me rappelle avoir entendu parler de vos aventures dans les Territoires Interdits et, plus tard, de cette fantastique histoire de huit millions de livres en or que vous quatre avez fait sortir d'Espagne durant la Guerre Civile. L'un deux était le fils du vieux Channock Van Ryn, le banquier américain, n'est-ce pas ? Je n'ai jamais rencontré les deux autres, mais j'aimerais le faire un jour.

— Rex Van Ryn est celui à qui vous pensez ; les deux autres sont Richard Eaton et Simon Aron. Tous trois étaient avec moi lors de la campagne de Pologne. Ce que nous avons fait là-bas constitue une histoire bien trop longue pour être racontée maintenant, mais je vous la dirai un jour. Nous nous en sommes sortis de justesse, d'une façon qui a été des plus gênantes pour certaines personnes, mais naturellement c'était entièrement de leur faute : elles avaient tenté de nous arrêter. Quand, en fin de compte, nous avons regagné l'Angleterre, il ne s'est offert aucune occasion favorable pour que nous puissions travailler ensemble, aussi avons-nous décidé de nous séparer.

— Que sont devenus les autres ?

— Rex, comme vous le savez peut-être, est un as de l'aviation et, bien que citoyen américain, il est parvenu à s'engager dans la Royal Air Force. Il a fait un travail magnifique lors des combats d'août et septembre et a reçu la Distinguished Flying Cross ; mais, début octobre, il a accroché une escadrille nazie à un contre six et ils l'ont eu. Sa jambe gauche a été salement amochée. Il est maintenant en bonne voie de guérison, mais j'ai peur que ses blessures ne l'empêchent à jamais de redevenir pilote de guerre.

« Simon Aron est retourné à sa comptabilité. Il est directeur d'une de nos grosses entreprises financières et il a pensé pouvoir être d'une meilleure utilité au pays en aidant le dollar et en œuvrant dans tous les mécanismes des échanges extérieurs qu'il connaît si bien. »

« Richard Eaton est aviateur, lui aussi, mais il a dépassé l'âge d'être pilote de guerre ; aussi ne l'a-t-on pas pris, ce qui a rendu le pauvre Richard très malade. Mais il a une grosse propriété, là-bas dans le Worcestershire, aussi s'est-il lancé aussitôt dans l'agriculture intensive. Cependant il vient de temps en temps à Londres pour se consoler de n'être pas capable de faire quelque chose de plus activement offensif dans cette guerre en m'aidant dans une ou deux petites affaires que j'ai eu la chance de pouvoir mener à bien. »

— Quelle sorte d'affaires ? gronda sir Pellinore.

— Les détails ne pourraient que vous ennuyer mais, comme vous-même, j'ai pas mal d'amis et je parle aussi plusieurs langues avec beaucoup de facilité, aussi, ici et là, m'a-t-on mis dans le coup pour ouvrir l'œil et ai-je réussi à faire mettre derrière les barreaux un certain nombre de gens déplaisants. Par parenthèse, j'ai effectué un voyage secret en Tchécoslovaquie au printemps dernier et je me suis rendu aux Pays-Bas depuis l'occupation allemande — en fait je ne suis rentré que la semaine dernière. Mais naturellement je n'occupe pas de poste officiel — non, pas le moindre poste officiel.

Les yeux bleus de sir Pellinore pétillèrent.

— Vous n'avez certainement pas perdu de temps. En fait j'avais appris par les voies officielles que vous vous étiez rendu joliment utile de toutes sortes de façons, car j'ai fait mon enquête avant de venir vous voir ce soir, bien que je n'aie pas exigé de détails. Que fabriquez-vous en ce moment ?

— Rien de bien important. J'ai juste à l'œil quelques personnes que, dans n'importe quel autre pays, on aurait alignées contre un mur il y a bien plus d'un an, et j'essaie de localiser différentes fuites d'informations venant de gens qui se considèrent comme des patriotes, mais qui parlent trop à leurs relations féminines. Absolument rien ne m'empêche de boucler ma valise et de partir demain matin pour le Kamtchatka ou le Pérou si vous pensez qu'ainsi je pourrais planter un nouveau clou dans le cercueil d'Hitler.

— Voilà le genre de choses que j'aime entendre, rugit sir Pellinore. Plaise à Dieu que certains membres de nos ministères fassent montre du même empressement pour abattre ce salaud d'Hitler. Mais je ne pense pas que nous ayons à vous demander de seulement quitter Londres — bien qu'on ne sache jamais. C'est de l'usage de votre belle intelligence que j'ai besoin, et vous avez vous-même abordé le sujet il y a seulement un instant, quand vous avez parlé de fuite d'informations.

De Richleau leva ses sourcils obliques.
— Je n'aurais pas cru qu'il y ait là une grave cause de souci. Naturellement on devrait réprimander même les plus petites indiscrétions mais, d'après mes conclusions, peu de renseignements importants sont passés depuis que toutes les communications normales avec le continent ont été rompues après la débâcle de la France.
— En un sens vous avez raison.
Sir Pellinore approuva d'un mouvement de sa tête blanche.
« Nous avons nous-mêmes été stupéfaits de la différence que cela fait. Par exemple, quand les premières grandes attaques aériennes sur ce pays ont commencé, beaucoup d'entre nous ont été extrêmement inquiets pour l'aviation. Nous craignions que, par le seul effet du nombre, les Allemands ne détruisent plus d'avions au sol que nous ne pouvions nous permettre d'en perdre. Comme chacun le sait maintenant, nous avons évacué tous nos terrains d'aviation des côtes sud et est avant l'attaque, de sorte qu'il ne restait aux nazis rien à détruire, sinon des hangars vides et des ateliers de réparation. Dès qu'ils l'eurent fait, nous nous attendions à ce qu'ils s'en prennent à nos nouvelles bases mais, non : ils continuèrent jour après jour à pilonner les anciennes, alors qu'il ne leur restait rien à frapper, sinon des hangars calcinés ; ce qui a prouvé de façon très claire qu'ils n'avaient pas la moindre idée que nous avions déplacé nos avions. Naturellement c'est de l'histoire ancienne, maintenant, mais, de toutes sortes d'autres façons, la même chose a continué ces derniers mois, démontrant sans aucun doute qu'une fois les agents allemands présents ici coupés du continent, tout leur sytème de transmission rapide des renseignements à l'ennemi s'était effondré. »
— Je ne comprends pas, alors, à propos de quoi vous vous faites du souci.
— Il se fait qu'il ne s'est pas effondré dans un domaine particulier. La plus grande menace à laquelle nous devons faire face en ce moment, c'est nos pertes navales, et ce qu'il y a d'extraordinaire, c'est que, alors que les nazis ne semblent avoir qu'une très vague idée de ce qui se passe ici dans tous les autres domaines, ils connaissent nos dispositions navales de façon absolument précise. Naturellement chaque convoi partant pour l'Amérique ou en revenant est acheminé par une route différente. Parfois ils montent jusqu'à l'Arctique, parfois ils descendent au sud jusqu'à Madère, et parfois ils prennent la route directe ; mais, quelle que soit la route choisie, les nazis semblent être au courant. Ils rejoignent chaque convoi au milieu de l'Atlantique, une fois que son escorte l'a quitté, exactement comme s'ils venaient à un rendez-vous fixé d'avance.
— C'est passablement inquiétant.
— Oui. Il n'y a pas de quoi rire ; et pour être tout à fait honnête, nous ne savons plus que faire. La Marine travaille jour et nuit, et

l'Aviation aussi ; mais la mer et le ciel sont vastes. Nos Services Secrets ont fait de leur mieux — et ils sont joliment forts, quoi que les gens mal informés puissent penser d'eux — mais c'est la seule affaire qui semble les avoir tenus en échec.

— Pourquoi vous imaginer que je pourrais réussir là où les meilleurs cerveaux de nos Services Secrets ont échoué ? demanda doucement le duc.

— Parce que je sens que, maintenant, notre seule chance est de trouver un esprit entièrement neuf sur le sujet, quelqu'un dont l'esprit ne soit pas embrouillé par la connaissance de trop de détails et qui voie les choses d'un peu haut, quelqu'un pourtant qui ait de l'imagination et une grande réserve de connaissances générales. Les nazis doivent utiliser quelque canal tout à fait en dehors des méthodes habituelles d'espionnage — le genre de chose pour laquelle il n'y a pas d'indice, mais sur laquelle quelqu'un à l'esprit sagace pourrait tomber par hasard. C'est pourquoi, quand je vous ai vu l'autre jour, il m'est venu à l'esprit que ça pourrait être une bonne idée de vous soumettre ce fichu problème.

Un instant, de Richleau fixa sir Pellinore.

— Vous êtes absolument certain que les Services Secrets nazis n'utilisent pas une méthode normale de communication dans cette affaire ?

— Absolument. Le fait que toutes sortes d'autres informations vitales ne passent pas le prouve.

— Alors, s'ils n'utilisent pas de méthodes normales, ils doivent utiliser le supranormal — ou plutôt le surnaturel.

Ce fut au tour de sir Pellinore de le regarder fixement.

— Que diable voulez-vous dire ? gronda-t-il avec brusquerie.

Le duc se pencha en avant et tapota doucement du doigt son cigare pour en faire tomber les deux centimètres de cendre dans le cendrier d'onyx, tout en disant :

— Qu'ils utilisent ce que, faute d'un meilleur terme, on appelle magie noire.

— Vous plaisantez ! hoqueta sir Pellinore.

— Au contraire, dit tranquillement le duc. Jamais je n'ai été plus sérieux de ma vie.

CHAPITRE II

Croyez-le ou non

Une étrange expression naquit dans les yeux bleus de sir Pellinore. Il connaissait le duc depuis bien des années, mais pas intimement ; il faisait seulement partie de cette vaste foule de connaissances qui croisaient de temps à autre son chemin lors d'un bref week-end à la campagne, dans le fumoir d'un club du West End ou, en cours de saison, dans des stations à la mode comme Deauville. Il avait souvent entendu dire de de Richleau que c'était un homme intrépide et doté d'infinies ressources, mais aussi quelqu'un que les gens normaux pouvaient trouver excentrique. On n'avait jamais vu le duc en chapeau melon, ou maniant cet emblème de la respectabilité britannique, le parapluie. Au lieu de cela, quand il sortait, il portait une belle canne de jonc. En temps de paix, il circulait dans Londres à bord d'une énorme Hispano argentée avec chauffeur et valet de pied sur le siège, tous deux habillés en cosaques et portant de hauts « papenkas » d'astrakan gris. Certains regardaient cela comme de la vulgaire ostentation, alors que, pour le duc lui-même, ce n'était qu'un lamentable ersatz des seize piqueurs qui précédaient habituellement ses ancêtres en des temps de plus ambitieuses visées. Sir Pellinore ayant l'esprit large, il avait mis ces petits points faibles sur le compte de l'ascendance étrangère du duc, mais il lui apparaissait maintenant que sous certains aspects de Richleau avait dû être, depuis toujours, quelque peu bizarre et que, bien qu'il fût en apparence parfaitement sain d'esprit, le fait d'avoir échappé de peu à une bombe nazie avait pu récemment lui déranger le cerveau.

— De la magie noire, hein ? dit-il avec une douceur peu coutumière. Théorie des plus intéressantes. Eh bien, si vous — heu — avez d'autres idées sur la question vous devez me les dire.

— J'en serais ravi, répondit le duc avec une courtoisie suave. Et maintenant je vais vous dire ce qui *vient* à l'instant de vous passer par la tête. Vous avez pensé : « J'ai fait chou blanc ici ; ce type est nul ; il lui manque un grain ; probablement a-t-il été commotionné au cours d'un raid aérien. Dommage, car j'espérais bien qu'il pourrait faire quelques suggestions pratiques qui serviraient de base aux gens des Services Secrets. Vu la situation, il faut que je me souvienne de dire à ma secrétaire de l'éconduire poliment s'il téléphone — on ne peut perdre son temps avec des gens qui sont devenus cinglés, alors qu'une guerre est en cours.

— Sacré nom !

Sir Pellinore abattit son énorme poing sur la table.

« Vous avez raison, duc ; je l'admets. Mais vous devez reconnaître que quiconque étant sain d'esprit ne pourrait prendre votre suggestion au sérieux. »

— Je n'irais pas jusque-là, mais je reconnaîtrais volontiers que quiconque ne sachant personnellement rien de l'occulte est parfaitement en droit de ne pas y croire. Je suppose que vous n'avez jamais été témoin de la matérialisation d'une force astrale, ou, pour traduire cela en langage commun, « vu un fantôme » de vos propres yeux ?

— Jamais, dit sir Pellinore avec énergie.

— Avez-vous entendu parler de l'hypnotisme ?

— Oui. En fait je suis moi-même doué de quelques pouvoirs hypnotiques. Quand j'étais jeune, j'amusais parfois mes amis en faisant d'innocentes démonstrations ; et je me suis souvent aperçu que je pouvais faire faire aux gens de petites choses, comme s'étendre sur un sujet particulier, simplement par l'effet de ma volonté.

— Bon. Alors nous sommes au moins d'accord sur le fait que certaines forces que l'individu moyen ne comprend pas peuvent être mises en œuvre.

— Je le suppose, dans certaines limites.

— Pourquoi « dans certaines limites » ? Il y a cinquante ans vous auriez sûrement considéré que la radio était complètement en dehors de telles limites si quelqu'un avait tenté de vous convaincre que des messages, et même des images, pouvaient être transmises d'un bout de la terre à l'autre à travers l'éther.

— Naturellement, gronda sir Pellinore. Mais la radio, c'est différent ; quand à l'hypnotisme, c'est simplement le pouvoir de la volonté humaine.

— Ah, là vous y êtes.

Le duc se pencha soudain vers lui.

« *La volonté du bien* et *la volonté du mal.* Voilà toute l'affaire en deux mots. La volonté humaine est comme un poste de radio et, quand elle est convenablement réglée, elle peut capter les influences invisibles qui nous entourent. »

— Les influences invisibles, hein ? Non, je regrette, duc, je ne crois pas à pareilles choses.

— Croyez-vous aux miracles accomplis par Jésus-Christ ?

— Oui. Je suis assez vieux jeu pour être resté un aveugle croyant en la foi catholique ; Dieu sait pourtant que j'ai commis bien des péchés en mon temps.

— Vous croyez aussi, alors, aux miracles accomplis par les disciples du Christ et certains saints ?

— Oui. Mais ils avaient des pouvoirs particuliers qui leur avaient été octroyés.

— Exactement. Des pouvoirs *particuliers*. Mais je suppose que vous nieriez que Gautama Bouddha et ses disciples aient accompli des miracles de nature similaire ?

— Pas du tout. J'ai l'esprit suffisamment large pour croire que Bouddha était une sorte de Christ indien, ou du moins un très saint homme, et nul doute qu'à lui aussi un pouvoir particulier ait été octroyé.

— Alors si vous admettez que des miracles, comme vous les appelez — bien que vous désapprouviez le mot *magie* — ont été accomplis par deux hommes de foi différente, vivant dans des pays différents et à des époques séparées par des centaines d'années, vous ne pouvez raisonnablement nier que d'autres mystiques aient aussi accompli des actes semblables dans de nombreuses parties du globe et, par conséquent, qu'il existe en dehors de nous un *pouvoir* qui n'est *particulier à aucune religion*, mais qui peut être utilisé si on peut entrer en communication avec lui.

Sir Pellinore se mit à rire.

— Je n'ai jamais considéré la chose sous cet angle jusqu'ici, mais je suppose que vous avez raison.

De Richleau versa à son ami un autre verre de vieux cognac, tandis que sir Pellinore poursuivait plus lentement :

« Tout de même, parce qu'un certain nombre de braves gens ont été dotés de pouvoirs surnaturels cela ne veut pas dire que la magie noire existe. »

— Alors vous ne croyez pas à la sorcellerie ?

— Personne n'y croit de nos jours.

— Vraiment ? Depuis combien de temps, d'après vous, a eu lieu le dernier procès pour sorcellerie ?

— Deux cents ans.

— Non. C'était en janvier 1926 à Melun, près de Paris.

— Bonté divine ! Ai-je bien compris ?

— Oui, lui assura avec solennité de Richleau. Les minutes du tribunal en sont la preuve ; aussi, voyez-vous, vous êtes loin de la vérité quand vous dites que *personne* ne croit à la sorcellerie de nos jours ; et des milliers et des milliers de gens croient encore à l'incarnation du diable.

— Des paysans d'Europe Centrale peut-être, mais pas des gens instruits.

— Pourtant tout être pensant doit admettre que les puissances du Mal existent.

— Pourquoi ?

— Mon cher ami, toute chose a son contraire, comme l'amour et la haine, le plaisir et la douleur, la générosité et l'avarice. Comment pourrions-nous reconnaître la bonté de Jésus-Christ, Lao-tseu, Asoka, Marc Aurèle, François d'Assises et de milliers d'autres, sans les vies vouées au mal d'Hérode, César Borgia, Raspoutine, Landru et les autres.

— C'est vrai.

— Alors si une intense pratique du Bien peut engendrer d'étranges pouvoirs, y-a-t-il une raison pour qu'une intense pratique du Mal n'en engendre pas aussi ?

— Cela semble possible.

— J'espère que je ne vous ennuie pas, car dans l'éventualité où il pourrait y avoir quelque chose de vrai dans ma suggestion que les nazis utilisent des forces occultes pour faire sortir des informations de ce pays, je pense qu'il est réellement important que vous compreniez la théorie de l'occulte, car vous ne semblez pas en savoir beaucoup là-dessus.

— Continuez, continuez.

Sir Pellinore agita sa grosse main.

« Attention, je ne dis pas que je suis prêt à considérer comme admis tout ce que vous pourrez me dire, mais vous ne m'ennuyez certainement pas. »

De Richleau se pencha vers lui.

— Très bien. Je vais essayer de vous exposer les simples rudiments de l'Ancienne Sagesse qui nous est parvenue à travers les âges. Vous avez dû entendre parler du mythe perse d'Ormuzd et d'Ahriman, les éternelles puissances de la Lumière et des Ténèbres, qu'on disait égales et guerroyant sans cesse pour le bien ou le mal de l'humanité. Tous les cultes antiques du Soleil et de la Nature — Fêtes du Printemps, etc. — n'étaient que l'extériorisation de ce mythe, car la Lumière symbolise Santé et Sagesse, Croissance et Vie, tandis que les Ténèbres signifient Maladie et Ignorance, Décadence et Mort.

« Dans son sens le plus élevé la Lumière symbolise le développement de l'esprit vers cette perfection où il devient lui-même Lumière. Mais la route vers la perfection est longue et ardue, bien trop pour espérer y parvenir au cours d'une seule brève vie humaine ; d'où la croyance largement répandue en la Réincarnation : nous renaissons et renaissons encore jusqu'à ce que nous commencions à transcender les plaisirs de la chair. Cette doctrine est si ancienne que nul ne peut retrouver son origine, bien qu'elle soit le noyau profond de Vérité commun à toutes les religions à leur début. Considérez l'enseignement de Jésus-Christ avec cette idée présente à l'esprit et vous serez stupéfait de vous rendre compte que vous n'aviez pas compris auparavant la vraie signification de Son message. N'a-t-il pas dit que le Royaume de Dieu était en nous ? Et, quand il a marché sur les eaux, il a déclaré : « Ce que je fais vous le ferez aussi, et vous ferez des choses bien plus grandes, car je vais vers mon Père qui est au Ciel. » voulant très certainement dire qu'il approchait de la perfection, mais que d'autres avaient en eux un égal pouvoir d'en faire autant. »

De Richleau se tut un instant, puis poursuivit plus lentement :

— Malheureusement les heures de la nuit sont toujours égales aux heures du jour, de sorte que les Puissances des Ténèbres ne sont pas moins actives qu'au commencement du monde et, à peine un nouveau Maître arrive-t-il pour révéler la Lumière, que l'Ignorance, la Cupidité et la Soif du Pouvoir obscurcissent l'esprit de ses adeptes. Le message est déformé et la simplicité de la Vérité est noyée et oubliée dans la pompe des cérémonies et l'accomplissement méticuleux des rites qui ont perdu leur signification. Pourtant la Vérité n'est jamais entièrement perdue et, au cours des siècles, de nouveaux Maîtres surgissent continuellement, soit pour la proclamer, soit, si l'époque n'est pas propice, pour la transmettre en secret aux élus.

« Apollonios de Tyane l'a apprise en Orient. Les prétendus hérétiques que nous connaissons sous le nom d'Albigeois l'ont prêchée au XIIe siècle dans tout le sud de la France, jusqu'à ce qu'ils soient exterminés. Christian Rosenkreutz la détint au Moyen Age ; elle fut le secret le plus intime de l'Ordre des Templiers qui, à cause d'elle, fut détruit par l'Église de Rome ; les alchimistes, eux aussi, la recherchaient et la mettaient en pratique. Seul l'ignorant prend à la lettre leur combat pour découvrir l'Elixir de Vie. Derrière de pareils mots, destinés à les protéger de la persécution de leurs ennemis, ils cherchaient la Vie Éternelle ; et leurs efforts pour transmuter en or des métaux vils n'étaient que le symbole de leur sublimation de la matière en Lumière. Et, encore de nos jours, pendant que se poursuit autour de nous le bombardement de Londres, il y a des mystiques et des initiés qui cherchent le Chemin de la Perfection aux quatre coins de la terre. »

— Vous le croyez sincèrement ? intervint sir Pellinore avec un léger scepticisme.

— Bien sûr.

Il n'y avait pas la moindre trace de doute dans la réponse de de Richleau.

— En admettant qu'il y ait de tels mystiques pour suivre cette Foi particulière qui se situe en dehors de toutes les religions organisées, je ne vois toujours pas où intervient la magie noire.

— Ne parlons pas de cette magie noire que l'on associe de nos jours à l'irrationnel, mais de l'Ordre du Sentier de Gauche. Celui-ci a aussi ses adeptes et, tout comme les réincarnationistes disséminés dans le monde entier sont les protecteurs du Chemin de Lumière, le Chemin des Ténèbres est perpétué dans l'horrible culte vaudou qui est originaire de Madagascar et a établi son emprise pendant des siècles sur l'Afrique, le Continent Noir, avant de s'étendre, avec le commerce des esclaves, jusqu'aux Antilles.

On entendit un chapelet de bombes éclater sourdement dans le lointain et sir Pellinore sourit :

— Il y a pas mal de distance entre le fétichisme pratiqué

par les nègres des Caraïbes et les machinations de ce satané Hitler.

— Pas autant que vous pourriez le supposer. En général la magie du Noir est à l'état brut, mais cela n'empêche pas que certains de ces prêtres vaudou ont cultivé à un très haut degré la Puissance du Mal. Chez les Blancs, pourtant, ce sont généralement les riches et les intellectuels, avides de plus de richesse ou de pouvoir, qu'elle séduit. Dans le Paris de Louis XIV, bien longtemps après que le Moyen Age eut été oublié, l'Art Noir sévissait particulièrement. Il fut prouvé que l'empoisonneuse La Voisin avait procuré plus de quinze cents enfants à l'infâme abbé Guibourg pour ses sacrifices, lors des messes noires. Il leur coupait la gorge, recueillait leur sang dans un calice pour le verser sur le corps nu du demandeur étendu sur l'autel. Je parle d'une histoire véridique, et vous pouvez lire les minutes du procès qui s'ensuivit, au cours duquel deux cent quarante-six hommes et femmes furent accusés de ces pratiques infernales.

— Allons, allons, tout cela date d'il y a bien longtemps.

— Si vous avez besoin de preuves plus récentes de la persistance de ces pratiques, il y a le cas, d'une authenticité bien établie, du prince Borghese. Il loua son *palazzo* vénitien pour un bail à long terme expirant en 1895. Les locataires n'ayant pas réalisé que le bail avait pris fin, bien que le prince leur eût fait part de son intention de reprendre possession de son bien, ils protestèrent. Mais les hommes d'affaires de Borghese entrèrent de force. Et que pensez-vous qu'ils trouvèrent ?

— Dieu seul le sait.

— Le salon principal avait été redécoré à grands frais et transformé en Temple de Satan. Du plafond au plancher, les murs étaient tendus de lourds rideaux de soie damassée rouge et noir pour empêcher la lumière d'entrer. Au fond, dominant toute la pièce, était déployée une grande tapisserie sur laquelle était brodée une énorme effigie de Lucifer. Au-dessous, on avait construit un autel amplement pourvu de toute la liturgie de l'enfer : chandelles noires, vases, rituels — rien ne manquait. Des prie-Dieu capitonnés et de luxueux fauteuils de pourpre et d'or étaient destinés à l'assistance et l'éclairage électrique de la salle avait été conçu de telle sorte que la lumière semble venir de l'éclat fantastique d'un énorme œil humain.

« Si cela ne vous suffit pas je peux vous donner d'autres exemples encore plus récents de temples de Satan ici, à Londres ; pas si luxueusement aménagés, peut-être, mais comportant le minimum nécessaire pour célébrer des messes noires. Il y en avait un dans Earl's Court après la Guerre de 14-18 ; il y en avait un autre encore dans St John's Wood en 1935 que j'ai moi-même eu l'occasion de visiter, et il y a moins de trois ans, il en existait un dans Dover Street où, lors d'une cérémonie, une femme a été flagellée à mort. »

De Richleau abattit son poing fermé sur la table.

« Ce sont des faits que je vous livre — des choses que je peux prouver grâce à des témoins oculaires encore vivants. En dépit de notre électricité, de nos avions, de notre scepticisme moderne, la Puissance des Ténèbres est, aujourd'hui encore, une force vivante, adorée par des créatures humaines dépravées, pour leurs fins impies, dans les grandes villes d'Europe et d'Amérique. »

Sir Pellinore haussa ses larges épaules.

— Je suis tout à fait prêt à vous croire sur parole et, naturellement, j'ai moi-même entendu dire parfois que pareilles choses se produisaient, allant même à l'occasion jusqu'à des meurtres jamais élucidés par la police. Mais, pour être tout à fait honnête, j'ai le sentiment que vous interprétez les faits de façon tout à fait erronée. De telles réunions servent simplement de prétexte à certaines personnes riches et dépravées, comme il en existe un certain nombre dans toutes les grandes villes, pour se livrer à des orgies délibérées, au cours desquelles ils peuvent s'adonner aux pratiques sexuelles les plus révoltantes. De tels cercles sont, en fait, des clubs du vice très fermés, généralement tenus par d'habiles escrocs qui en tirent un profit maximum. Je ne doute pas un instant que vous ayez raison à propos des ornements mais, d'après moi, le cérémonial ne représente qu'un simple stimulant mental destiné à placer ces gens dans un état d'esprit propice à l'abominable licence à laquelle ils ont l'intention de se livrer plus tard dans la nuit, quand ils se seront dévêtus. Je ne crois pas que ces prétendus satanistes puissent faire du mal à une mouche en exerçant des pouvoirs surnaturels de la manière que vous suggérez.

— C'est dommage, répondit le duc, car il ne s'agit pas là, pour moi, de tenter de vous convaincre que j'ai raison pour le simple plaisir de triompher dans un débat purement académique. Vous êtes venu me voir ce soir pour me soumettre un problème qu'il est vital de résoudre si nous voulons l'emporter sur les nazis. J'ai avancé ce que je considère comme une solution possible à ce problème. Si vous l'écartez parce qu'elle paraît absurde, et s'il se révèle plus tard que j'avais raison, c'est entièrement à votre répugnance à accepter ce qui paraît être une solution fantastique que nous devrons d'être en passe de perdre la guerre, ou du moins qu'elle soit prolongée jusqu'à un point où notre peuple tout entier sera soumis à de sérieuses privations. Ou bien ma théorie est valable, ou bien elle ne l'est pas. Si elle *est* valable nous pouvons prendre des mesures pour écarter la menace. Par conséquent, que cela vous plaise ou non, vous m'avez placé devant le devoir patriotique de vous convaincre que la magie est une véritable force scientifique et peut, de ce fait, être utilisée par nos ennemis.

Sir Pellinore approuva gravement de la tête.

— J'apprécie votre point de vue et il n'est pas du tout question, pour moi, de mettre en doute la sincérité de votre propre conviction ou l'honnêteté de vos intentions mais, quand bien même resterions-nous là à discuter jusqu'au milieu de la semaine prochaine, jamais vous ne parviendrez à me convaincre qu'il soit possible d'utiliser les forces occultes de la même façon qu'on peut se servir d'une radio.

— Oh que si, répondit le duc, et ses yeux gris se vrillèrent sur ceux du sir Pellinore avec une étrange lueur de dureté. Et vous me forcez, dans l'intérêt de la nation, à faire quelque chose que je n'aime pas ; mais j'en sais assez sur cette affaire pour invoquer certaines forces surnaturelles de sorte que, quand vous quitterez cet appartement, ce soir, jamais plus vous ne pourrez dire que vous ne croyez pas à la magie.

CHAPITRE III

L'ancienne sagesse

Sir Pellinore parut quelque peu surpris, puis il se mit à rire de bon cœur.

— Vous ne vous proposez pas de me transformer en un singe ou en quelque autre animal, n'est-ce pas ?

— Non, dit de Richleau en souriant. Je doute même que mes pouvoirs puissent aller jusque-là, mais je serais capable de vous faire perdre la mémoire pendant près d'une semaine.

— Diable ! Ce serait fichtrement embêtant.

— Ne vous inquiétez pas. Je n'en ai pas l'intention. Je suis heureux de dire que je ne me suis jamais permis d'être tenté de pratiquer autre chose que la magie blanche.

— La magie blanche, la magie blanche, répéta sir Pellinore d'un ton soupçonneux. Mais c'est seulement des tours de passe-passe, n'est-ce pas ?

— Pas du tout.

Le ton du duc était quelque peu acide.

« Elle ne diffère de la magie noire que par le fait que c'est une cérémonie célébrée sans intention de nuire à quiconque ou sans profit personnel pour celui qui la pratique. Je me propose d'utiliser les pouvoirs que je possède pour faire en sorte qu'un certain souhait que vous aurez exprimé ce soir soit exaucé. Passons dans l'autre pièce, voulez-vous ?

Indéniablement intrigué et vaguement inquiet de cette proposition inhabituelle pour agrémenter sa soirée, sir Pellinore entra en compagnie du duc dans cette pièce de l'appartement de Curzon Street dont le souvenir demeurait si vivace dans la mémoire de ceux qui avaient eu le privilège de la visiter ; non pas tant à cause de sa dimension et de sa décoration que pour la collection unique de beaux objets rares qu'elle contenait : un bouddah thibétain assis dans la position du lotus, des figurines de bronze de la Grèce antique, des rapières délicatement ciselées en acier de Tolède et des pistolets maures incrustés de turquoises et d'or, des icônes de la Sainte Russie ornées de pierres semi-précieuses, et des ivoires d'Orient curieusement sculptés, chaque objet évoquant quelque étrange aventure vécue par de Richleau comme soldat de fortune ou lors de voyages dans des pays mal connus. Les murs étaient tapissés jusqu'à hauteur d'épaule de livres aux riches reliures et, au-dessus, décorés de documents historiques inestimables, de vieux chromos et de cartes anciennes.

Après avoir installé son hôte dans un confortable fauteuil devant le feu qui rougeoyait, le duc se dirigea vers un grand coffre d'ivoire sculpté qu'il ouvrit à l'aide d'une longue clé en forme de fuseau. L'avant, en s'abaissant, révéla cent un tiroirs de profondeur et de grandeur différentes. D'un des plus grands, il sortit un vieux plateau en fer bosselé de cinquante-quatre centimètres de long sur dix-huit centimètres de large, portant de curieuses marques gravées à sa surface, qu'il plaça sur le coffre ; dans un autre tiroir il prit un brûle-parfum et quelques bâtons d'encens qu'il introduisit dans celui-ci avant de les allumer avec un cierge blanc.

Quand l'encens eut bien pris, le duc abandonna le coffre et se dirigea vers une belle table-bureau à laquelle il s'assit ; puis, prenant un porte-plume, il attira à lui une feuille de papier à lettres. Après en avoir couvert les deux côtés d'une écriture nette, il la plia et la mit dans une enveloppe ; puis, se tournant vers sir Pellinore, il la lui tendit en disant :

— Glissez ça dans votre poche. Quand le moment sera venu, je vous demanderai de l'ouvrir et, si ma cérémonie a réussi, cela vous prouvera qu'il n'y a eu aucun élément de coïncidence dans cette affaire.

De Richleau tira ensuite du coffre d'ivoire quatre petites coupes de bronze dont le pied était constitué de trois jambes ailées manifestement sculptées sur le modèle du corps masculin. Il approcha le cierge allumé du contenu de l'une d'elles, et la substance qui s'y trouvait se mit à brûler avec une flamme bleue soutenue. Une autre des coupes contenait déjà un produit foncé, tandis que les deux autres étaient vides. Il prit l'une d'elles et se dirigea vers un plateau de boissons posé sur une petite table et l'emplit à l'aide d'une bouteille d'eau de Malvern. Tout en remettant la coupe dans l'alignement des trois autres, il jeta un regard en direction du baronet qui l'observait avec une désapprobation un peu cynique et fit remarquer :

— Nous avons ici les quatre éléments : l'Air, la Terre, le Feu et l'Eau, tous nécessaires à la célébration de toute cérémonie magique.

Les bâtons d'encens émettaient maintenant des spirales de fumée bleue qui embaumait l'air de la pièce tranquille d'un fort parfum musqué et, tout en choisissant trois petites enveloppes de paye, marquées chacune d'un nom, parmi un certain nombre d'autres rangées par ordre alphabétique dans un des tiroirs, le duc ajouta :

« Sans doute cela vous semble-t-il un tas de niaiseries, pourtant il y a une bonne raison à chaque chose dans ces pratiques mal comprises mais très anciennes. Par exemple l'encens empêchera votre nez d'être offensé par l'odeur désagréable — pour certains — des choses que je suis sur le point de réduire par le feu. »

— Qu'est-ce que c'est ? demanda sir Pellinore.

Le duc ouvrit une des petites enveloppes, la tapota pour en faire tomber le contenu dans la paume de sa main et le lui tendit.

— C'est, comme vous le voyez, des rognures d'ongles humains.

— Grand Dieu !

Sir Pellinore se détourna vivement. Il n'était pas du tout heureux de cette affaire, alors que, demeuré incrédule, toute sa vie durant, à l'égard de l'occulte, il se voyait soudain saisi d'une vague crainte à l'idée d'être maintenant, tout à fait à l'encontre de son désir, mis en contact direct avec lui. Le fait d'avoir gagné une Victoria Cross dans la guerre contre les Boers, et d'avoir accompli, depuis, maints actes de bravoure, ne lui était pas du moindre réconfort. Il comprenait les balles et les bombes, mais pas ces distingués savants qui se proposaient de provoquer des événements anormaux en brûlant de petites parties du corps humain.

De Richleau lut ses pensées et sourit. Retournant au coffre d'ivoire il y prit une poudre argentée dont il fit trois petits tas sur le vieux plateau de fer et, sur chacun, il posa quelques fragments de rognures d'ongles. Puis il fit un signe qui n'était ni celui de la Croix, ni le geste de se toucher le front que font les Mahométans quand ils mentionnent le nom du Prophète, enflamma un des petits tas de poudre et, d'une voix vibrante qui fit sursauter sir Pellinore, prononça une incantation de onze mots dans une langue morte depuis longtemps.

La poudre s'embrasa avec une flamme éblouissante, les rognures d'ongles se consumèrent en une petite bouffée de fumée âcre et de Richleau refit le signe qui n'était ni celui de la croix ni le geste de se toucher le front que font les Mahométans quand ils mentionnent le nom du Prophète.

Deux fois encore le duc répéta les mêmes gestes et les mêmes mots, puis il éteignit la flamme qui brûlait dans une des coupes, vida l'eau d'une autre, moucha l'encens dans le brûle-parfum et, remettant tous ses instruments dans le coffre d'ivoire, il le referma avec la clé fusiforme.

— Voilà, dit-il sur le même ton que s'il venait de terminer la démonstration d'un nouveau type de balai mécanique. Il faudra un peu de temps avant que les résultats logiques des sortilèges auxquels je me suis livré se manifestent, aussi que diriez-vous d'un verre ? Cognac, chartreuse ou un verre de champagne — que préférez-vous ?

— Cognac à l'eau, merci, répondit sir Pellinore, manifestement soulagé que les étranges bouffonneries de son ami soient terminées.

Tandis qu'il apportait le verre et s'asseyait devant le feu, le duc sourit cordialement.

— Je suis navré de vous avoir mis mal à l'aise — un grand manquement de tout hôte envers son invité — mais vous l'avez cherché, vous savez.

— Grand Dieu, oui ! Vous avez tous les droits possibles pour prouver votre affirmation, si vous le pouvez, et je serais ravi que vous y parveniez, bien que, je dois l'avouer, cette affaire me donne plutôt la chair de poule — chose que je n'ai pas éprouvée depuis des années. Cependant, croyez-vous honnêtement que le Führer tripote l'encens, les coupes de ceci et de cela et les rognures d'ongles humains, comme vous ce soir ?

— Je n'en doute pas ; tout ce qu'on sait de lui l'indique. Témoin, son amour des lieux élevés, le fait qu'il s'enferme dans cette pièce secrète à Berchtesgaden, parfois jusqu'à douze heures d'affilée, pendant lesquelles nul n'a le droit de le déranger, quelle que soit l'urgence de ses affaires, ses prétendues crises, et surtout sa façon de vivre : pas de femmes, pas d'alcool et un régime végétarien.

— Que diantre cela a-t-il à voir ?

— Pour parvenir au pouvoir occulte, il est généralement essentiel de renoncer à tous les plaisirs de la chair, souvent même au point de soutenir des jeûnes prolongés, afin de purifier le corps. Rappelez-vous que tous les saints qui ont accompli des miracles étaient réputés pour leur ascétisme, et il est absolument nécessaire aussi de se refuser toute sorte de satisfaction égoïste si on souhaite pratiquer l'Art Noir comme toute autre forme d'occultisme.

— Cela ne s'accorde pas avec votre propre séance de ce soir. Nous avons savouré un sacrément bon dîner et pas mal d'excellentes liqueurs avant que vous vous mettiez à l'œuvre.

— Exact. Mais alors, comme je vous l'ai dit, je me proposais seulement d'exécuter de la magie toute simple. Je n'aurais rien pu tenter de réellement difficile sans m'être au préalable remis à l'entraînement.

Sir Pellinore approuva du chef.

— Tout de même, il me paraît impossible de croire qu'un homme dans la position d'Hitler soit capable de consacrer du temps à toute une série de ces — euh — cérémonies, jour après jour, semaine après semaine, pour découvrir la route qu'emprunte chacun de nos convois, alors qu'il doit avoir tant de choses importantes à faire.

— Je ne le pense pas non plus. Sans doute a-t-il autour de lui assez de gens à qui confier les besognes de routine et se réserve-t-il pour des occasions spéciales au cours desquelles il recherche le pouvoir de provoquer de bien plus grands maux.

— Miséricorde ! Voulez-vous dire que tous les nazis sont du même acabit ?

— Pas tous, mais un bon nombre. Je suppose qu'il ne vous est jamais arrivé de vous demander pourquoi ils ont choisi pour symbole un svastika gauche ?

— J'ai toujours pensé que c'était à cause de leur politique pro-aryenne. Le svastika est d'origine aryenne, n'est-ce pas ?

— Oui. Longtemps avant qu'on entende parler de la Croix, le svastika était le symbole aryen de la Lumière, et son histoire est si ancienne que nul n'a pu trouver son origine, mais c'était un svastika droit, tandis que l'insigne nazi est gauche, aussi, étant juste l'opposé, il est le symbole des Ténèbres.

Sir Pellinore fronça les sourcils.

— Tout cela est absolument nouveau pour moi, et j'ai beaucoup de mal à accepter votre théorie.

De Richleau se mit à rire.

— Si vous aviez le temps d'approfondir la question vous découvririez bientôt que c'est beaucoup plus qu'une théorie. Vous y connaissez-vous en astrologie.

— Pas du tout ; pourtant, une fois, un type m'a fait mon horoscope, et je dois avouer que c'était un travail remarquable. Il y a maintenant bien des années de cela, mais pratiquement tout ce qu'il m'a prédit c'est, depuis, révélé exact.

— C'est toujours le cas si l'astrologue connaît son métier, s'il dispose de données précises et s'il y passe suffisamment de temps. Le genre d'horoscope que les gens achètent pour une demi-guinée est rarement très bon, car l'astrologie est une science mal comprise mais très exacte, et cela demande des heures de calculs compliqués pour établir l'influence que chaque corps céleste aura sur un enfant à l'heure de sa naissance. Mais un dur labeur et une solide connaissance de la science ne sont pas à eux seuls suffisants, et l'astrologue doit avoir acquis des années de pratique dans l'évaluation de la manière dont l'influence d'un corps céleste va augmenter ou diminuer l'influence de tous les autres qui se trouvent au-dessus de l'horizon à l'heure de la naissance. Bien entendu, tout travail mérite salaire, et payer dix ou vingt guinées pour faire effectuer le travail par quelqu'un qui connaît bien son affaire en vaut la peine au centuple. On peut faire d'un horoscope vraiment bon la clé de sa vie en utilisant les avertissements qu'il contient pour en modifier les tendances et se protéger de bien des maux.

— Vraiment ?

Sir Pellinore parut un peu surpris.

« J'avais l'impression que ces astrologues croyaient tous que ce que disent les astres *doit* arriver. C'est pourquoi je n'ai jamais considéré mon horoscope comme autre chose qu'une curiosité. Rien ne m'amènerait à croire que nous ne sommes pas les maîtres de notre propre destin. »

— Nous le sommes, répondit doucement le duc, mais nos routes sont limitées. Les Grands Architectes donnent à chaque enfant, à sa naissance, des particularités, ainsi que certaines forces et faiblesses de caractère qui lui sont exactement adaptées et sont, en fait, l'aboutissement de la somme de ses existences antérieures. En gros, la vie de cet enfant est tracée, car ses parents et son environnement auront automatiquement une influence profonde sur son avenir, et il est prévu d'avance que, parfois, durant sa vie, d'autres personnes pénétreront dans son orbite, exerçant sur lui une importante influence, bonne ou mauvaise. Sur son chemin il trouvera la tentation, mais aussi les chances d'accomplir des progrès. Tout cela est décrété par les Contremaîtres, conformément au vaste plan dans lequel tout s'intègre parfaitement, de sorte que le caractère, les tendances et les périodes de tension et de chance particulières peuvent être prévus d'après les astres dominant le ciel de toute naissance. Mais le libre arbitre demeure, et c'est pourquoi, bien qu'on puisse prévoir les événements futurs d'une vie avec un haut degré de probabilité, on ne peut les prédire avec une absolue certitude, car l'individu concerné peut soudain faire preuve de quelque faiblesse cachée ou d'une force insoupçonnée et ainsi s'éloigner de son destin apparent.

— Alors un horoscope n'est nullement définitif ?

— Certainement pas ! Pourtant il peut être un guide inestimable de nos points faibles et de nos possibilités, et le fait que nous sortions fréquemment du sentier tracé à l'avance, dans une direction ou une autre, ne signifie pas nécessairement que nous le quittons pour de bon. Vous avez sûrement remarqué comment les gens échouent souvent dans une direction par leur propre folie, et pourtant atteignent leur but un peu plus tard par une voie tout à fait inattendue ; ou encore comment, à cause de circonstances semblant entièrement fortuites, la vie d'un homme est complètement changée, de sorte que tout son avenir est orienté dans une direction entièrement différente. Ce n'est pas le résultat du hasard, qui n'existe pas, c'est simplement qu'ayant dû affronter une certaine épreuve, et ayant réagi avec une force ou une faiblesse inattendue, il est ramené, par l'effet de puissances sur lesquelles il n'a aucun contrôle, dans le chemin où d'autres épreuves, ou d'autres chances, ont été d'avance disposées à son intention.

De nouveau la défense antiaérienne cracha des flammes, faisant tinter les verres sur la petite table, puis deux bombes miaulèrent au-dessus de la maison et explosèrent, derrière, du côté de Piccadilly. Tout frémit et ils perçurent distinctement, au-dessus d'eux, le vrombissement menaçant des avions ennemis.

Durant quelques instants, ils demeurèrent silencieux puis, une fois le vacarme apaisé, sir Pellinore dit :

— Au diable ce peintre en bâtiment ! Bientôt il n'y aura plus une seule fenêtre dans aucun club. Mais que vous apprêtiez-vous à dire à propos de lui et de l'astrologie ?

— Simplement que jusqu'ici — à une exception près — toutes ses manœuvres majeures ont été effectuées au moment où ses astres étaient à l'ascendant. Sa marche vers le Rhin, son *Anschluss* avec l'Autriche, le viol de la Tchécoslovaquie et quantité d'autres plus anodines, mais néanmoins importantes dans sa carrière, ont toutes eu lieu à des dates où les astres lui étaient particulièrement propices. Je ne vous demande pas de me croire sur parole — allez voir n'importe quel astrologue de bonne réputation et il confirmera ce que je dis — mais, dans mon esprit, c'est la preuve concluante qu'Hitler, ou pratique lui-même l'astrologie, ou emploie un excellent astrologue et choisit précisément les dates de chacune des manœuvres importantes qu'il exécute en accord avec les forces occultes régnant à ces périodes.

— N'y a-t-il eu aucune exception ?

— Si, le 2 septembre 1939. Les méchants peuvent utiliser les forces occultes à leurs fins personnelles, mais seulement dans certaines limites. Les forces de Lumière qui voient tout sont toujours en alerte et, inévitablement, vient un moment où elles prennent l'occultiste noir à son propre piège. Elles ont pris Hitler au piège en Pologne. Je suis sûr qu'il n'avait pas pensé un seul instant que la Grande-Bretagne entrerait en guerre à cause de son occupation de Dantzig ; par conséquent, quand il a consulté les astres pour connaître la date propice à cette aventure, il raisonnait uniquement en fonction de la Pologne. Il a choisi une date où les astres de la Pologne étaient défavorables et les siens favorables ; mais il a oublié, ou négligé, de prendre en compte les astres de la Grande-Bretagne et de son Empire à cette date et le jour suivant. Nous savons tous ce qui est arrivé à la Pologne, mais il n'est pas encore arrivé la même chose à la Grande-Bretagne et cela n'arrivera jamais. Dans la carte du ciel du 3 septembre 1939, vous verrez que les astres de la Grande-Bretagne sont plus puissants que ceux d'Hitler. Il pensait ne lancer le 2 qu'une brève attaque dévastatrice sur la Pologne, alors qu'en réalité il déclenchait une deuxième Guerre Mondiale ; et c'est là que ce serviteur des Ténèbres a été finalement pris au piège par les puissances de Lumière.

— En supposant — en *supposant*, notez bien — que vous ayez raison à ce sujet, comment pensez-vous que les agents d'Hitler s'y prendraient pour transmettre des informations par des moyens occultes ?

— Celui, quel qu'il soit, qui se procure les informations concernant les convois doit être capable de conserver une continuité de pensée à l'état de veille comme de sommeil, ou bien transmettre l'information à quelqu'un d'autre qui en est capable.

— De quoi diantre parlez-vous ?

De Richleau sourit tout en prenant le verre de son ami sur la petite table pour le remplir.

— Pour vous expliquer mon propos, je dois vous conduire un peu plus loin sur le chemin de l'Ancienne Sagesse. Puisque vous être chrétien, vous souscrivez déjà à la croyance qu'à votre mort votre esprit survivra, et que ce que nous appelons Mort est en réalité Vie Eternelle ?

— Certainement.

— Mais il y a bien plus que cela. Comme je l'ai fait remarquer tout à l'heure, la base de toutes les grandes religions, sans exception, est la croyance en la réincarnation et au fait qu'à des intervalles qui varient considérablement chacun de nous renaît dans un nouveau corps afin que nous puissions acquérir davantage d'expérience et un plus grand empire sur nous-mêmes. Ces périodes ressemblent un peu aux trimestres des écoliers, puisqu'au cours de celles-ci nous sommes obligés d'apprendre, que nous le voulions ou non, et que nous parvenons rarement à atteindre le bonheur pour une longue durée. Les périodes au cours desquelles nous sommes désincarnés, beaucoup plus longues, correspondent aux vacances destinées à nous faire reprendre des forces en vue de nouvelles épreuves.

Nous goûtons alors la compagnie de tous les amis chers que nous avons connus lors de notre long voyage à travers d'innombrables vies antérieures et vivons dans un état de beaucoup plus grande élévation et sérénité qu'il n'est possible sur Terre. C'est la vraie Vie Eternelle ; pourtant, chaque fois que nous nous réincarnons, nous ne perdons pas entièrement contact avec cet autre plan spirituel où nous vivons notre vie véritable et connaissons le vrai bonheur. Chaque fois que nous dormons, notre esprit quitte son corps et est libre de se fortifier à nouveau en vue des épreuves du lendemain en visitant la sphère astrale pour rencontrer et parler avec d'autres dont, pour beaucoup, le corps est aussi en train de dormir sur Terre.

Certaines personnes rêvent beaucoup, d'autres très peu, du moins c'est ce qu'elles disent, mais ce qu'elles veulent dire, en réalité, c'est qu'elles sont incapables de se souvenir de leurs rêves à leur réveil. Le fait est que nous rêvons tous — ou, si vous préférez, quittons notre corps — dès l'instant où nous nous endormons. Un rêve, de ce fait, n'est en vérité rien de plus que le souvenir confus de nos activités pendant que notre corps dort. En couchant sur le papier, dès le réveil, tout ce dont on se souvient de ses rêves, il est parfaitement possible de s'entraîner progressivement à se rappeler ce que l'esprit a fait quand il était absent du corps. Il faut une force de volonté considérable pour se réveiller tout de suite et le processus pour obtenir un souvenir vraiment net requiert une très grande patience mais, croyez-en ma parole, la chose est possible. Si vous en doutez, je pourrais facilement vous citer au moins une demi-douzaine d'autres personnes, se trouvant actuellement en Angleterre, qui se sont entraînées au point de pouvoir se rappeler, sans la moindre difficulté, leurs voyages noctures. Car, bien entendu, l'esprit n'a besoin d'aucun entraînement pour se souvenir de ce qu'il a fait dans le corps durant la journée. C'est là ce que je veux dire par continuité de pensée à l'état de veille et de sommeil.

— Je rêve rarement, lança sir Pellinore, et si cela m'arrive ce n'est qu'un absurde et confus fouillis.

— C'est le cas pour la plupart des gens, mais l'explication est très simple. Quand vous quittez votre corps, le temps, tel que nous le connaissons, cesse d'exister ; aussi, en une seule nuit, pouvez-vous parcourir de grandes distances, rencontrer des tas de gens et faire une extraordinaire variété de choses. De sorte qu'à votre réveil, si vous avez quelque souvenir, c'est seulement des lieux les plus marquants de vos aventures nocturnes.

— Mais elles n'ont aucun sens. Les choses ne s'enchaînent pas.

— Bien sûr que non. Mais parlez-moi de votre vie normale à l'état de veille. Depuis lundi qu'avez-vous fait cette semaine ?

— Eh bien, voyons, laissez-moi réfléchir. Lundi, j'ai rencontré Beaverbrook — très intéressant. Mardi, j'ai dîné avec l'amiral responsable des routes de nos convois — non, ça c'était mercredi — c'est mardi que j'ai fichtrement cru m'être foulé la cheville — j'avais glissé dans l'escalier du duc d'York. Ce matin-là j'ai reçu une lettre de mon neveu — j'étais sans nouvelle de ce garnement depuis des mois — il est avec le 2e Régiment de la garde à pied, dans le Middle Est. Mercredi, j'ai perdu un papier important ; j'étais sacrément sur les charbons ardents, sans aucune raison, car il était dans la doublure du ruban de mon chapeau, mais ça m'a fait passer une sacrée sale demi-heure. Hier je vous ai rencontré et...

— C'est suffisant pour illustrer ce que je veux dire, l'interrompit le duc. Si ces trois journées avaient été concentrées dans le rêve d'une seule nuit, vous vous seriez probablement réveillé avec l'impression confuse que vous marchiez dans une usine d'avions avec lord Beaverbrook quand, brusquement, vous êtes tombé et avez failli vous fouler la cheville, pour vous relever et vous apercevoir qu'il avait disparu et que vous étiez avec l'amiral sur les eaux glacées de l'Atlantique où nous perdons tant de nos navires ; puis que vous aviez l'effroyable impression d'avoir perdu une pièce de la plus grande importance, bien que vous ne puissiez vous rappeler ce que c'était, et que vous la cherchiez avec votre militaire de neveu dans les sables de Libye, au cours d'un intermède à la chasse aux Italiens. C'est ce qu'on appelle du télescopage. Aucun de ces faits n'aurait eu le moindre rapport apparent, pas plus que les actes de la vie réelle que vous m'avez cités ; mais il est tout à fait naturel que la mémoire, dans la vie réelle comme dans les activités oniriques, se jette sur ce qui a fait une grande impression à l'esprit. Les événements de moindre importance sont très vite noyés dans le flot général du subconscient, et je suis prêt à vous parier un billet de dix livres que vous ne pourriez pas vous rappeler maintenant avec précision ce que vous avez mangé à chaque repas, au cours de ces trois derniers jours, malgré tous vos efforts. Il se passe exactement la même chose avec le souvenir d'un rêve, sauf qu'avec de l'entraînement on peut arriver à combler les vides et à suivre la séquence tout entière.

— Oui. Je saisis votre raisonnement. Mais comment cela aiderait-il un espion allemand à faire passer des renseignements à l'ennemi ?

— Une fois qu'on est capable de se rappeler distinctement ses rêves, l'étape suivante est d'apprendre à les diriger, car cela aussi est possible avec la pratique. On peut s'endormir après avoir décidé de rencontrer un certain ami sur le plan astral et être absolument certain d'y parvenir. Un tel état n'est pas facile à atteindre, mais c'est à la portée de quiconque est suffisamment déterminé pour suivre jusqu'au bout, sans se décourager, un fastidieux entraînement. Et ce n'est pas là une question d'éducation ou de rituel secret, il s'agit simplement d'avoir assez de volonté pour se forcer à s'éveiller rapidement chaque matin et à concentrer toute sa force mentale pour tenter de se rappeler le moindre détail de ses rêves. Une fois qu'on a réussi cela, on n'a plus qu'à s'endormir en pensant à la personne qu'on souhaite rencontrer sur le plan astral, et on s'éveille le matin en ayant le sentiment de l'avoir effectivement rencontrée. C'est un fait tragique que d'innombrables couples qui ont été, par exemple, séparés par la guerre se rencontrent effectivement chaque nuit dans leurs corps spirituels mais, faute de s'être jamais entraînés, le temps qu'ils s'éveillent complètement, le matin suivant, c'est à peine si un sur dix mille garde conscience de la rencontre. Néanmoins vous conviendrez volontiers que si des gens qui s'aiment peuvent se renconter sur le plan astral pendant que les corps qu'ils habitent le jour dorment séparés par des milliers de kilomètres, il n'y a rien qui puisse empêcher des agents ennemis d'en faire autant.

— Miséricorde !

Sir Pellinore se pencha soudain vers le duc.

« Voulez-vous dire que, si un agent allemand, en Angleterre, avait certains renseignements, il pourrait s'endormir, faire son rapport en rêve à quelque satané type de la Gestapo endormi en Allemagne, et que, si le type de la Gestapo était capable de se souvenir de ses rêves, il pourrait se réveiller avec les renseignements dans la tête le matin suivant ? »

— Exactement, dit tranquillement le duc.

— Mais, Grand Dieu, ce serait terrible ! C'est trop effrayant à envisager. Non, non. Je ne voudrais pas être impoli en quoi que ce soit, et je suis tout à fait sûr que vous n'essayez pas de propos délibéré de vous moquer de moi mais, honnêtement, mon cher ami, je ne peux pas y croire.

De Richleau haussa les épaules.

— Il y a nombre de gens à Londres qui confirmeraient mes affirmations et, à moins que je ne me trompe fort, voici l'un d'eux.

Tandis qu'il parlait, on frappa doucement à la porte et son domestique, Max, apparut alors, murmurant :

— Excellence, M. Simon Aron est là et souhaite savoir si vous le recevrez.

— Dites-lui d'entrer, Max, répondit le duc en se tournant vers sir Pellinore avec un sourire. C'est un de ces vieux amis dont nous parlions au début de la soirée.

Max avait ouvert la porte et Simon se tenait sur le seuil avec un sourire un peu hésitant. C'était un homme mince et frêle, de taille moyenne, avec des cheveux noirs, un menton un peu fuyant, un grand nez aquilin et des yeux noirs, intelligents et inquiets. Comme il entrait, le duc le présenta à sir Pellinore et tous deux se serrèrent la main.

— Enchanté de vous rencontrer, gronda sir Pellinore. A un moment donné j'ai pas mal entendu parler de vous comme l'un des compagnons de Richleau dans certains de ses fameux exploits.

Simon agita sa tête d'oiseau d'un petit geste nerveux et sourit.

— Je crains de ne pouvoir revendiquer un grand mérite pour ça. Ce sont les autres qui ont fait tout le travail intéressant. A vrai dire, je — euh — ne m'intéresse pas beaucoup à l'aventure.

Il lança un rapide coup d'œil en direction du duc et poursuivit :

« J'espère que je ne vous interromps pas. J'ai juste pensé entrer, en passant, m'assurer que nous n'aviez pas été bombardé.

— Merci, Simon. C'est très aimable à vous, mais je ne savais pas que vous vous adonniez à la promenade pendant les raids aériens.

— Na.

Simon pencha la tête pour dissimuler de la main une grimace quelque peu penaude, tout en émettant cette curieuse négation dont il usait parfois.

« En fait, ce n'est pas le cas — beaucoup trop prudent. Mais il m'est venu à l'esprit, il y a environ une demi-heure, que je ne vous avais pas vu depuis une semaine, aussi, dès que j'ai eu fini mon robre au bridge, j'ai sauté dans un taxi et je suis venu. »

— Bon ! Servez-vous un verre.

De Richleau fit un signe en direction de la petite table et, tandis que Simon saisissait la carafe de cognac, poursuivit :

« Nous étions en train de parler de l'occulte et d'examiner s'il était possible à un agent allemand en Grande-Bretagne de transmettre des renseignements à un collègue en Allemagne en conversant sur le plan astral pendant leur sommeil. Qu'en pensez-vous ? »

Simon secoua la tête en signe d'assentiment.

— Hum, je dirais que c'est parfaitement possible.
Sir Pellinore le regarda d'un air quelque peu soupçonneux.
— Je suppose que vous croyez à tous ces trucs occultes ?
— Hum, Simon secoua de nouveau la tête, sans le duc, j'aurais peut-être perdu quelque chose de plus précieux que la raison en faisant joujou avec l'occulte il y a quelques années. »
De Richleau sourit.
— Naturellement, vous considérez qu'Aron a des préjugés, mais quelles que soient ses croyances à l'égard de l'occulte, ses antécédents montrent qu'il possède un cerveau extraordinairement pénétrant — en fait je pourrais dire brillant, et je réponds personnellement de son intégrité. Vous pouvez parler devant lui en toute confiance ; rien de ce que vous direz ne sortira de ces quatre murs, et je pense que ce serait une excellente idée que vous lui soumettiez l'affaire que vous m'avez exposée juste après le dîner.
— Très bien, convint sir Pellinore, et il expliqua brièvement la grave situation concernant les pertes navales de la Grande-Bretagne.
Quand ce dernier eut fini, Simon entreprit de broder sur le sujet en un rapide flot de paroles dans lequel il cita des chiffres et des cas précis où les convois avaient subi des pertes sévères.
— Un moment, jeune homme, s'exclama sir Pellinore. Comment savez-vous tout ça ? C'est supposé être extrêmement secret.
Simon grimaça un sourire.
— Naturellement. Et je ne songerais pas à citer ces chiffres à un profane, mais cela fait partie de mon travail de savoir ces choses-là. Suis venu à m'y intéresser parce qu'elles affectent les marchés et, euh, le gouvernement n'est pas le seul à avoir des services de renseignement, vous savez. Cela ne m'était jamais venu à l'esprit avant, mais la transmission d'informations par des moyens occultes est sans aucun doute possible. Ne serais pas du tout surpris si c'était l'explication de la fuite. De toute façon, je pense que l'idée du duc doit faire l'objet d'une enquête.
Sir Pellinore regarda le duc.
— Comment entreprendriez-vous une telle enquête ?
— J'aurais besoin d'être mis en rapport avec tous ceux de l'Amirauté qui sont dans le secret de la route que chaque convoi doit suivre. Puis je sortirais la nuit pour les surveiller quand ils quittent leur corps endormi, pour voir si je pourrais trouver la personne qui communique avec l'ennemi.
— Suggérez-vous sérieusement que votre esprit pourrait filer le leur sur le — euh — plan astral ?
— C'est cela même. Je ne vois pas d'autre moyen pour tenter de résoudre un tel mystère. Ce serait aussi un long travail, s'il y a beaucoup de gens dans le secret.
— Et diablement dangereux, ajouta Simon.

— Pourquoi ? demanda sir Pellinore.

— Parce que celui qui fournit les informations pourrait découvrir ce que je fabrique, répondit le duc, et ne reculerait devant rien pour m'arrêter.

— Comment ?

— Quand un esprit quitte un corps endormi, tant que la vie continue dans le corps, l'esprit est rattaché à celui-ci par un cordon extrêmement ténu de lumière d'argent, capable de s'étirer sur n'importe quelle distance. Ce cordon se comporte comme un fil de téléphone, et c'est ainsi que si un brusque danger menace le corps, il est capable de rappeler l'esprit pour l'animer. Mais si jamais ce cordon d'argent est tranché, le corps meurt — en fait c'est ce qui se produit en réalité quand on dit des gens qu'ils sont morts dans leur sommeil. Si mes intentions sont découvertes, les Puissances des Ténèbres feront tout pour couper le cordon d'argent qui relie mon esprit à mon corps, afin que je ne puisse jamais le regagner et vous rapporter le résultat de mon enquête.

Le vieux baronet eut beaucoup de difficulté à bannir de sa voix une incrédulité manifeste, tandis qu'il grognait :

— Ainsi, même les esprits se mêlent de meurtre, hein ?

— Certainement. L'éternel combat entre le Bien et le Mal se déroule aussi furieusement sur le plan astral qu'ici ; seulement les armes utilisées sont beaucoup plus terribles et, si on entre en conflit avec une des entités du Cercle Extérieur, notre âme peut subir un grave dommage qui est infiniment pire que la simple perte d'un corps.

Sir Pellinore jeta un coup d'œil à la pendule et se leva.

— Eh bien, dit-il avec sa cordiale brusquerie, ce fut une soirée des plus intéressantes. Je me suis parfaitement amusé, mais je dois partir.

— Non, non, dit le duc. Je vois bien que vous pensez encore que j'énonce des absurdités mais, par équité envers moi, vous devez attendre le résultat de mon expérience de magie.

— Qu'avez-vous manigancé ? demanda Simon avec un soudain intérêt, mais les autres l'ignorèrent, tandis que sir Pellinore répondait :

— Naturellement, si vous le souhaitez, mais honnêtement, mon cher ami, je ne pense pas que, quoi que vous puissiez faire, cela me convaincrait vraiment. Toute cette affaire de cordons d'argent, d'esprits commettant des meurtres, et même le fait que notre âme immortelle ne serait pas en sécurité à la garde de Dieu, c'est un peu trop dur à avaler pour un homme de mon âge.

A cet instant on frappa de nouveau à la porte et Max réapparut.

— Excellence, M. Rex Van Ryn et M. Richard Eaton sont là et désirent savoir si vous les recevrez.

— Certainement, dit le duc. Faites-les entrer.

Rex, grand, large d'épaules, en uniforme de capitaine de la RAF, mais s'appuyant de tout son poids sur une canne, entra le premier, et sir Pellinore l'accueillit en le félicitant chaleureusement pour sa DFC (Distinguished Flying Cross). De stature beaucoup plus frêle, Richard le suivit et fut dûment présenté.

— Eh bien, eh bien, dit, en riant, sir Pellinore à son hôte, il semble que vous donniez une véritable réception ce soir, et les quatre fameux compagnons sont maintenant réunis.

Un large sourire illumina le visage sans beauté mais séduisant de Rex tandis qu'il disait au duc :

— Richard et moi venions juste de terminer un petit dîner tout à côté, au Dorchester, quand il nous est venu à l'esprit, presque en même temps, qu'après avoir fini notre magnum, ce serait une bonne idée de passer prendre un cognac chez vous.

De Richleau se tourna vers sir Pellinore.

— Le papier que je vous ai donné... voudriez-vous le montrer maintenant ?

Sir Pellinore fouilla dans sa poche, en sortit l'enveloppe, l'ouvrit et lut ce que le duc avait écrit une demi-heure auparavant. C'était ceci :

« Vous pourrez témoigner que, depuis que j'ai écrit ceci, je ne vous ai pas quitté, je n'ai pas utilisé le téléphone ni communiqué de quelque manière que ce soit avec mes domestiques. Vous avez exprimé le souhait, juste avant le dîner, de rencontrer mes amis Simon Aron, Rex Van Ryn et Richard Eaton.

S'ils ne se trouvent pas à Londres, la cérémonie à laquelle je me propose de me livrer ne réussira pas, car ils n'auront pas le temps d'arriver ici avant que vous ne rentriez chez vous, mais si, comme je le crois, ils s'y trouvent, il est virtuellement certain qu'au moins l'un d'entre eux fera acte de présence ici avant minuit.

Si l'un d'entre eux, ou tous les trois, fait son apparition j'aurai fait en sorte qu'ils témoignent, sans y être poussés, qu'ils ne m'ont pas rendu visite parce que c'était prévu à l'avance mais, simplement, parce qu'il leur est soudain venu à l'esprit qu'ils aimeraient me voir. Cette idée n'est nullement l'effet d'un simple hasard, mais *la conséquence d'une cérémonie magique par laquelle je leur ai transmis ma volonté qu'ils se montrent ici.*

Si la cérémonie est couronnée de succès, j'espère que cela vous convaincra que les nazis peuvent utiliser la magie dans des desseins infiniment plus scélérats, et que c'est notre devoir de mener une enquête dans ce domaine avec le moins possible d'atermoiements. »

Sir Pellinore abaissa le papier, et le regard de ses yeux bleus, empreint d'une étrange perplexité, fit le tour du petit cercle, tandis qu'il s'exclamait :

— Grand Dieu ! Je ne l'aurais jamais cru. Vous avez gagné, duc, je dois l'admettre. Attention, cela ne veut pas dire que je suis prêt à avaler toutes les choses extraordinaires dont vous avez parlé ce soir. Néanmoins, dans un cas comme celui-ci, nous ne pouvons nous permettre de négliger *aucune* voie. Notre ligne vitale de l'Atlantique est notre seul point faible et peut-être, oui, peut-être qu'en vos fines mains repose la Victoire ou la Défaite de la Grande-Bretagne.

CHAPITRE IV

Pour ceux qui sont en péril sur mer

— J'aurai besoin d'aide, dit le duc avec gravité.

— On vous donnera tout ce que vous serez amené à demander, dans la limite du raisonnable, répondit aussitôt sir Pellinore.

— Je veux parler de l'aide compétente de gens au fait des sciences occultes qui puissent travailler avec moi et à qui je puisse faire confiance.

De Richleau jeta un regard circulaire vers ses amis.

« Je suppose que je puis compter sur vous trois ? »

Simon approuva d'un signe de tête et Richard dit en souriant :

— Bien entendu, mais, comme Rex et moi venons tout juste d'arriver, nous n'avons pas encore la moindre idée de ce dont il s'agit.

Sir Pellinore le leur expliqua, sur quoi Rex dit :

— Nous étions tous les trois avec le duc dans cette horrible affaire du talisman de Seth, aussi sommes-nous suffisamment familiarisés avec l'occulte pour lui prêter main-forte sous ses ordres, mais pour l'instant je suis dans la Royal Air Force.

— Je pourrais faire en sorte que votre permission soit prolongée pour une durée illimitée, dit sir Pellinore.

— Bien, fit remarquer le duc. Richard est son propre maître, mais vous, Simon ? Pouvez-vous vous arranger pour vous absenter de votre bureau, peut-être pendant plusieurs semaines ?

— Hum, j'aimerais mieux pas, mais ceci est évidemment plus important.

A l'instant où le duc avait repris la parole, ses premiers mots avaient été presque couverts par le grondement des canons, mais les autres étaient parvenus à les saisir :

— Si nous devons faire la guerre sur le plan astral, nous aurons à quitter Londres. Il est essentiel que nous puissions travailler dans un endroit où nous courrons le moins possible le risque d'être dérangés par des troubles purement physiques.

— Vous feriez mieux de venir tous vous installer à Cardinals Folly, suggéra aussitôt Richard. Nous n'entendons même pas passer un avion, là-bas au fin fond de la campagne, et vous savez que Marie-Lou serait enchantée de vous avoir.

— Non, Richard, dit de Richleau en secouant la tête. Nous avons causé bien assez de dérangement à Marie-Lou la dernière fois que nous avons rompu une lance avec le diable et, avec Fleur dans la maison, je n'y songerais même pas.

— Fleur n'est pas à la maison, elle partage sa gouvernante avec une autre petite fille, la fille d'amis à moi qui vivent là-haut, en Ecosse. Et, rappelez-vous, comme Marie-Lou était dans le coup la dernière fois, elle en sait autant sur ce genre de chose que Simon, Rex ou moi-même.

De Richleau réfléchit un instant. Il savait que la jolie petite femme de Richard possédait une bonne dose de solide sens commun, ainsi qu'une extraordinaire force de volonté ; il savait aussi, comme cela s'était souvent produit auparavant, que son avis pourrait leur être des plus utiles. C'était la guerre totale, et puisque les femmes risquaient partout leur vie pour que l'activité de la nation se poursuive durant la guerre éclair, il ne trouvait pas de raison pour dispenser une femme de ce très curieux type de guerre, dans lequel elle pouvait être tout aussi efficace qu'un homme. Il finit par dire :

— Alors, merci, Richard, nous acceptons votre offre. La première étape sera que je rencontre, celui qui, à l'Amirauté, choisit les itinéraires des convois.

Sir Pellinore parut quelque peu alarmé.

— Je ne pense pas que nous puissions mettre l'amiral au courant de ce que vous vous proposez de faire. Vous m'avez fait comprendre qu'il est bien possible que vous ayez mis le doigt sur la manière dont certains renseignements gagnent l'Allemagne, mais je crains que vous ne le trouviez plus difficile à convaincre.

— Ce n'est pas nécessaire, dit le duc en souriant. Tout ce dont j'ai besoin, c'est de le rencontrer en société pendant une heure ou deux.

— Eh bien, c'est facile. Je l'ai justement invité à déjeuner avec moi demain, car j'étais convaincu de pouvoir vous intéresser à cette affaire ce soir et, comme il n'y a pas de temps à perdre pour se mettre au travail, j'espérais que vous vous joindriez à nous ; ainsi vous pourriez poser toutes les questions que vous voudriez.

— Magnifique. Une discussion générale sur le sujet se révélera en tout cas utile et, naturellement, il est encore parfaitement possible que ma théorie selon laquelle on a recours à l'occulte soit entièrement fausse.

Le regard de de Richleau fit le tour des autres.

« Ensuite, si vous êtes d'accord, nous descendrons tous à Cardinals Folly dans l'après-midi. »

Ils demeurèrent à bavarder pendant une demi-heure encore, puis il y eut une accalmie dans les raids aériens, aussi les hôtes de de Richleau décidèrent-ils de rentrer chez eux avant qu'ils ne reprennent.

Le jour suivant, le duc déjeuna avec l'amiral et un capitaine de l'état-major de la Marine à l'hôtel particulier de sir Pellinore, à Carlton House Terrace. L'amiral était chauve et pansu, avec un menton carré ; le capitaine était un homme aux yeux pétillants de gaieté, avec des cheveux bruns clairsemés et un beau front large.

Ils eurent une longue discussion, après quoi ils examinèrent un certain nombre de cartes à grande échelle des couloirs maritimes ouest et nord-ouest que les officiers avaient apportées. La situation était bien pire que ne l'avait imaginé de Richleau, et il interrogea l'amiral sur le nombre de personnes ayant effectivement connaissance de chaque itinéraire prévu avant qu'il ne soit remis à l'officier commandant le convoi.

L'Amiral eut un mouvement sec de sa tête rose et chauve en direction du capitaine.

— Personne en dehors de Fennimere et de moi-même. Nous établissons les itinéraires ensemble, prenant en considération les derniers renseignements reçus concernant les forces ennemies en chaque point ; ensuite Fennimere met les ordres par écrit à la main, de sorte qu'il n'est pas question d'impliquer un dactylographe, même de confiance. Les ordres sont enfermés dans une enveloppe cachetée, doublée de toile, qui est lestée de plomb, de manière à pouvoir être jetée à la mer et couler immédiatement en cas d'urgence. Elle est ensuite mise sous clé dans une valise diplomatique en acier que Fennimere apporte personnellement au port d'où part le convoi. Il la remet à l'officier commandant l'escorte, qui à son tour la remet à l'officier commandant le convoi, mais seulement quand le convoi est déjà à plusieurs centaines de milles, alors que l'escorte est sur le point de rentrer au port. De cette manière, même l'officier commandant le convoi ne peut savoir quelle route il va prendre avant qu'il ne soit effectivement en mer.

— Cela réduit autant que possible le champ, dit le duc, et je ne vois pas comment vous pourriez prendre davantage de précautions.

L'amiral haussa les épaules avec lassitude.

— Moi non plus. Le problème de savoir comment ils obtiennent leurs renseignements me paraît complètement insoluble, et vous nous rendriez un immense service si seulement vous pouviez mettre le doigt sur l'endroit où se produit la fuite.

— Voyez-vous, ajouta Fennimere, même si un des officiers commandant un convoi était un traître et avait un appareil de radio secret qui lui permette d'informer l'ennemi de sa position approximative vingt-quatre heures après que l'escorte l'a quitté, cela ne résoudrait pas le problème, parce que cela supposerait que chaque officier commandant un convoi soit un traître — ce qui est manifestement absurde.

— Oui, je m'en rends compte, convint le duc. Par conséquent, la fuite doit se produire à Londres, où sont fixés les itinéraires de tous les convois. Puis-je avoir votre adresse personnelle ?

Le capitaine parut un peu surpris, mais l'amiral sourit.

— Le duc est parfaitement logique en supposant que ça puisse être vous ou moi, Fennimere, et puisque les gens des Services Secrets nous filent tous deux depuis des semaines, qu'importe un limier de plus ? En fait, plus il y en a, mieux ça vaut. Si seulement ils pouvaient nous fournir une couple de séduisantes jeunes femmes pour dormir chaque nuit avec chacun de nous, notre innocence serait prouvée de façon concluante.

— Naturellement vous avez raison, monsieur, dit Fennimere en riant. Je suis parfaitement habitué, partout où je vais maintenant, à trébucher sur des policiers, aussi, si Sa Grâce sort un matin du placard de la salle de bains, cela ne me fera ni chaud ni froid.

Il se tourna vers de Richleau.

« Je loue provisoirement un appartement 43 North Gate Mansion, dans Regent's Park, et l'amiral habite 22 Orme Square, à Bayswater. »

— Si vous souhaitez jeter un coup d'œil aux lieux, à un moment ou à un autre, proposa l'amiral, je préviendrai mon épouse de vous y laisser circuler librement aussi longtemps que vous le voudrez.

— Même chose pour mon appartement, ajouta le capitaine.

— Merci, messieurs, mais je ne vous demandais votre adresse personnelle que pour le cas où j'aurais besoin de vous contacter d'urgence, mentit le duc d'une voix mielleuse.

Une heure plus tard, en compagnie de Rex, Simon et Richard, ils roulaient dans la voiture de ce dernier à travers les rues à demi désertes d'un Londres déchiré par les bombes, en route pour le Worcestershire.

La dernière partie de leur voyage dut s'effectuer durant le black-out, mais Richard connaissait si bien le trajet qu'après qu'ils eurent quitté la grand-route il n'eut aucune difficulté à suivre les étroits chemins de campagne sinueux, jusqu'à ce qu'ils franchissent les grilles du parc et s'arrêtent devant sa belle maison de campagne.

L'aile ouest de la vieille demeure biscornue était très ancienne et, disait-on, avait fait partie jadis d'une grande abbaye mais, des siècles plus tard, on avait construit sur ces ruines aux murs épais. Puis, ces dernières années, Richard et sa jolie femme, ci-devant princesse Marie-Louise Héloïse Aphrodite Blankfort De Catezane de Schulemoff, n'avaient épargné ni la peine ni l'argent pour en rendre l'intérieur à la fois beau et confortable. A peine Malin, le maître d'hôtel d'âge respectable de Richard, eut-il ouvert la lourde porte de chêne cloutée que Marie-Lou en personne courut vers eux pour leur souhaiter la bienvenue.

C'était une personne menue aux boucles châtaines, au visage en forme de cœur et aux grands yeux violets qui lui donnaient une certaine ressemblance avec un chaton persan. En dépit de sa toute petite taille, de ses pieds, mains, poignets et chevilles déliés, elle était dodue partout où il fallait, de sorte que de Richleau disait souvent qu'elle était la plus exquise créature qu'il eût jamais vue, et bien des gens la surnommaient la « Vénus de poche de Richard ». Leur attachement réciproque était demeuré absolu depuis le temps où il l'avait trouvée au milieu des neiges de Sibérie et fait sortir du Territoire Interdit pour en faire sa femme.

Ils s'embrassèrent comme s'ils ne s'étaient pas vus depuis des mois et, quand enfin il relâcha son étreinte, elle dit, hors d'haleine :

— Chéri, j'ai reçu ton télégramme il y a une heure à peine, bien que tu l'aies expédié la nuit dernière. Aucune des chambres n'est encore prête, mais les femmes de chambre s'occupent d'y allumer du feu et de mettre des bouillotes dans les lits, et c'est si charmant de vous avoir de nouveau tous ici que je ne trouve pas les mots.

Tout en parlant, elle alla de l'un à l'autre et, se dressant sur la pointe des pieds, leur donna à tous un rapide baiser sur la joue.

Malin était sorti pour décharger la voiture, tandis que le duc souriait à la jeune femme.

— Peut-être est-ce aussi bien, princesse, car j'ai une requête quelque peu exceptionnelle à faire. Je voudrais qu'on me permette de dormir dans la bibliothèque.

— Zyeuxgris, mon chou ! s'exclama-t-elle. Ce n'est sûrement pas vous, entre tous, qui avez peur des bombes ! Nous n'en avons pas eu une seule, à des kilomètres à la ronde de Cardinals Folly, aussi serez-vous parfaitement en sécurité dans votre vieille chambre à l'étage mais, naturellement, vous pouvez dormir dans la bibliothèque si vous le préférez.

— Non, ce n'est pas la peur des bombes qui m'a fait quitter Londres, ma chère, c'est quelque chose de bien plus terrible.

Le gai visage de la jeune femme se fit soudain sérieux et elle consentit d'un bref signe de tête.

— Très bien, alors. Mais entrez. J'ai au moins eu le temps de préparer les cocktails.

Richard fit la grimace tout en la suivant à l 'intérieur du long salon bas qui, en été, offrait, par la porte-fenêtre, une si belle vue sur le jardin en terrasse.

— J'ai peur que nous ayons la guigne, chérie, nous sommes tous au régime sec.

Elle s'arrêta net et ses yeux s'arrondirent, tandis qu'elle lançait à de Richleau un regard où perçait une lueur de crainte.

— La bibliothèque ! Le régime sec ! Tu... tu ne veux pas dire que l'un d'entre vous est de nouveau sous la menace de quelque horrible chose de l'autre monde ?

— Non, la rassura le duc, mais c'est à nous qu'incombe la tâche de rompre une lance contre Hitler sur le plan astral.

— Je n'aime pas ça, dit-elle brusquement. Je n'aime pas ça.

Richard passa le bras autour de ses épaules.

— Chérie, les Noirs font passer des informations en Allemagne par des moyens occultes — du moins c'est ce que nous croyons — et quelqu'un va quitter la Terre pour essayer de les arrêter. Comme tu le sais très bien, on a besoin d'un environnement calme et paisible pour un travail de ce genre, aussi étais-je sûr d'agir comme tu l'aurais souhaité en disant à Zyeuxgris qu'il devait venir s'installer chez nous pendant qu'il mènerait cette bataille, la plus étrange de toutes, pour la Grande-Bretagne.

Elle étendit les mains avec un petit geste d'outre-Manche.

— Naturellement que tu as bien fait. Je ne lui aurais jamais pardonné si j'avais appris, après coup, qu'il était allé ailleurs. J'ai seulement voulu dire que tout ce qui touche à l'occulte est diablement dangereux.

— Etant donné la façon dont tu as tenu le coup, avec ta cantine mobile, à Coventry, tout au long de la nuit où les nazis l'ont transformé en enfer, j'en avais conclu que tu n'avais plus peur de rien, dit Richard avec sérieux.

Elle lui étreignit la main.

— C'était différent, chéri. Que pouvions-nous faire, sinon continuer ? Et au moins savions-nous ce qui pouvait nous arriver de pire. Alors que, dans l'autre monde, il y a certaines horreurs qu'on ne peut même pas imaginer. J'ai plus peur pour toi, pour Rex et pour Simon que pour moi-même, parce que, hors de mon corps, je suis beaucoup plus forte que la plupart des hommes.

De Richleau prit sa main libre et la baisa.

— Je savais pouvoir compter sur vous, princesse, et, si besoin est, maintenant que nous sommes ensemble, nous serons en mesure de former une cohorte de cinq guerriers de la Lumière.

Rex s'était emparé du shaker à cocktail et en reniflait le contenu.

— Quel manque de veine, murmura-t-il. Jus d'ananas et rhum Bacardi, mon cocktail favori, et je ne dois pas en boire une goutte.

Il regarda Marie-Lou.

« Je parierais cinquante dollars que Zyeuxgris a aussi l'intention de nous faire mettre la ceinture pour tout ce que vous avez pu combiner de bon pour notre dîner. »

— Mon cher ! s'exclama-t-elle d'un ton lugubre. Si j'avais été avertie le moins du monde de ça, j'aurais su qu'il voudrait que nous devenions tous végétariens pour le moment. Alors que, pour la circonstance, j'avais justement choisi toutes sortes de bonnes choses parmi mes munitions de secours : foie gras, pêche à la bénédictine, crème en boîte...

— Hola ! arrêtez de me mettre l'eau à la bouche, petite engrangeuse ! Et Rex agita une de ses énormes mains pour la réduire au silence.

— Engrangeuse, des clous ! dit Richard en riant. Toutes nos provisions ont été achetées des mois avant la guerre alors que les mers étaient encore ouvertes et que le fait d'acheter des surcroîts de marchandises était bon pour le commerce. Je n'arrive pas à imaginer pourquoi le gouvernement n'a pas mené une campagne incitant tout le monde à acheter toutes les conserves possibles, alors que les circonstances étaient favorables. D'innombrables petits stocks particuliers disséminés dans des milliers de foyers, dans tout le pays, se seraient révélés une bénédiction absolue maintenant que la nation est rationnée.

— Quelqu'un que je connais l'a fait, au printemps 1939, dit le duc. Il écrivait à cette époque dans le Sunday Graphic et sa théorie était que toute personne qui avait les moyens de constituer des stocks, même de faible importance, devait le faire ; parce qu'alors, si nous devions entrer en guerre et qu'une période de pénurie survienne, les plus riches seraient en partie pourvus, et que cela laisserait davantage de denrées disponibles dans les magasins pour les plus pauvres. Mais le seul encouragement qu'il obtint du Ministère de la Sécurité Intérieure fut l'annonce semi-officielle qu'il n'y avait aucun *mal* à ce que les gens fassent des stocks de provision de secours. Mais, je n'en doute pas, les gens qui ont suivi son avis lui en sont reconnaissants cet hiver.

— Eh bien, mieux vaut ne pas penser à toutes ces bonnes choses que nous allions avoir pour dîner, dit Marie-Lou, réaliste. Vous feriez mieux de me dire ce que vous aimeriez.

— Pas de viande, ni de soupe avec du jus de viande, dit le duc, un peu de poisson, si vous en avez, et des légumes avec des fruits ou des noix ensuite.

Rex émit un gémissement, mais Simon, avec un grand sourire, dit d'un ton haché à Marie-Lou :

— Remis un paquet à Malin — cinq soles de Douvres — savais dans quoi nous étions engagés, aussi ai-je pensé qu'elles pourraient se révéler utiles.

— Simon, mon chou, vous avez toujours été la personne la plus prévenante du monde, Dieu vous en bénisse. En dehors de conserves, il n'y avait pas le moindre poisson dans la maison, mais je peux me débrouiller pour les fruits et les noix.

Marie-Lou alla en toute hâte donner de nouveaux ordres pour le dîner, tandis que Richard les conduisait à l'étage déposer leurs affaires et faire toilette.

Quand ils redescendirent, Richard dit au duc :

— Pourquoi voulez-vous dormir dans la bibliothèque ? Avez-vous l'intention d'y dresser un pentacle, comme vous l'avez fait jadis ?

— Oui. J'ai pensé qu'il vous serait plus facile de débarrasser la bibliothèque qu'une des chambres de l'étage, et de la garder fermée à clé pour que les domestiques n'y pénètrent pas dans la journée. J'aurais souhaité pouvoir acquérir un entraînement convenable pour cette affaire, mais chaque jour est précieux, aussi ai-je l'intention de commencer cette nuit.

— C'est prendre un très gros risque, n'est-ce pas ?

— Je ne pense pas : comme il n'est pas possible que les Noirs sachent déjà que nous avons l'intention de les combattre, il n'y a pas la moindre chance qu'ils m'attaquent sur le plan astral, ou tentent de s'en prendre à mon corps pendant que j'en suis absent... Les ennuis commenceront si jamais je découvre quelque chose et s'ils viennent à me repérer en train de fureter. Après tout, c'est exactement la même chose que n'importe quelle enquête, sauf qu'elle doit être menée sur un plan différent. Si nous avions affaire à des agents ennemis sous leur forme physique, je me serais probablement fait embaucher dans le personnel de maison de l'amiral, et quiconque opérant là-bas ne se serait pas beaucoup intéressé à moi avant qu'il ne me surprenne à le suivre ou à fureter dans des affaires ne me regardant pas. Un policier vraiment bon est rarement repéré avant d'avoir coincé son homme, par conséquent j'ai de bonnes raisons d'espérer que personne ne se rendra compte de ce que je fabrique avant que j'aie découvert ce que je veux savoir et, une fois que j'y serai parvenu, nous serons en mesure de prendre nos dispositions. Par simple précaution, je propose que vous trois, à tour de rôle, montiez la garde, cette nuit, pendant mon sommeil, puisque chacun de vous en sait suffisamment pour m'aider à réintégrer mon corps rapidement si j'ai le moindre ennui et, en plus, vous serez à pied d'œuvre dans l'éventualité, peu probable, où je serais réveillé brusquement par un cambrioleur ou une bombe.

— D'accord, dit Richard. Dès que nous aurons dîné, nous nous mettrons à débarrasser la bibliothèque.

Grâce aux soles de Douvres que Simon avait eu la prévoyance d'acheter avant leur départ de Londres, l'après-midi même, leur simple repas, arrosé d'eau, fut succulent au-delà de leurs espérances. Quand ils eurent fini, Richard donna des instructions à son maître d'hôtel pour qu'on ne les dérange sous aucun prétexte et ils passèrent dans la grande bibliothèque.

Celle-ci, de forme octogonale et située un peu au-dessous du niveau du sol, était la pièce principale de la partie la plus ancienne de la maison. De confortables sofas et de vastes fauteuils étaient répartis sur le parquet inégal de chêne ciré, une paire de globes occupaient deux angles des murs tapissés de livres, et un grand bureau ovale en acajou de style Chippendale se dressait devant la vaste porte-fenêtre. Du fait de sa situation en contrebas, la pièce n'était que faiblement éclairée par la lumière du jour, mais elle n'était pourtant nullement sombre.

Un feu de bois surmontant un tas de cendres de trente centimètres brûlait en permanence toute l'année dans la large cheminée et, la nuit, une fois les rideaux tirés — comme c'était le cas en ce moment — la pièce était éclairée par la lumière douce de lampes, dissimulées dans le plafond, qu'avait installées Richard. C'était un endroit paisible et intime, propice à un travail tranquille ou au bavardage.

— Nous devons débarrasser la pièce du mobilier, des tapis, de tout, dit le duc, et j'aurai besoin de brosses et d'un balai à franges pour cirer le plancher.

Ils commencèrent alors à transporter les meubles dans l'entrée, pendant que Marie-Lou allait quérir un choix d'ustensiles dans le placard de la bonne. Durant un quart d'heure, ils travaillèrent en silence, jusqu'à ce qu'il ne reste rien d'autre dans la grande bibliothèque que les rangs serrés de livres aux reliures ciselées d'or.

— J'aimerais que la pièce tout entière soit soumise à un nettoyage minutieux, dit en souriant le duc à Marie-Lou, particulièrement le parquet, car les émanations mauvaises peuvent s'attacher à la moindre trace de poussière pour aider à leur matérialisation et, si j'ai des ennuis, je peux être poursuivi jusqu'ici.

— Certainement, mon cher Zyeuxgris, dit Marie-Lou, et, avec l'aide des autres, elle se mit à épousseter, balayer et cirer, tandis que de Richleau allait chercher une valise renfermant son attirail rituel et un certain nombre de gros paquets contenant de nombreux objets qu'il avait achetés le matin même. Pendant que le duc les déballait, les autres virent qu'il s'agissait de plusieurs oreillers, de matelas en caoutchouc, de robes de chambre en soie, de pyjamas et de mules.

— Pourquoi avez-vous apporté tout ça ? demanda Marie-Lou.

— Vous vous souvenez sûrement que rien de tant soit peu souillé ne doit pénétrer à l'intérieur du pentacle, répondit-il. Les impuretés ne manquent pas de stagner dans la literie et les vêtements, même si on ne les a utilisés que quelques heures, et c'est justement à de tels objets que les élémentals s'attachent le plus volontiers, mais je compte quand même sur vous pour nous fournir des draps, des couvertures et des taies d'oreiller propres.

— Bien sûr, dit-elle gravement. Je vais monter faire une razzia dans l'armoire à linge. Pour combien de lits en voulez-vous ?

— Un seul pour l'instant, car je sors seul cette nuit. Les autres pourront dormir dans leur propre lit, sauf durant les quelques heures où chacun, à tour de rôle, sera de garde ici, près de moi.

Le parquet était maintenant d'une si scrupuleuse propreté qu'on aurait pu y manger et, tandis que Marie-Lou sortait chercher ce que le duc lui avait demandé, ce dernier ouvrit sa valise et y prit un morceau de craie, une longueur de ficelle et un triple décimètre. Marquant un endroit au centre de la pièce, il demanda à Richard d'y maintenir l'extrémité de la ficelle, mesura à partir de là exactement deux mètres dix, puis, utilisant le point central comme pivot, traça un grand cercle à la craie sur le parquet.

Ensuite il allongea la ficelle et traça un autre cercle à l'extérieur du premier. Alors commença la partie la plus compliquée de l'opération. Il s'agissait de construire une étoile à cinq branches dont les pointes toucheraient le cercle extérieur, tandis que la base des branches reposerait sur le cercle intérieur. Car, autant une telle protection peut être extrêmement efficace si elle est construite avec une précision géométrique, autant le pentacle se révélerait, non seulement inutile, mais même dangereux, si les angles variaient de plus d'une fraction de degré.

Pendant une demi-heure ils mesurèrent et vérifièrent à l'aide de la ficelle, de la règle et de la craie et, à la fin, les larges traits furent tracés à la satisfaction du duc, formant l'étoile magique à cinq branches qui assurerait sa protection contre toute entité maléfique qui pourrait tenter de s'en prendre à lui durant son sommeil.

Ensuite, espaçant soigneusement les mots, il écrivit à la craie, le long de la circonférence du cercle intérieur, le puissant exorcisme suivant :

INRI ✠ ADAM ✠ TE ✠ DAGERAM ✠ AMRTET ✠
ALGAR ✠ ALGASTNA ✠

puis, après s'être reporté à un vieil ouvrage qu'il avait apporté, il traça certains curieux et antiques symboles à la base et à l'extrémité des branches de l'étoile microcosmique.

Simon, que ses expériences antérieures avaient initié aux pentacles, reconnut en certains d'entre eux des signes cabalistiques issus de l'Arbre Séphirothique — *Kether*, *Binah*, *Ghbourah*, *Hod*, *Malcouth* etc. — et en d'autres, comme l'œil d'Horus, une origine égyptienne ; mais d'autres, en revanche, étaient en une ancienne écriture aryenne qu'il ne comprit pas.

Quand l'esquisse de cette forteresse astrale fut terminée, on étala en son centre la literie propre. Le duc choisit Richard pour prendre la première garde, aussi montèrent-ils alors tous deux à l'étage pour se changer et revêtir les vêtements de nuit neufs, tandis que Marie-Lou, Simon et Rex faisaient le lit et gonflaient un des matelas pneumatiques de réserve pour que Richard s'y assoie.

A peine eurent-ils terminé que les deux autres étaient de retour, de Richleau portant un pichet de verre plein d'eau fraîchement tirée. Il posa celui-ci et le chargea d'énergie en plaçant l'index et le médius de sa main droite dans l'alignement de son œil, de sorte que la force invisible qu'il attirait s'en écoule le long de ses doigts jusque dans l'eau. Après l'opération, qui prit quelques instants, il sortit de sa valise d'autres instruments. Leur demandant à tous d'observer soigneusement ses gestes, il scella les fenêtres et une porte, dissimulée dans les rayonnages de livres et qui conduisait à la pièce du dessus ; sur chacune il apposa des scellés des deux côtés, ainsi qu'en haut et en bas, à l'aide de brins d'Assa fœtida et de cire bleue, faisant sur chacun, une fois celui-ci terminé, le signe de la Croix avec l'eau magnétisée. Ensuite, il sortit cinq petites coupes d'argent qu'il emplit aux deux tiers d'eau, puis en plaça une à la base de chaque branche du pentacle. Il prit alors cinq longs cierges blancs et les dressa à chacune des extrémités de l'étoile à cinq branches. Après avoir magnétisé cinq fers à cheval, tout flambant neufs, il plaça ceux-ci derrière les cierges, les bouts pointant vers l'extérieur, et, devant chaque récipient d'eau magnétisée, il disposa des touffes de certaines herbes très odorantes.

Après avoir terminé ces formules compliquées, pour ériger des barrières extérieures, le duc tourna son attention vers ses amis.

— Richard restera avec moi jusqu'à une heure, dit-il. Simon le relèvera à cette heure-là et restera de garde jusqu'à quatre heures. Rex prendra alors la relève jusqu'à ce que je m'éveille, ce qui se produira probablement peu après sept heures, mais il ne doit pas me réveiller, à moins qu'un danger ne menace, ce qui, naturellement s'adresse aussi à Richard et à Simon. Vous le comprenez ?

Rex approuva de la tête et le duc poursuivit :

« Vous avez tous vu comment s'apposent les scellés. Quand vous nous aurez quittés, Richard scellera la porte de l'entrée mais, naturellement, Simon devra briser les scellés quand il entrera pour prendre sa garde, aussi scellera-t-il à nouveau la porte quand Richard sera sorti, et Rex la scellera à son tour après avoir relevé Simon.

— Où est-ce que j'interviens ? demanda Marie-Lou.

— Vous n'intervenez pas, princesse, pour le moment.

Le duc sourit.

« C'est à dessein que j'ai donné à Richard le premier tour de garde, afin qu'il ne vous dérange pas après une heure du matin, mais j'aurai certainement besoin de votre aide plus tard. Nous devons maintenant veiller à notre protection personnelle. »

Il se dirigea de nouveau vers sa valise et en tira de longues guirlandes de fleurs d'ail, des rosaires auxquels étaient attachés de petits crucifix d'or, des médailles de saint Benoît tenant la Croix dans sa main droite et la Sainte Règle dans la main gauche, et des fioles de sel et de mercure. Après avoir magnétisé les crucifix et les médailles, il mit un collier de ces étranges insignes autour du cou de Richard et un autre autour du sien, tout en donnant des instructions à Richard pour qu'il remette son collier à Simon, et Simon le sien à Rex, au moment de leur relève.

Alors que le duc fermait sa valise, Richard fit remarquer :

— Il n'est que dix heures, n'est-ce pas un peu trop tôt pour se coucher ?

De Richleau secoua la tête.

— Non. Il est impossible de prévoir à quelle heure l'amiral ira au lit. Si, par hasard, il a travaillé très tard la nuit dernière, il est tout à fait possible qu'il se couche de bonne heure ce soir, et il est essentiel que je sois avec lui quand il quittera son corps, autrement peut-être ne pourrais-jè pas le reconnaître sous sa forme spirituelle, et toute la nuit serait perdue.

— D'accord, alors. Vous sortez, les gars.

Richard embrassa tendrement Marie-Lou et sourit aux autres.

« Rendez-vous vers une heure, Simon, mais si, par hasard, vous vous endormiez je resterai jusqu'à ce que Rex fasse acte de présence. »

Il brandit quelques feuilles de papier vierges et un crayon flambant neuf.

« Voilà exactement l'occasion que j'attendais pour écrire un article sur les ersatz alimentaires pour volailles en temps de guerre et, comme je n'ai rien d'un écrivain, cela va m'occuper pendant des heures. »

— Vous n'aurez pas plus de trois heures, dit Simon en souriant. Je serai là à une heure tapante. Vous savez que, de toute manière, je ne me couche jamais avant deux heures.

— Ce soir, vous vous coucherez, mon cher Simon, dit Marie-Lou d'un ton ferme, car vous devez être frais et dispos pour votre tour de garde ; aussi, même si vous ne dormez pas, vous allez vous étendre et faire une petite sieste dans le noir. Je vais vous donner des réveils, à Rex et à vous, de façon que vous vous réveilliez à l'heure.

Quand Marie-Lou, Simon et Rex les eurent quittés, Richard apposa les scellés à la porte principale de la pièce et alimenta le feu, tandis que le duc éteignait toutes les lumières et allumait les cinq longs cierges blancs à l'aide d'un briquet à l'ancienne mode. Puis tous deux pénétrèrent dans le pentacle.

Le duc célébra la cérémonie consistant à sceller les neuf orifices de son propre corps à l'aide de certains signes mystiques et dit une brève prière demandant force, inspiration et protection durant son voyage astral, puis il se mit dans le lit, tandis que Richard s'installait sur son matelas gonflable.

Ils se souhaitèrent bonne nuit et le duc se tourna sur le flanc. Seul le léger frottement du crayon sur le papier, quand Richard commença son article, et le petit sifflement du feu rompaient le silence. De Richleau avait dit qu'au cours de cette première étape il était peu probable qu'il courût un danger, mais Richard n'en était pas si sûr ; la Chose pareille à un sac atteint de lèpre, crépitant d'un rire horrible, qu'il avait vue dans cette pièce en des circonstances très semblables, quelques années auparavant, avait laissé dans sa mémoire un souvenir indélébile. Il ne voulait pas se mettre à laisser travailler son imagination ou s'endormir ; c'est pourquoi il avait décidé de s'attaquer à un petit article sur le sujet extrêmement prosaïque de l'alimentation des volailles ; il maintiendrait son esprit en contact avec la réalité, sans être d'un intérêt suffisant pour le distraire de sa veille. Après chaque phrase, ou presque, qu'il écrivait, il s'arrêtait pour promener un rapide regard autour de lui.

Le tic-tac régulier d'une horloge parvenait, assourdi, des profondeurs de la maison. De temps en temps une bûche tombait dans l'âtre avec un grand floc, puis les petits bruits nocturnes s'arrêtèrent et un immense silence, pesant et mystérieux, parut s'être abattu sur eux. Chose étrange, c'était comme si la tranquille pièce octogonale eût cessé de faire partie de la maison. Il y avait quelque chose d'un peu irréel dans le grand pentacle tracé à la craie, au centre duquel ils reposaient, avec ses récipients d'eau magnétisée, ses bouquets d'herbes et ses fers à cheval disposés de place en place, mais les cinq longs cierges brûlaient avec une flamme soutenue, aussi Richard savait-il que tout allait bien.

La lointaine horloge sonna la demie et Richard regarda le duc. Son corps était détendu et sa respiration régulière. Cet esprit intrépide avait quitté son enveloppe de chair mortelle et était parti dans le Grand Au-delà pour la plus étrange mission jamais tentée au cours de la Seconde Guerre Mondiale.

CHAPITRE V

L'amiral s'élève

Alors qu'il s'assoupissait, le duc flotta pendant quelques instants au-dessus de son propre corps et le considéra, ainsi que Richard, tranquillement en train d'écrire près du lit de fortune, puis il sentit toute la force de son être spirituel emplir son corps astral et une simple pensée suffit pour lui faire quitter la maison en direction de Londres.

Au bout de quelques secondes, il plana au-dessus de la grande ville qui s'étalait sous lui. Il y avait un raid aérien et il s'arrêta un moment pour contempler avec intérêt Londres telle qu'elle devait apparaître à un pilote nazi. Le large serpent sinueux de la Tamise se voyait distinctement, et cela seul suffisait à identifier les différents quartiers, mais, loin du fleuve, il était clair que les aviateurs nazis devaient se borner à de vagues conjectures quant au moment où ils se trouveraient au-dessus de leurs cibles, sauf par une nuit de beau clair de lune. Le black-out était sans nul doute efficace, car si on pouvait voir à perte de vue, dans toutes les directions, des points lumineux gros comme des têtes d'épingle, ce n'était rien de plus que des lueurs, et il était impossible de déduire de leur disposition la moindre indication quant à l'emplacement des larges artères, des gares ou des grands immeubles.

Les canons tiraient sporadiquement, mais dans certains cas les éclairs étaient si brillants que, l'espace d'une seconde, ils illuminaient toute la zone où se trouvaient les plus puissantes batteries antiaériennes. Il y avait deux incendies assez importants, l'un dans le voisinage de Chelsea, l'autre plus en aval de la Tamise, à Bermondsey ou à proximité, mais ni l'un ni l'autre n'était suffisamment étendu pour être d'un grand secours aux bombardiers allemands et, dans les deux cas, la fumée masquait en partie le rougoiement des flammes. De temps en temps brillait un éclair : une bombe qui explosait au sol ou un obus antiaérien dans le ciel.

L'un de ces derniers parut fendre l'air en deux avec un effroyable bruit de déchirure, à moins de quelques mètres du duc. S'il avait flotté là dans son corps physique, se balançant au bout d'un parachute, il aurait été déchiqueté mais, sous la forme qui était sienne, il ne ressentit pas le moindre choc. Pendant qu'il continuait à contempler la scène, un avion nazi meurtrier passa devant lui en vrombissant, et il aurait payé cher pour pouvoir en étrangler le pilote et l'envoyer s'écraser au sol. Il aurait pu facilement pénétrer à l'intérieur, mais cela n'aurait rimé à rien car, sous sa forme spirituelle, on ne pouvait ni l'entendre ni le toucher, et troubler l'esprit de l'aviateur en mettant en œuvre sa force psychique aurait été contraire à la Loi qui a créé toutes choses telles qu'elles sont.

A ce moment, l'avion lâcha une lourde bombe et de Richleau, décidant qu'il devait cesser de flâner là-haut pour vaquer aux affaires, se laissa tomber rapidement avec elle jusqu'à moins de six mètres du faîte obscur des toits. La bombe toucha un bloc d'appartements : briques, verre et ciment furent projetés très haut dans les airs et un angle du bloc fut transformé en ruines enflammées. En voyant leurs corps spirituels s'élever des débris fumants, le duc comprit qu'elle avait tué plusieurs personnes. L'un d'eux — manifestement celui d'une personne qui, durant sa vie, avait eu conscience des vérités cachées — poussa un cri de joie, que perçut Richleau, et s'éclipsa aussitôt, empli d'une heureuse résolution. Les autres demeurèrent à flotter là, perdus, malheureux et déconcertés, ne comprenant manifestement pas tout à fait encore ce qui leur était arrivé et qu'ils étaient morts, mais ils ne demeurèrent pas longtemps dans cet état.

Avant même que les pompiers et les équipes de sauvetage n'arrivent bruyamment dans la rue au-dessous pour aider les survivants, s'il y en avait, coincés sous l'amas fumant de moellons, les équipes de sauvetage spirituel apparurent pour aider ceux à qui la vie avait été retirée. Certains d'entre eux, comme le savait le duc, étaient des aides n'ayant pas d'incarnation, tandis que d'autres étaient exactement comme lui : des esprits dont le corps terrestre dormait. Mais il n'y avait aucun moyen de distinguer à quelle catégorie chacun appartenait. Cela fait partie des devoirs des éclairés d'aider les non-éclairés, de l'autre côté, aussitôt après qu'ils ont supporté le choc de la mort, et le duc avait souvent accompli pareille tâche, quittant son corps pendant son sommeil pour voyager en esprit vers les lieux où un grand nombre de gens étaient exterminés, sans avertissement, par une guerre ou un grand désastre. A présent, il aurait volontiers apporté son aide si ses propres occupations n'avaient pas eu un caractère d'urgence et s'il n'avait pas été manifeste qu'il y avait suffisamment d'aides pour s'occuper des morts déconcertés.

Bien que, pour un œil physique, l'entremêlement des faîtes obscurs des toits fût de nature à semer une incroyable confusion, le duc savait non seulement qu'il était à Kensington, mais encore l'endroit exact où il se trouvait. Filant au-dessus du grand dôme aplati de l'Albert Hall, il vira vers le nord, traversa le parc et, descendant un peu, arriva à Orme Square.

Sa façon de voyager lui procurait, chaque fois, une agréable sensation de joie que bien des gens ont parfois ressentie dans leurs rêves. Il se déplaçait sans le moindre effort, comme s'il eût volé à quelques mètres au-dessus du trottoir, la tête en avant et les jambes étendues derrière lui, mais il n'avait pas le moins du monde conscience de leur poids, et il était capable de se diriger sans le moindre mouvement, par la simple pensée.

En entrant dans Orme Square, il remarqua que la maison de l'angle nord-ouest avait déjà été démolie par une bombe, puis il se rappela soudain qu'il ignorait où se trouvait le numéro 22. Il pensa qu'il lui serait impossible de le trouver par des moyens normaux étant donné le black-out, puisqu'il ne pouvait interroger aucun policeman, ni aucun membre de la défense passive, même s'il s'en était trouvé là. Néanmoins, la chose ne présentait pas grande difficulté car, en réglant sa rétine spirituelle, il pouvait très distinctement voir dans l'obscurité. Aussi découvrit-il bientôt le numéro 22.

Après avoir traversé une fenêtre du rez-de-chaussée, au rideau tiré, il se retrouva dans une salle à manger obscure dont les murs étaient décorés d'un certain nombre de gravures de marine. L'entrée était faiblement éclairée et, son œil s'adaptant de nouveau, il vit, une console, quelques lettres adressées à l'amiral, ce qui lui confirma qu'il était effectivement dans la bonne maison. Alors, silencieux et invisible, il gravit, en flottant, l'escalier.

Le salon était dans l'obscurité, aussi monta-t-il une autre volée de marches jusqu'à la meilleure chambre, qui se trouvait exactement au-dessus ; là, il trouva une dame d'un certain âge qui était, supposa-t-il, la femme de l'amiral, assise dans le lit, en train de lire. Apparemment, l'amiral n'était pas encore rentré chez lui. Après avoir vérifié cette hypothèse par une rapide inspection des autres pièces, le duc revint vers la chambre.

Il ne s'assit pas dans un fauteuil, comme il l'aurait fait s'il avait été en chair et en os, car il ne lui était absolument pas nécessaire de reposer ses membres, il demeura sans effort à flotter près du plafond, s'accommodant parfaitement de cette position pour attendre le retour de l'amiral. La dame aux cheveux gris, naturellement, n'avait nullement conscience qu'une présence étrangère avait pénétré dans sa chambre et elle continuait tranquillement à lire.

Durant trois quarts d'heure, ils demeurèrent tous deux presque sans bouger. Une fois seulement, quand quelques bombes éclatèrent à proximité, un petit frisson agita les épaules de l'épouse de l'amiral. Manifestement, c'était une femme de bonne lignée, refusant d'admettre la peur, qui avait décidé que, si elle devait être tuée au cours d'une attaque aérienne, elle préférait de beaucoup que ce fût dans son propre lit plutôt que dans le froid inconfort du sous-sol.

A l'issue de cette assez longue attente, un bruit de pas se fit entendre dans l'escalier. La porte s'ouvrit et l'amiral entra, portant une sacoche gonflée de papiers. Il lança celle-ci sur une chaise proche et salua gaiement sa femme, bien qu'il eût l'air fatigué et harassé.

Un plateau avec des boissons et quelques sandwichs recouverts d'une serviette avait été préparé à son intention sur une petite table. Durant un temps, tout en mangeant ses sandwichs et en buvant un whisky-soda bien tassé, il marcha de long en large dans la pièce, parlant et se déchargeant de ces soucis. Il était clair qu'il ne pouvait chasser de son esprit son vif tracas à propos des pertes navales de l'Angleterre et sa vieille épouse l'écoutait avec le plus compatissant intérêt. Mais de Richleau nota que, s'il lui faisait part de la gravité de la situation générale, il ne dévoilait aucun détail particulier concernant les plus récents torpillages, pas même à sa femme. C'était, de toute évidence, un homme d'une parfaite discrétion.

Le moment venu, il se déshabilla, se mit au lit, embrassa affectueusement sa femme et éteignit. Dix minutes après, il était en train de dériver vers le sommeil.

Le duc, après avoir de nouveau réglé sa rétine, observa très attentivement la plus grande des deux formes étendues sous les couvertures, tous en se demandant quel aspect prendrait le corps astral de l'amiral.

Pour le non-initié, le corps astral est une simple réplique du corps mortel. Jusqu'à ce qu'un esprit ait atteint un certain degré d'évolution, il lui manque généralement le pouvoir d'habiller son corps astral, ou bien il oublie de le faire, ce qui aboutit à ses rêves où, à leur grande confusion, les gens se retrouvent complètement nus au milieu de personnes des deux sexes. Mais, une fois qu'il a appris à se vêtir, l'esprit peut s'habiller à volonté et, à mesure que son pouvoir s'accroît, il peut même modifier son âge, son sexe et son apprence selon son désir, ce dont de Richleau était bien entendu capable.

Tout autre corps astral présent à cet instant aurait vu le duc sous l'apparence d'un bel homme d'environ trente-cinq ans, habillé d'un confortable vêtement blanc flottant, brodé d'un motif de clés d'or. Il avait toujours considéré comme un fait intéressant que les corps astraux ayant acquis le pouvoir de modifier leur apparence reprennent rarement celle de leur prime jeunesse, préférant l'aspect que l'on a autour de vingt ans. D'autres, au contraire, choisissaient la période au cours de laquelle ils considéraient sans doute avoir atteint la vraie maturité, ce qui, chez les hommes, était habituellement l'approche de la trentaine, et chez les femmes, les environs de vingt-huit ans.

Le femme de l'amiral s'agitait un peu, n'ayant pas encore trouvé le sommeil, mais l'amiral s'était assoupi et, alors que, pour quelqu'un d'éveillé observant le lit, absolument rien n'aurait été visible, le duc pouvait maintenant voir une lueur phosphorescente un peu au-dessus du contour du corps. Au bout d'un moment elle parut se solidifier et le corps astral de l'amiral se mit lentement sur son séant.

Grâce à ce que l'on pourrait appeler une chiquenaude de la volonté, de Richleau changea son visage en celui d'un garçon d'une dizaine d'années car, si les mortels éveillés ne peuvent voir les corps astraux, sauf en de relativement rares circonstances, les corps astraux peuvent se voir entre eux, et il ne voulait pas que l'amiral le reconnût. Mais, comme la notion d'intimité n'existe pas sur le plan astral, à moins qu'on ne prenne des précautions spéciales pour l'introduire, il demeura à sa place, sachant que l'amiral ne trouverait pas plus suprenant de trouver un corps astral inconnu dans sa chambre que, à l'état de veille, de croiser un inconnu dans la rue.

L'amiral se mit complètement debout, fit un signe de tête amical au duc et sortit de la chambre. Il était manifestement dans la bienheureuse ignorance de sa totale nudité, ce qui fournit à de Richleau la réponse à l'une des questions qu'il se posait : l'amiral était une âme juvénile, et tout ce qui concernait le Grand Au-delà, excepté quelques mystères mineurs, lui demeurait encore inconnu.

Cela allait simplifier considérablement le déroulement de son enquête. Car il existe sept plans, ou niveaux de conscience, la Terre étant le plus bas et le sommeil normal celui immédiatement au-dessus. Or, gravir chacun de ces plans exige des degrés de puissance toujours plus grands. De Richleau pouvait atteindre le quatrième, et avait entrevu le cinquième en de très rares occasions mais, si l'amiral avait été plus avancé sur la route du grand voyage et avait pu décider de monter dans les royaumes des plus grandes Béatitudes, le duc n'aurait pu le suivre. Le nombre de ceux qui vivent sur cette Terre et sont capables d'atteindre les plus hautes sphères est, cependant, extrêmement limité. La plupart ne dépassent jamais le troisième niveau au cours de leurs pérégrinations nocturnes. Aussi, dans le cas de l'amiral, était-il parfaitement clair, d'après sa nudité, que même s'il quittait son corps, il était retenu très près de la Terre.

La vieille dame se tournant et se retournant toujours, de Richleau, pris de compassion, fit au-dessus d'elle un signe qui la plongea immédiatement dans un sommeil paisible, mais il n'attendit pas la matérialisation de son corps astral, et quitta la pièce, flottant doucement derrière son mari.

L'amiral s'arrêta un instant au-dessus d'Orme Square pour contempler les bombardements qui continuaient. Après avoir murmuré quelques blasphèmes à propos des nazis, il haussa les épaules et se dirigea à grande vitesse vers l'est. De Richleau le suivit avec une égale rapidité, tout en gardant ses distances. Au cours de leur voyage à travers la nuit en direction de l'est, ils doublèrent de nombreux autres corps astraux flottant dans la stratosphère. Mais, leur vitesse étant de plus en plus grande, ceux-ci se réduisirent vite à de petites taches, puis à de faibles raies de lumière, jusqu'à n'être finalement plus du tout visibles dans les ténèbres environnantes.

En moins de temps qu'il n'en faut pour descendre à pied Haymarket, ils avaient quitté la Terre. L'obscurité s'estompait, et le duc vit qu'ils parcouraient un pays qui était, il le savait, l'équivalent astral de la Chine. Quand il fit grand jour, l'amiral pénétra dans un champ de riz proche d'une ville et emprunta un sentier en direction des premières maisons. De Richleau le suivit, tout en modifiant son costume et son apparence pour revêtir l'aspect d'un Chinois d'âge moyen.

Absolument rien, dans tout le paysage, n'indiquait qu'ils ne fussent pas réellement en Chine. Le sol était ferme sous leurs pieds et il soufflait une douce brise qui faisait bruire les feuilles d'un bosquet de bambous. Une seule chose indiquait qu'ils se trouvaient, en fait, sur le plan astral : l'amiral, bien qu'allongeant le pas avec une louable vigueur pour quelqu'un de son âge, était toujours nu comme un ver.

Une centaine de mètres plus loin, un groupe de coolies travaillait au milieu des arbustes d'une plantation de thé. Ils remarquèrent soudain l'amiral qui s'approchait, s'arrêtèrent dans leur travail, le montrèrent du doigt et se mirent à rire sous cape. Baissant les yeux, il se rendit compte de sa situation et, se rappelant manifestement la première chose qu'apprend un jeune esprit lors de ses pérégrinations nocturnes, il fit jouer sa volonté avec pour résultat de se vêtir de l'uniforme tropical blanc d'aspirant de la Marine Britannique.

Peu après, il entrait dans la ville chinoise et le duc le suivit dans ses nombreux et tortueux détours jusqu'à ce qu'ils eussent atteint une charmante petite maison isolée dans un jardin. Sûr de n'être pas reconnu sous son déguisement de Chinois, de Richleau avait presque rattrapé sa proie et il pouvait voir maintenant que, si la volonté de l'amiral ne s'était pas révélée assez forte pour lui rendre sa jeunesse perdue, il avait tout de même rajeuni d'une bonne vingtaine d'années. Il se tenait plus droit, il était plus svelte et paraissait à l'orée de la quarantaine, ce qui, il faut le reconnaître, était un âge avancé pour un aspirant, mais convenable si on considérait ses intentions manifestes car il avait frappé à la porte de la petite maison et une souriante et très séduisante jeune femme dont les yeux en amande et la peau dorée trahissaient les origines orientales, lui avait ouvert.

De Richleau s'assit un instant sous un pêcher en fleur proche de la porte du jardin. Il était raisonnable de penser que, pour un motif ou pour un autre, l'amiral désirait maintenant un peu d'intimité, et opposerait de ce fait de la résistance à tout autre corps astral qui apparaîtrait pour interrompre son tête-à-tête ; il était pourtant nécessaire que le duc soit parfaitement certain que sa proie n'était pas en train de livrer des renseignements. Il quitta donc le plan astral, s'élevant au niveau suivant de conscience, qui est aussi éloigné de celui-là que celui-ci l'est de la Terre. Puis, silencieux et invisible pour l'amiral, il entra en flottant par une fenêtre ouverte. Aussitôt, il observa avec un intérêt parfaitement détaché certains exercices, ni tout à fait inattendus, ni vraiment originaux, que l'aspirant-amiral, à nouveau dévêtu, était en train d'accomplir avec la consentante assistance de la délicieuse demoiselle aux yeux en amande Il se retira donc discrètement, parvenu à la conclusion qu'il y avait maintenant à peu près six chances sur dix pour qu'il ne découvre pas que, volontairement ou non, l'amiral passait une partie de ses nuits à communiquer les secrets de l'Angleterre à ses ennemis.

Cependant le duc était un homme qui considérait comme un devoir de toujours aller au fond des choses. Or il était encore bien possible qu'après avoir rendu à la petite personne jaune ce qui était manifestement son dû, l'amiral dirigeât son attention vers des affaires plus sérieuses. A l'évidence, il devait rester sous surveillance jusqu'à ce qu'il regagne son corps, aussi de Richleau choisit-il de tromper le temps de l'attente en appelant un ami. De retour dans la rue, il reprit son apparence normale, après s'être habillé à la manière d'un Européen en voyage sous les tropiques, puis ayant prononcé très doucement certaines paroles, à plusieurs reprises, il attendit quelques instants.

Peu après, un prêtre catholique grassouillet, au visage plein de bienveillance descendait la rue, et lui et de Richleau se retrouvèrent avec d'évidents signes d'affection. Le prêtre n'était pas, à ce moment, en état d'incarnation, aussi n'avait-il aucun corps mortel, mais de Richleau l'avait connu bien des siècles auparavant et l'avait souvent rencontré au cours de diverses incarnations sur Terre ; une fois, tous deux avaient été des sœurs jumelles et ils étaient très attachés l'un à l'autre.

Il y avait un salon de thé à proximité et, de sa véranda, le duc pouvait surveiller la petite maison où l'amiral prenait ses ébats, aussi proposa-t-il qu'ils s'y rendent et, s'asseyant à une table, ils commandèrent du thé.

Bien qu'heureux de voir le duc, le prêtre manifesta aussitôt une vive inquiétude d'être distrait de ses devoirs. Au cours des années passées, les massacres et la violence avaient été positivement effroyables et il était de ceux qui, nombreux, aidaient les esprits non éclairés qui, jour et nuit, étaient par centaines détachés de leur corps, à franchir le pas. De Richleau expliqua sa propre mission et demanda conseil à son sage ami, qui répondit :

— Je ne pense pas qu'il y ait de meilleure ligne de conduite que celle que vous suivez en ce moment. Je n'ai pas le moindre doute que votre théorie soit exacte, car les nazis sont la plus grande force du Mal que le Maître du Mal ait réussi à introduire dans le monde depuis un temps considérable. Evidemment beaucoup de leurs chefs doivent être parfaitement au courant de la chose et utiliser les pouvoirs qu'ils possèdent pour mettre les forces des Ténèbres de leur côté. Mais je vous supplie d'être prudent, mon cher ami, car, une fois que vous aurez réussi à démasquer l'initié qui est leur agent, il est à peu près certain que vous courrez un grave danger.

— Je le sais, approuva le duc. Le courage est notre seule armure ; pourtant, le moment venu, l'épreuve peut se révéler terrible.

Après quoi, tout en buvant leur thé, ils parlèrent, à bâtons rompus, de différentes communes connaissances, exactement comme s'ils avaient été sur Terre. Finalement la porte de la petite maison de l'autre côté de la rue s'ouvrit et l'aspirant de marine entre deux âges en sortit, tandis que sa petite bonne amie chinoise agitait la main en guise d'adieu. En hâte de Richleau dit au revoir à son compagnon et suivit l'amiral à distance.

Quand ils eurent franchi quelques centaines de mètres, le duc remarqua qu'autour d'eux le décor commençait à se brouiller et à devenir indistinct ; s'étant, grâce à certains moyens, temporairement associé à l'esprit de l'amiral, il se rendit compte que ce personnage éminent était sur le point de quitter l'équivalent astral de la Chine. Ils s'envolèrent presque aussitôt et voyagèrent de nouveau très vite à travers l'espace jusqu'à ce qu'ils eussent atteint un décor totalement différent. C'était la tranquille campagne anglaise en été, et bientôt, le duc suivait l'amiral qui franchissait la porte arrière d'un jardin, tandis que, des profondeurs de celui-ci, lui parvenaient des voix joyeuses et des rires.

Comme il s'en rendit compte quelques minutes plus tard, cela venait d'un court de tennis autour duquel étaient rassemblés un certain nombre de jeunes gens, et il s'arrêta pour observer la scène tandis que l'amiral s'approchait, maintenant vêtu d'un costume de flanelle et brandissant une raquette de tennis, bientôt accueilli avec des cris de joie par le petit groupe manifestement composé d'amis à lui.

Suivit alors pour le duc un moment plutôt ennuyeux au cours duquel l'amiral, qui n'excellait pourtant pas particulièrement au tennis, joua six sets avec une vitalité considérable. Pendant ce temps, le duc avait de nouveau fait appel aux pouvoirs qu'il détenait en tant qu'âme chevronnée déjà très avancée dans le grand voyage vers le sommet, et il se hissa au troisième niveau de conscience, d'où il pouvait continuer à voir sans être lui-même vu.

Il fut grandement soulagé quand le décor commença à s'estomper une fois de plus et que, après un nouveau trajet, l'amiral pénétra dans un arsenal maritime où, en uniforme de lieutenant de vaisseau, il monta à bord d'un destroyer. Il était clair qu'il s'enivrait de nouveau de la joie de son premier commandement, car le navire était d'un modèle presque périmé, doté d'une radio des plus primitives et dépourvu de canons antiaériens.

Le duc s'ennuya encore plus sur le destroyer qu'au cours de la partie de tennis ; qui plus est, il commençait à ressentir de la fatigue à force de demeurer au troisième niveau. De même qu'on ne peut dormir qu'un certain temps, de même on ne peut rester à un des niveaux les plus élevés que pendant une période limitée. Son pouvoir de se maintenir à une telle altitude spirituelle s'affaiblissait, aussi sa seule ressource fut-elle de revenir sur le plan astral et d'adopter un déguisement. Le plus approprié semblait être celui d'un discret membre de l'équipage, aussi se transforma-t-il en un jeune matelot de deuxième classe que ses devoirs retenaient à proximité de la passerelle. Les corps astraux ne sont pas affectés par les conditions terrestres, mais ils sont tout à fait conscients du climat dans tout décor astral où il peut lui arriver de se trouver ; or, le temps étant à la fois froid et humide, de Richleau aurait volontiers tué l'amiral quand celui-ci décida de conduire le destroyer en mer. Ils sortirent du port par gros temps et, à sa grande fureur, le duc fut contraint de rôder, l'équivalent de plusieurs heures de temps terrestre, près de la passerelle du navire secoué, tandis que l'amiral, apparemment plein d'une infatigable énergie et d'un bonheur sans limite, lui faisait effectuer d'interminables évolutions.

Ce fut avec un grand soupir de gratitude que le duc vit soudain l'amiral chanceler, osciller sur ses jambes et s'appuyer au garde-fou de la passerelle, tandis qu'une nouvelle fois la scène se dissipait. Avec une incroyable rapidité, ils revinrent dans la chambre d'Orme Square, et de Richleau vit, comment il l'avait supposé, que sa femme tenait l'amiral par l'épaule et le secouait doucement en disant :

— Réveille-toi, chéri, réveille-toi, il est sept heures.

N'en attendant pas plus, de Richleau revint à Cardinals Folly, s'étendit dans son corps terrestre, demeura un moment immobile, puis, ouvrant les yeux et bâillant, se mit sur son séant.

— Eh bien, dit Rex, qui était assis à côté de lui, comment ça s'est passé ?

— Magnifiquement, murmura le duc d'un air endormi. L'amiral est un amour d'homme tout simple et la fuite ne vient certainement pas directement de lui, même s'il reste encore une toute petite chance pour que, par moments, tout à fait à son insu, il puisse devenir l'instrument de quelque force maléfique. La nuit prochaine, je la passerai en compagnie du capitaine Fennimere, mais j'espère bien qu'il n'est pas aussi passionné par son métier, car je déteste absolument le rôle de marin aguerri que j'ai joué, au milieu de la tempête.

— Que diable voulez-vous dire ? demanda Rex avec étonnement.

De Richleau sourit.

— Je suis tout à fait certain que sir Pellinore ne me croirait jamais si je lui racontais mes aventures de la nuit, mais vous connaissez le vieux dicton : « Il y a sur la Terre et dans le Ciel plus d'étranges choses que notre philosophie n'en a jamais rêvé. »

CHAPITRE VI

Le capitaine descend

Il était encore tôt, aussi le duc et Rex décidèrent-ils de se coucher une heure ou deux. Après avoir soigneusement fermé la porte de la bibliothèque derrière eux et ôté la clé, afin que les domestiques ne voient pas le pentacle et n'y touchent pas. Ils montèrent dans leurs chambres à l'étage.

En dépit de ses activités nocturnes, de Richleau ne se sentait pas fatigué le moins du monde ; en fait, il se sentait même remarquablement reposé, car son sommeil de dix heures et demi à sept heures avait été plus long que d'habitude et sa tranquillité n'avait pas été troublée par les bombes ou les coups de canon. A vrai dire, durant son voyage astral, il avait été bien loin de se dépenser autant que l'amiral, et la seule différence entre eux était que de Richleau avait le pouvoir de garder le souvenir complet et cohérent de ce qu'il avait vu et fait, alors que l'amiral s'éveillerait après une bonne nuit de repos sans rien se rappeler de ses aventures nocturnes sinon, tout au plus, un rêve confus au cours duquel, peut-être, il avait joué au tennis sur son premier navire et pris ses ébats de façon tout à fait honorable avec une Orientale au milieu d'un court. Pendant ce temps, alors qu'ils étaient absents de leur corps, leur corps éthérique, qui est l'exacte réplique de l'apparence physique et demeure toujours avec chacun jusqu'à la mort, s'était rechargé en vitalité à la manière dont se recharge une batterie, car c'est pour permettre cette fonction absolument essentielle que nous dormons chaque nuit.

Comme les Eaton, et tous les invités qui séjournaient chez eux, prenaient habituellement leur petit déjeuner au lit, ce n'est qu'avant le repas de midi, lorsqu'ils furent tous réunis dans le grand salon, que le duc régala les autres de l'amusant récit des fredaines de l'amiral, dont il avait été le témoin insoupçonné.

— Le vieux gaillard en blêmirait s'il savait que vous fourrez votre nez dans ses affaires ! dit en riant Marie-Lou.

De Richleau sourit.

— C'est une âme toute jeune, aussi suis-je parfaitement sûr qu'il ne croirait pas pareille chose possible, même si on la lui décrivait.

— De toute façon, nous pouvons admettre, je suppose, que son innocence est pleinement démontrée ? fit remarquer Richard.

De Richleau secoua la tête.

— Nous n'avons aucune raison de penser que celui, quel qu'il soit, qui communique avec l'ennemi sur le plan astral, le fait chaque fois qu'il s'endort. Aussi, s'il n'y a rien de suspect dans les agissements du capitaine Fennimere, quand il quittera son corps cette nuit, devrai-je passer d'autres nuits à les surveiller tous les deux.

La journée étant pluvieuse et triste, ils ne sortirent pas, mais passèrent l'après-midi à lire et à proférer d'amusantes banalités, ce dont ils ne se lassaient jamais quand ils étaient réunis. Après le dîner, ils regagnèrent une fois de plus la bibliothèque et le duc refit le pentacle. Puis les tours de garde furent modifiés, de telle sorte que Simon prenne le premier, Rex le deuxième et Richard le troisième. Ils accomplirent le même cérémonial que le soir précédent et, à dix heures, de Richleau, Simon montant la garde à côté de lui, fut bordé dans son lit, tout prêt à se mettre en route pour son voyage astral.

Il atteignit Londres vers dix heures et demi et remarqua tout de suite qu'il y avait une accalmie dans les bombardements. Après les nuits précédentes, la tranquillité de la grande ville semblait quelque peu sinistre car, eu égard au fait qu'assez rares, parmi les millions de Londoniens, étaient ceux qui devaient déjà être endormis, le silence était anormal.

Bien que la nuit fût obscure et pluvieuse, le duc n'eut aucune difficulté à identifier le lac de Regent's Park et, perdant de l'altitude à proximité de celui-ci, il fila vers le nord, franchissant le canal en direction du grand pâté de maisons obscur de North Gate Mansions. Le solide immeuble, bien construit, possédait plusieurs portes, mais il trouva bientôt l'entrée qui desservait le numéro 43 et, ayant emprunté la cage d'ascenseur, il traversa la porte de l'appartement du capitaine Fennimere pour constater que ce dernier avait terminé son service et recevait à dîner une jeune femme incontestablement séduisante.

D'après leur conversation, il apparut bientôt au duc que ce n'était ni la femme ni la fiancée du capitaine ; mais il fut bientôt manifeste que leurs relations avaient atteint un degré d'intimité certain. Un peu avant onze heures, un domestique entra pour demander au capitaine s'il n'avait plus besoin de rien, puis, sur une réponse négative, il alla se coucher. Le capitaine n'éprouva alors aucune difficulté à persuader sa charmante invitée d'ôter sa robe, de crainte qu'elle ne soit chiffonnée, et tous deux s'installèrent, tout heureux, sur un vaste sofa qu'ils avaient tiré devant le feu.

Le duc observa tout cela avec beaucoup de regret ; non qu'il fût le moins du monde puritain et eût voulu priver l'un et l'autre du divertissement auquel ils se livraient, mais il prévoyait une attente longue et, pour lui, fastidieuse, avant qu'il lui soit possible d'espérer que le capitaine s'endorme.

Il était peu vraisemblable que ces deux personnes, manifestement pleines de santé, mettraient un terme à leur conversation, quelque peu chaotique et entièrement dépourvue d'intérêt, avant une heure ou deux, et puis il ne faisait pas de doute que le marin raccompagnerait la demoiselle chez elle. Aussi était-il bien prévisible que son corps astral n'émergerait pas de son enveloppe mortelle avant deux ou trois heures du matin.

Cependant, au fil de la conversation, le duc se rendit compte que les deux jeunes gens, bien que manifestement amoureux l'un de l'autre, n'en étaient pas au premier élan fiévreux d'un amour qui aurait pu les tenir enlacés jusqu'aux premières heures de la matinée. Il aurait été prêt à parier que leur liaison en était au stade plus ou moins routinier où le plaisir est partagé, mais où la séparation peut être supportée sans chagrin, après un délai raisonnable. Il décida donc de les laisser à leurs affaires et, s'étant occupé, entre-temps, à chercher quelque bonne action à accomplir dans le grand pâté de maisons, de revenir une demi-heure plus tard.

Plusieurs des appartements qu'il visita avaient été évacués par leurs occupants, et d'autres lui offrirent des scènes de tranquillité domestique qui ne lui fournirent pas le genre d'occasion qu'il cherchait.

Après en avoir visité plusieurs, il entra dans une chambre où une petite fille se tournait et se retournait sans pouvoir s'endormir, torturée par une douleur à l'oreille. Quelques passes exécutées au-dessus d'elle suffirent à la soulager et à la faire dormir, sur quoi son corps astral s'éleva de son corps physique sous l'aspect d'une femme d'âge moyen, à la physionomie distinguée, qui se révéla tout de suite une initiée car, avant de s'éloigner pour vaquer à ses propres affaires, elle remercia très courtoisement le duc de sa gentillesse.

Dans un autre appartement, de Richleau trouva une femme assez âgée, portant à l'épaule une vilaine blessure causée par un éclat d'obus antiaérien. Il la plongea aussitôt dans le sommeil, mais son corps astral se révéla une triste et presque aveugle réplique d'elle-même qui, nue et laide, le regardait d'un œil soupçonneux. Il la quitta donc promptement et revint voir où en était le capitaine Fennimere.

Il se trouva que le duc avait bien prévu son heure, car la charmante invitée du capitaine était en train de s'habiller et le capitaine, qui ne se trouvait pas dans la pièce, revint peu après avec un miroir qu'il lui tint pendant qu'elle s'arrangeait les cheveux. Après qu'elle eut remis de l'ordre dans sa toilette, ils burent chacun un whisky-soda, fumèrent une cigarette, mangèrent quelques biscuits et s'embrassèrent en prenant soin que le maquillage de la demoiselle n'en souffrît pas. De Richleau constata avec quelque surprise qu'en la raccompagnant à la porte d'entrée, le capitaine ne mettait ni sa casquette ni sa vareuse, mais, qu'ayant fait sortir la jeune fille, il demeurait là, lui souhaitant en souriant « bonne nuit » tandis qu'elle descendait par l'ascenseur.

— Voilà une conduite qui manque étrangement de galanterie pour un marin, songea le duc, il ne mérite certainement pas sa bonne fortune.

Un instant plus tard, cependant, il réalisait qu'il avait porté un jugement très injuste sur le capitaine, car l'ascenseur ne descendit pas jusqu'au rez-de-chaussée : il s'arrêta deux étages plus bas et la jeune fille en sortit. Poussé par une curiosité gratuite, de Richleau se laissa glisser à sa suite et la suivit à travers la porte d'un appartement qui était manifestement le sien. Dans le salon était assis un homme assez âgé, en train de lire, et le duc s'amusa beaucoup en entendant la petite amie du capitaine dire gaiement en entrant :

— Bonsoir, papa ! J'espère que tu n'étais pas inquiet pour moi, mais mon taxi a mis simplement des siècles à traverser Londres dans le black-out. De toute façon, Muriel et moi avons passé des heures à nous faire l'une sur l'autre ces fichus bandages, aussi je pense que nous avons toutes les deux une bonne chance d'obtenir notre examen de secouriste demain.

— Secouriste, murmura in-petto le duc, secouriste, vraiment, petite polissonne !

Puis il quitta la jolie menteuse pour traverser le plafond et l'appartement du dessus et revenir dans celui du capitaine Fennimere.

Le capitaine était en partie dévêtu et faisait ses ablutions dans la salle de bains. Cinq minutes plus tard, il était au lit. Et, apparemment nullement troublé par un quelconque remords de sa liaison coupable avec la fille de son voisin, non plus qu'inquiet à propos des pertes britanniques, il fut très vite endormi.

Au moment où il commençait à ronfler doucement, son corps astral émergea des draps et couvertures, et de Richleau vit tout de suite que le capitaine avait atteint un stade beaucoup plus avancé que l'amiral. Le corps astral de Fennimere prit immédiatement l'apparence d'une femme extrêmement belle, avec un front large et un menton bien modelé qui dénotait l'intelligence et la résolution. Elle était habillée de vêtements flottants qui n'étaient pas sans rappeler ceux que Richleau lui-même portait, et ses cheveux noirs étaient ramenés au sommet de sa tête en centaines de petites boucles, comme c'était la mode à l'époque romaine.

Le duc détourna la tête pour n'être pas reconnu mais, après avoir jeté un rapide coup d'œil dans sa direction, le corps astral du capitaine effectua une sortie rapide et pleine de détermination. A ce qui suivit, le duc comprit qu'ils étaient en train de remonter le temps. Quand la brume se fut dissipée, il vit que la demoiselle aux vêtements flottants marchait dans le jardin d'une villa romaine entourée de hauts cyprès et située au-dessus d'un rivage rocheux que léchaient doucement les eaux bleues de la Méditerranée. Immédiatement, de Richleau se hissa à un niveau de conscience plus élevé, afin de se rendre invisible, mais demeura à proximité du parapet parsemé de mousse qui bordait la terrasse, tout en gardant l'œil sur sa proie.

Manifestement, l'incarnation romaine du capitaine avait été particulièrement heureuse, aussi y revenait-il, sous l'aspect de la femme qu'il avait été alors, pour retrouver sa force mentale et sa tranquillité d'esprit ; mais le duc était certain qu'il ne resterait pas là très longtemps, car il y a toujours du travail en instance pour ceux qui possèdent la connaissance, et de tels esprits ne sont pas enclins au sybaritisme.

Il avait deviné juste. Après avoir flâné un peu parmi les chênes verts et les buissons aux fleurs odorantes, tout en regardant d'un œil songeur la magnifique baie, la jeune romaine se secoua un peu. Toute la scène disparut alors et ils franchirent le temps pour revenir à une époque toute différente.

Le fracas des bombes et les tirs des canons antiaériens déchirèrent le silence et le duc découvrit qu'ils étaient au-dessus d'une grande ville. Ce n'était pas Londres et, pendant un moment, il n'eut aucun moyen de l'identifier, mais il supposa qu'elle se trouvait quelque part en province. Le corps astral du capitaine se dirigea sans hésiter vers un endroit où une mine venait d'exploser et, en compagnie d'autres, venant de la sphère supérieure dans cette direction, il se mit à aider les morts récents à s'orienter.

De Richleau vit que le capitaine avait maintenant pris l'apparence d'une infirmière. Il était manifeste qu'il se préférait dans un corps de femme, mais l'apparence qu'il avait choisie était aussi admirablement adaptée à ses activités actuelles car, pendant un certain temps après avoir été foudroyés, ceux qui viennent juste de mourir n'arrivent presque jamais à réaliser qu'ils sont morts. A moins d'être détenteurs de l'Ancienne Sagesse, ils ne savent rien. Ils ont seulement la sentation d'avoir subi un choc violent et ont très froid, aussi se prêtent-ils plus volontiers aux soins d'une infirmière qu'à ceux de toute autre personne, et acceptent-ils avec joie la soupe brûlante et les vêtements chauds qu'on leur fournit, sans avoir la moindre idée que ceux-ci sont, autant qu'eux-mêmes, de nature astrale.

Jugeant que, puisque le capitaine était manifestement un aide chevronné, il allait sans doute passer la plus grande partie de sa nuit à cettre œuvre de miséricorde, le duc décida que le mieux qu'il avait à faire était d'agir de même, aussi il revêtit la tenue blanche de chirurgien et se mit à l'œuvre.

L'aube était proche quand l'infirmière que surveillait de Richleau cessa son travail. Avec d'autres aides, la nuit durant, elle était allée d'un immeuble bombardé à un autre et, pendant des heures après la fin du bombardement, ils s'étaient occupés de ceux qui, mortellement blessés, quittaient la vie terrestre dans les postes de secours et les hôpitaux.

Finalement, la ville de province martyre s'évanouit et le duc se rendit compte qu'une fois de plus le capitaine Fennimere remontait le temps. Quand il le rattrapa, ce fut pour le voir, maintenant sous une apparence masculine et vêtu avec l'opulence d'un riche marchand du XVIIIe siècle, entrer dans une longue salle de musique à l'intérieur d'une vaste maison bien meublée. Il parut alors évident que lors d'une de ses incarnations — probablement la dernière — le capitaine avait été un musicien des plus accomplis, peut-être même un compositeur. Il s'assit à un piano et commença à jouer certains morceaux apaisants et charmants, dans l'évidente intention de ramener le calme dans son esprit après les horreurs dont il avait été témoin durant la nuit.

Après avoir joué environ une demi-heure, le capitaine Fennimere s'arrêta brusquement et revint à la vitesse de l'éclair dans son corps mortel. De Richleau le suivit, pénétrant dans l'appartement de North Gate juste à temps pour voir la servante déposer le thé matinal au chevet du capitaine, qui se souleva sur un coude, l'air ensommeillé. Deux minutes après, le duc était de retour à Cardinals Folly et s'éveillait de sa propre volonté pour annoncer à Richard que tout allait bien, mais que son voyage nocturne s'était de nouveau révélé infructueux.

Contrairement au matin précédent, de Richleau se sentait mal reposé par son sommeil, comme c'est toujours le cas après une nuit où le corps astral a travaillé au lieu de simplement se divertir. Aussi, il regagna sa chambre, se mit au lit et dormit deux heures de plus pour recouvrer sa force en flânant dans ces lieux agréables où il pouvait se rendre à volonté.

Plus tard, le même jour, après que le duc eut raconté aux autres ses aventures nocturnes, Richard fit remarquer :

— Il est surprenant que l'amiral qui, en ce monde, paraît un mari si dévoué, s'empresse, dans son corps astral, d'aller batifoler avec une inconséquente petite Chinoise, alors que le capitaine, qui est manifestement un gai luron ici-bas, se consacre aux bonnes œuvres quand il est de l'autre côté.

— Il n'y a rien de particulièrement étrange en cela, répondit le duc. Une personne peut être à un stade relativement bas de développement spirituel et cependant, grâce à son énergie et à l'unicité de son but, atteindre à un poste de haute autorité lors d'une de ses vies sur Terre, comme c'est le cas pour l'amiral. D'autre part, quelque évolués qu'ils soient dans leur vrai moi, certains, chaque fois qu'ils renaissent, ont leur connaissance obscurcie par la chair. Aussi, jusqu'à ce que leur conscience des vérités éternelles soit éveillée par quelque nouveau contact, peuvent-ils se conduire comme s'ils étaient encore au plus bas niveau — parfois même meurent-ils sans avoir en apparence accompli de progrès.

— Cela semble une terrible perte de temps, protesta Rex.

— Oh, non, pas du tout, car, dans chaque vie, on paie certaines dettes et on apprend quelque chose. J'ai connu une fois un vieux paysan qui ne savait même pas lire ni écrire et pourtant il était dans sa dernière incarnation terrestre et près d'accéder à la sphère bouddhique. Il n'en avait pas la moindre idée tant qu'il était dans son corps, mais je le savais, parce que j'avais coutume de lui demander d'être mon guide sur le plan astral. Il ne lui restait qu'une seule leçon à apprendre — celle de l'humilité — or il avait délibérément choisi de naître sous l'apparence d'un pauvre paysan à qui toute connaissance de l'Ancienne Sagesse serait refusée lors de sa dernière vie sur Terre.

— Je ne pensais pas qu'on pût choisir l'apparence sous laquelle on aimerait naître, dit Simon.

— Vous ne le pouvez pas jusqu'à ce que vous approchiez de la fin de vos vies terrestres, et qu'il ne vous reste plus que très peu à apprendre. On vous laisse alors le choix des incarnations qui vous permettront d'assimiler plus rapidement ces dernières leçons — tout comme, à l'université, un étudiant en fin de cycle jouit d'une gande latitude dans le choix des sujets qu'il souhaite traiter et de ses heures de travail. Notre Seigneur, par exemple, prit la décision extrême de choisir de supporter les douleurs et les fautes de ses trois dernières vies en une seule incarnation. Dans le bref laps de temps de trente années, il s'acquitta du reste des dettes qu'il avait contractées au cours de ses nombreuses vies ici, sur le plan matériel, et, faisant montre d'une force d'âme sans égale, il supporta toutes les souffrances qui en résultaient, de façon à pouvoir se libérer à jamais de la chair.

— Il avait pourtant manifestement la vraie mémoire, fit remarquer Marie-Lou. Bon nombre de ses maximes en témoignent.

— Certainement. La plupart de ceux qui sont bien engagés sur le chemin ascendant sont réveillés, à un certain moment, lors de chaque incarnation terrestre. *L'occasion* d'acquérir la connaissance se présente alors pour beaucoup soit sous la forme d'un individu qu'ils rencontrent, soit sous la forme d'un livre. Ceux qui ne sont pas prêts refusent de l'accepter, mais ceux qui *sont* prêts, d'instinct, réalisent immédiatement que toutes les autres croyances ne contiennent qu'une partie de la vérité, parce que chacune d'elles, prise séparément, renferme des contradictions qui ne peuvent être surmontées, alors que la vraie sagesse est absolument logique et totalement juste. Nul possédant la connaissance ne tente jamais de l'inculquer de force à quelqu'un d'autre, car agir ainsi serait une pure perte de temps. Mais, chaque fois que quelqu'un est prêt à la recevoir, les mesures sont prises pour qu'il la reçoive bien.

— Je me demande si j'étais réellement prêt quand, il y a quelques années, vous nous l'avez apportée pour la première fois ? dit Richard. J'ai cru que tout était exact parce que ce que vous nous aviez dit se tenait et que la loi du karma, selon laquelle on récolte exactement ce qu'on a semé, pas un atome de plus ni un atome de moins, est si manifestement équitable. Elle abolit une fois pour toutes la doctrine désespérément peu satisfaisante selon laquelle, après une unique et courte vie — une vie d'à peine quelques années pour ceux qui meurent dans l'enfance — une âme est soit admise au Ciel, soit condamnée à pourrir en Enfer pour toute l'éternité. Nul être pensant ne peut souscrire à une croyance fondée sur une aussi absurde parodie de justice. Mais, sauf en de très rares occasions, je n'ai jamais réussi à me rappeler mes rêves ; or, à une époque, Marie-Lou et moi avons vraiment essayé de toutes nos forces. Elle a réussi relativement facilement, alors que je n'ai pu faire le moindre progrès.

— Cela, Richard, c'est parce que Marie-Lou s'est entraînée dans ses vies passées et qu'elle a été, un temps, ce qu'on appelle, dans un temple, un « assistant » : aussi lui était-il facile de réapprendre. Vous, en revanche, bien que vous ne vous en rendiez probablement pas compte, êtes un « guérisseur » car, longtemps, dans le passé, vous avez assidûment cultivé vos pouvoirs dans cette direction.

— Voilà qui est intéressant, dit Richard en souriant. Si Marie-Lou attrape un mal de tête, je peux donc le dissiper juste par quelques minutes de massage.

De Richleau approuva de la tête.

— Si vous vous remettiez à vous entraîner, vous pourriez probablement aussi faire pas mal de choses pour soulager la douleur des gens qui ont mal aux dents, qui ont des rhumatismes, etc. En tout cas, c'est simple hasard que Marie-Lou se trouve être plus en avance que vous, et le fait qu'elle se souvient de ses rêves avec une rare clarté n'a absolument rien à y voir.

— Et moi, qu'est-ce que je suis ? demanda Simon. Je peux me rappeler des lambeaux de rêves chaque matin, du moins si je me concentre quand je m'éveille, mais je n'ai jamais été capable de parvenir à m'en souvenir d'un bout à l'autre.

— Vous êtes assurément sur la bonne voie et cela parce que, dans vos vies passées, vous vous êtes entraîné en tant que néophyte.

— Et moi ? demanda Rex.

— Vous, Rex, êtes de nous tous l'âme la plus jeune, et c'est peut-être pourquoi vous réussissez si bien sur le plan matériel avec ce qui est moderne, comme piloter des voitures de courses et des avions. Vous venez à peine d'atteindre le niveau où le moment était venu pour vous qu'on vous donne votre première occasion d'atteindre la sagesse. C'est sans doute la raison pour laquelle il a été décrété que vous et moi deviendrions amis.

Il y eut un petit silence, puis Simon dit :

— Euh — pour en revenir à l'affaire en cours — ils semble que vous soyez dans l'impasse à la fois avec l'amiral et avec le capitaine, aussi comment allons-nous manœuvrer maintenant ?

— Je ne vais plus me tracasser avec le capitaine, répondit le duc. Etant donné son comportement de la nuit dernière, il est clair que c'est un aide régulier, et c'est sans aucun doute un des nôtres. Je ne pense pas qu'il se rappelle ses rêves — à moins qu'à une certaine époque, il ne s'y soit entraîné — mais, sur le plan astral, il est manifestement pleinement conscient de ses vies passées et il est bien engagé sur le chemin ascendant. Il est tout à fait impensable qu'un être aussi initié soit amené à trahir inconsciemment son pays, et je suis sûr qu'il pourrait opposer, de lui-même, une résistance suffisante pour empêcher toute entité mauvaise de le forcer à quoi que ce soit qu'il ne voudrait pas faire. Il faut, en revanche, que je surveille un peu plus l'amiral, car sa vie astrale manque encore vraiment trop de continuité, et il peut se trouver des périodes pendant lesquelles nos ennemis s'emparent de lui sans même qu'il comprenne ce qui lui arrive.

En conséquence, au cours des sept nuits suivantes, de Richleau accompagna de nouveau l'amiral au cours de voyages, sans nul doute improvisés, dans les lieux les plus variés. Le vieux gaillard essayait de toutes ses forces de maîtriser l'art de retrouver sa jeunesse perdue, mais il n'avait manifestement que des notions très rudimentaires quant à la manière de procéder. Une fois il réussit très bien et de Richleau fut amusé de le voir jouer au cerceau avec enthousiasme dans Kensington Gardens ; tandis qu'en une autre occasion, bien que sous l'apparence d'un homme assez âgé, il surgit, vêtu en costume d'Eton, dans la chambre d'une danseuse espagnole à l'œil couleur de prunelle. Mais, en dépit de ces petites mésaventures, il consacrait toute l'énergie de son indestructile personnalité véritable à passer ses nuits à s'amuser. Il avait des amies nombreuses et variées. Il joua d'innombrables sets au tennis avec différents groupes de ses connaissances, saisit fréquemment l'occasion d'aller nager, avec force éclaboussures, et parut trouver un délice particulier — que ne partagea en rien le duc — à sortir en mer sur les différents bateaux qu'il avait commandés, de préférence par le plus gros temps possible.

Après avoir, pendant une semaine, passé ses nuits en compagnie de l'amiral, nuits durant lesquelles il n'arriva rien qui pût être considéré comme le moins du monde suspect, le duc arriva à la conclusion bien arrêtée que son intrépide marin ne pouvait être celui qui, inconsciemment, fournissait leurs informations aux nazis, aussi il décida qu'il lui fallait adopter une autre méthode d'investigation et monta à Londres voir sir Pellinore.

Il ne raconta pas au vieux baronet les aventures astrales de l'amiral ou du capitaine, convaincu qu'il risquait de raviver ainsi le scepticisme initial de sir Pellinore, à qui ç'eût été trop demander que d'accepter des choses en apparence aussi fantastiques, pour naturelles qu'elles pussent être sur le plan astral. Au lieu de quoi le duc fit un compte rendu sans fioritures, précis, presque scientifique, indiquant que, durant ces dix derniers jours, il avait utilisé ses pouvoirs pour explorer le subconscient des deux officiers de marine durant leur sommeil et était arrivé à la conclusion que ni l'un ni l'autre n'était responsable de la fuite.

— Alors, si ce n'est pas eux, qui diable est-ce ? gronda sir Pellinore.

— Dieu seul le sait, répondit le duc. Nous nous trouvons exactement en face du même problème qu'à l'origine, lorsque vous répondiez de l'intégrité de ces deux officiers. Ils sont les seuls à connaître *toutes* les routes attribuées aux divers convois, et il est tout à fait absurde de supposer que le capitaine de chaque convoi qui part soit un traître qui aurait les moyens de communiquer avec l'ennemi quand il est déjà à plusieurs milles de son port de départ.

— Peut-être, alors, votre théorie est-elle entièrement erronée, et y a-t-il à l'Amirauté, à l'abri de tout soupçon, un agent nazi qui a les moyens de photographier les instructions de Fennimere aux convois après qu'il les a transcrites ?

De Richleau haussa les épaules.

— Mais l'amiral lui-même nous a dit qu'aussitôt que Fennimere a fini de les écrire, il les scelle dans leurs enveloppes lestées et les met sous clé dans sa valise diplomatique en acier. En plus de ça, nous avons la parole de Fennimere que les valises diplomatiques ne sont jamais réouvertes avant qu'il les remette lui-même aux différents capitaines commandant les escortes de convois, et je suis tout disposé à croire en sa parole.

Les yeux bleus de sir Pellinore s'étrécirent.

— Je me demande si ces documents ne pourraient pas être photographiées par quelque nouveau procédé à base de rayons X au travers de la valise diplomatique de Fennimere, soit pendant qu'ils sont encore à l'Amirauté, soit pendant qu'il est en route pour les ports.

— Non, dit de Richleau en secouant la tête. Même si on avait inventé un appareil à rayons X permettant de photographier à travers l'acier, il est à peu près certain que les instructions manuscrites sont pliées avant d'être placées dans leur enveloppe, de sorte que le texte apparaîtrait sur la photographie comme un ensemble de traits incroyablement confus, du fait des nombreuses lignes d'écriture photographiées les unes par-dessus les autres. Je suis convaincu qu'il serait tout à fait impossible de déchiffrer un tel document — ou du moins une partie suffisante pour que cela ait un sens.

— Diable ! s'exclama sir Pellinore. Vous avez raison là-dessus. Mais nous *devons* aller au fond de l'affaire d'une façon ou d'une autre. C'est effrayant, absolument renversant ! Nous avons encore perdu cent mille tonneaux la semaine passée. Les pertes navales britanniques dans l'Atlantique sont devenues le point crucial de toute la guerre. Si nous pouvons vaincre les nazis à ce niveau, tout le reste s'arrangera de soi-même en temps utile. Sinon, comme nous ne serons jamais capables de bâtir une force aérienne assez puissante pour écraser l'ennemi, nous devrons faire face à la famine et Dieu sait quelle inimaginable fatalité peut s'abattre sur nous.

Il se leva avec une certaine lassitude pour signifier que l'entretien était terminé tout en ajoutant plus lentement :

« C'est bien de votre part d'avoir fait ce que vous avez fait pour nous aider mais, puisque vous avez échoué, nous devons essayer d'imaginer d'autres moyens d'investigation. Je suis sûr que vous me pardonnerez maintenant. Pas mal de choses urgentes requièrent mon immédiate attention. »

— Un moment, dit tranquillement le duc. Ma théorie est peut-être fausse, mais je n'ai pas la moindre intention de m'avouer vaincu. Puisque vous m'avez fait l'honneur d'avoir recours à moi, que la fuite ait lieu sur le plan astral ou sur le plan physique, j'ai l'intention de la trouver.

— C'est chic de votre part, mais je ne vois pas ce que vous pouvez faire de plus.

— Ayant échoué par un bout, je vais essayer par l'autre, si vous êtes prêt à me fournir des détails sur l'heure du départ du prochain convoi et la route qu'il prendra.

— Je vois. Vous vous proposez d'essayer de reprendre vos recherches à partir d'un torpillage en cours.

— C'est cela. Mais je dois savoir approximativement où seront les navires, afin de les trouver de nuit dans l'immensité de l'Atlantique, car je ne prétends nullement être omnipotent.

Sir Pellinore approuva d'un lent mouvement de tête.

— Ma foi, c'est une requête passablement embarrassante — de celles, en fait, qui doivent être soumises au Premier Lord — mais, en des circonstances aussi exceptionnelles, je ne doute pas de pouvoir la présenter. Il va de soi, cependant, que je n'oserais pas mentionner la nature des plus inorthodoxe de vos investigations. Et c'est un difficile obstacle à franchir, car je suis certain qu'on me questionnera sur l'usage que vous vous proposez de faire de cette information.

— Je ne pense pas que vous ayez besoin de vous tracasser, répondit le duc. Dites-leur que j'ai une théorie que je ne suis pas pour l'instant en mesure de révéler, mais qui concerne l'interception de communications radio-directionnelles, et que, si je dois contrôler les messages envoyés par un convoi quelconque, il est essentiel que je sois informé de sa position approximative.

— Cela a l'air parfait dans l'absolu mais, étant donné nos pratiques, cela ne prendra pas. Je pensais que vous auriez réalisé qu'aucun de nos navires n'utilise la radio une fois que l'escorte les a quittés, car ce serait livrer leur position à l'ennemi.

— Naturellement, et de Richleau sourit, mais ce que je veux faire croire, c'est qu'à l'insu de l'Amirauté quelqu'un peut utiliser un nouveau type d'émetteur portatif, et que je m'efforce de découvrir la réalité de cette supposition.

— Hum, grogna le baronet, ce n'est pas mauvais. Vous êtes un garçon astucieux, duc. Très bien, je verrai les gens concernés ce soir et je pourrai peut-être vous donner les informations que vous voulez demain matin.

De bonne heure, le matin suivant, sir Pellinore appela de Richleau pour lui dire qu'il lui avait pris un rendez-vous à l'Amirauté pour onze heures. Lorsqu'il s'y présenta, le duc signa le registre et fut conduit directememt dans le bureau de l'amiral.

Pendant un moment, ils discutèrent de la théorie selon laquelle des espions introduiraient clandestinement des émetteurs radio portatifs à bord d'un des navires de chaque convoi, l'amiral s'efforçant de soutirer à son visiteur des renseignements sur cette orientation de son enquête. Mais le duc était un homme rusé et, bien que n'en sachant en réalité que très peu sur les faisceaux hertziens, il laissa entendre qu'il avait pris contact avec un spécialiste civil de la radio qui avait certaines idées originales sur le sujet et pouvait officiellement utiliser des appareils de la BBC pour faire les tests nécessaires.

— Alors vous devrez donner à ce type des détails sur nos itinéraires, dit l'amiral, l'air maussade.

— Non. Ce ne sera pas nécessaire, répondit rapidement de Richleau pour le rassurer. Je peux garder ça pour moi.

— Dieu soit remercié, grogna l'amiral. Cette affaire nous tape sur le système à tous, mais moins il y a de gens qui savent à quel point nous sommes dans la purée, mieux c'est, et je vous ai déjà dit avec quel soin extrême nous gardons le secret de chaque itinéraire depuis l'instant où il est décidé. C'est pourquoi je dois vous demander de garder dans votre seule mémoire le renseignement que je vais vous donner. Vous ne devrez l'écrire sous aucun prétexte, ni plus tard prendre des notes à ce propos afin d'éviter qu'elles ne tombent en de mauvaises mains.

— Heureusement j'ai une bonne mémoire, dit le duc en souriant.

— Très bien, alors. Voici la situation. Nos convois se forment dans différents ports, principalement sur la côte ouest et la côte nord-est de l'Ecosse. Il part un convoi tous les deux ou trois jours, et le prochain à prendre la mer doit lever l'ancre dans la Mersey ce soir, à onze heures quinze. Il fera route à la vitesse approximative de neuf nœuds, allure du bateau le plus lent, nord-ouest quart ouest jusqu'à un point situé au sud de l'île de Man. Il franchira ensuite le Canal du Nord entre l'Ulster et l'Ecosse jusqu'à ce qu'il soit au large de Malin Head, au nord de l'Irlande ; alors il mettra le cap nord-nord-ouest quart nord jusqu'à un point situé par 58 degrés nord et 12 degrés ouest. Là, son escorte l'abandonnera et il prendra le cap ouest quart sud-ouest, poursuivant cette route jusqu'à ce qu'il atteigne le vingtième méridien ouest, sur lequel il prendra le cap sud-ouest. Inutile que je vous ennuie avec les détails concernant la dernière moitié de son voyage car, entre-temps le convoi sera sorti de la zone dangereuse.

Richleau répéta plusieurs fois les renseignements, puis dit :

— Je suppose, alors, que les torpillages des convois se produisent tous dans les deux ou trois jours qui suivent le départ de leur escorte ?

— Pas tous, mais au moins quatre-vingt-cinq pour cent d'entre eux se produisent dans les quarante-huit heures qui suivent le moment où l'escorte a pris le chemin du retour.

— Ne serait-il pas possible, dans ce cas, que les escortes continuent avec les convois pendant deux jours de plus ?

L'amiral secoua tristement la tête.

— C'est, évidemment la solution qui saute aux yeux mais, justement, elle ne peut être utilisée. En raison de nos engagements en Méditerranée, et de la nécessité devant laquelle nous sommes de maintenir constamment une flotte importante dans les eaux métropolitaines pour repousser toute tentative d'invasion, nous n'avons tout simplement pas assez de destroyers. Au printemps dernier, nous avions virtuellement maîtrisé la menace sous-marine, mais la débâcle française a changé tout ça. Les Italiens n'auraient jamais osé intervenir si la France n'avait pas craqué et, si fort que nous méprisions la couardise de la marine italienne, il n'est pas possible de l'ignorer tant qu'elle possède des navires de guerre capables de pointer leurs canons sur nos bâtiments en Méditerranée ou sur nos propres villes côtières ou celles de nos alliés.

Pivotant dans son fauteuil tournant il désigna du doigt une grande carte murale et poursuivit :

« Comme vous pouvez le voir du premier coup d'œil, les côtes de l'Italie, de la Sicile, de la Sardaigne, de la Libye, du Dodécanèse,de l'Erythrée et de la Somalie italienne réunies s'étendent littéralement sur des milliers de kilomètres. Elles exigent pas mal de surveillance pour empêcher les unités italiennes de se glisser furtivement d'un port à l'autre et de se masser quelque part d'où elles pourraient soudain surgir pour prendre par surprise de petites unités de notre flotte en Méditerranée. Mais ce n'est pas tout. Au moment où l'Italie est intervenue, jetant sur nos épaules cet énorme fardeau supplémentaire, la France s'est retirée. Un certain nombre de ses navires légers sont passés en Grande-Bretagne avec le général de Gaulle, mais le gros de la flotte française a été perdu pour nous. En conséquence, notre marine a, dès lors, dû faire face, entièrement seule, à la tâche positivement herculéenne de préserver la liberté des mers contre deux marines ennemies importantes et de puissants bombardiers à large rayon d'action.

De Richleau alluma une de ses longues et épaisses cigarettes turques.

— Oui. Je n'ai jamais eu la moindre illusion quant à ce que signifie réellement pour l'Angleterre la débâcle française. Je suis moi-même français de naissance, mais je serais le premier à insister pour que, une fois la guerre finie, des mesures soient prises à l'égard des hommes de Bordeaux et de Vichy. En effet, des politiciens véreux comme Laval ne sont pas seuls responsables : sans un soutien adéquat, ils n'auraient jamais pu faire ce qu'ils ont fait. Je dirais que si l'on additionne les officiers supérieurs de la marine, des armées de terre et de l'air, les politiciens et les bureaucrates, il y a au moins deux mille Français qui devraient être fusillés pour avoir contribué à déshonorer le beau nom de la France et à mettre en péril la liberté du monde.

— Là-dessus vous avez raison, et j'espère seulement que nos chefs ne feront pas montre d'une stupide faiblesse sentimentale quand nous serons en situation de demander des comptes à ces gens-là. Mais l'ennui c'est que, quand bien même je ne l'admettrais jamais hors de ces quatre murs, notre victoire demeure terriblement incertaine. Je vous le dis, duc, au cours de ces dernières semaines il m'est parfois arrivé de me réveiller la nuit avec des sueurs froides. La trahison de la France commence maintenant à produire son plein effet à cause de ces terribles pertes navales que nous subissons dans l'Atlantique Ouest. Quand je pense à nos navires qui sombrent, nuit après nuit, avec des centaines de braves marins, et à tous ces cargos dont seule l'arrivée à bon port peut nous donner la force de briser les nazis, je couperais volontiers la gorge à tous les Français sans discrimination.

L'amiral se tut un instant, puis poursuivit avec un calme sinistre :

« Néanmoins il ne sert à rien de revenir sur le passé. L'infamie de cette trahison fait maintenant partie de l'Histoire et, c'est à des gens comme vous et moi d'essayer de pallier ses effroyables conséquences. Je veux bien être pendu si j'entrevois quoi que ce soit que vous puissiez y faire que nous ne pourrions faire nous-mêmes, et je ne saisis pas du tout votre idée de faisceau hertzien. Cependant, comme quelqu'un qui se noie, je suis prêt à me raccrocher au moindre fétu de paille, et il y a quelque chose en vous qui, d'une manière ou d'une autre, me donne l'espoir insensé qu'au lieu d'un fétu de paille vous vous révélerez peut-être une solide perche de bois. »

Il se leva et tendit sa main.

« Pour l'amour de Dieu, faites de votre mieux. »

— Je n'y manquerai pas, dit le duc, et il ajouta une phrase dont seul il connaissait la véritable signification : « J'irai au fond de cette affaire, même si, pour y parvenir je dois aller en Enfer. »

CHAPITRE VII

Fantômes au-dessus de l'Atlantique

Cet après-midi-là, tandis qu'il filait sur le chemin du retour vers le Worcestershire, de Richleau s'amusa beaucoup à la pensée de ce qu'auraient été les réactions de l'amiral s'il lui avait fait remarquer, au moment où ils se séparaient : « Je ne fais pas du tout d'expériences sur le faisceau hertzien, mais sur quelque chose de très différent, un genre de tentatives qui pourrait me permettre de vous dire, sans vous avoir jamais vu effectivement dévêtu, que vous avez une grande tache rouge sur la fesse gauche. »

Mais il savait toute impulsion malicieuse de ce genre excessivement déplacée et qu'il valait beaucoup mieux que, à l'exception de sir Pellinore, les autorités continuent de croire qu'il n'était rien d'autre qu'un amateur en contre-espionnage à qui on avait, à tout hasard, fait appel, pour le cas où il pourrait fournir une idée originale susceptible d'apporter une solution au problème qui les rendait tous presque fous d'inquiétude.

Quand il arriva à Cardinals Folly, il demanda à Marie-Lou de lui faire servir de bonne heure un dîner léger afin qu'il puisse s'installer pour la nuit, dans le pentacle, vers neuf heures. Il avait depuis longtemps acquis le pouvoir de dormir à volonté et il avait l'intention de partir tôt cette nuit-là afin de pouvoir assister au départ du convoi. Vers neuf heures et quart, tandis que Rex restait près de lui pour le premier tour de garde, il s'endormit sans peine et, quelques secondes plus tard, il était au-dessus de Liverpool.

Il ne connaissait pas l'emplacement du quartier général de l'Amirauté dans cette ville, mais son désir de l'atteindre était si puissant qu'il le conduisit directement à un grand immeuble situé à proximité des quais.

Silencieux et invisible, il pénétra dans l'immeuble et fit le tour des pièces du rez-de-chaussée. C'est là qu'il s'attendait à trouver le bureau de l'amiral commandant la base, et il était raisonnablement persuadé que c'était dans ce bureau que les ordres cachetés seraient remis à l'officier commandant l'escorte du convoi. Pendant un moment, il chercha en vain. Puis il lui vint à l'esprit qu'à cause des raids aériens que subissait Liverpool, les quartiers de l'Amirauté avaient probablement été transférés au sous-sol, où il y avait beaucoup moins de risques que les papiers importants, auxquels l'amiral et ses collaborateurs immédiats avaient seuls accès, fussent détruits par un incendie ou une explosion.

Se laissant descendre, il découvrit que tout le sous-sol avait été renforcé à l'aide de poutres et équipé d'air conditionné. Les pièces du rez-de-chaussée — qui n'étaient manifestement utilisées maintenant que pour les tâches de routine — étaient aux trois quarts vides, alors que, en dépit de l'heure tardive, il régnait au sous-sol une activité de ruche. Des portes d'acier à l'épreuve des gaz isolaient chaque bureau et, avec ces officiers de marine entrant et sortant, l'endroit ressemblait beaucoup aux ponts inférieurs d'un navire de guerre.

Après avoir visité un certain nombre de ces bureaux pareils à des cellules, il découvrit celui de l'amiral et, à sa grande satisfaction, il y trouva non seulement l'amiral lui-même mais le capitaine Fennimere. L'amiral était un homme à l'air perspicace, avec des fins cheveux noirs peignés en arrière, et de Richleau remarqua que le mouchoir avec lequel il se mouchait portait un petit crabe noir brodé dans un coin, à la place du monogramme. Fennimere était assis en face de lui, serrant sur ses genoux sa valise diplomatique en acier, comme s'il y allait de sa vie de ne pas la poser, même un instant. Deux autres officiers supérieurs étaient présents, dont un portait le ruban de la Victoria Cross, et, d'après la conversation qui suivit, il apparut que c'était l'officier commandant les forces anti-sous-marines de la zone ouest.

Puis un capitaine de petite taille aux cheveux grisonnants les rejoignit, et il fut bientôt clair que c'était l'officier commandant l'escorte. Un des officiers d'état-major lui donna un paquet cacheté contenant ses propres ordres — qu'il ne devait pas ouvrir avant que convoi et escorte ne fussent au large de la Mersey — et Fennimere lui remit la valise diplomatique en acier qui serait transmise au commandant du convoi d'ici trois nuits, d'après les calculs du duc, quand l'escorte serait sur le point de rebrousser chemin. L'amiral dit quelques mots à propos de nouvelles précautions spéciales qui venaient juste d'être instituées et souhaita bonne chance à l'homme aux cheveux grisonnants, sur quoi celui-ci salua et s'en fut.

De Richleau le suivit tandis qu'il remontait dans le hall où l'attendaient un lieutenant d'infanterie de marine et deux soldats, baïonnette au canon, manifestement désignés pour lui servir d'escorte. Tous quatre montèrent dans une voiture et roulèrent lentement dans le black-out jusqu'aux quais. Là, ils montèrent dans un grand canot qui les amena à bord du chef de flotille. Le capitaine grimpa directement à sa passerelle et enferma la valise diplomatique dans un coffre. Une demi-heure après son arrivée à bord, le grand destroyer prenait la mer.

Pendant près d'une heure de Richleau se déplaça au-dessus des flots sombres, visitant l'un après l'autre les navires du convoi, jusqu'à ce qu'il eût jeté un coup d'œil sur tous les capitaines des dix-huit navires qui le composaient. Il ne se soucia pas des deux autres destroyers qui formaient le reste de l'escorte, car il était convaincu que personnne à leur bord ne pouvait être responsable d'aucune des fuites qui devaient se situer quelque part entre le capitaine de l'escorte et l'officier commandant le convoi. Par conséquent, lorsqu'il eut terminé sa tournée d'inspection, à minuit et demi, il regagna Cardinals Folly, s'éveilla et bavarda un moment avec Simon, qui était de garde, ensuite de quoi tous deux montèrent à l'étage pour passer le reste de la nuit dans leur lit douillet.

La nuit suivante, de Richleau s'endormit à l'intérieur du pentacle à son heure habituelle et se mit aussitôt à la recherche du convoi. Il le trouva qui émergeait du Canal du Nord, à peu de distance de Malin Head. La mer était agitée et l'étrave des cargos à vapeur s'enfonçait dans les flots tandis que les destroyers décrivaient lentement des cercles autour d'eux. Ayant compté les bateaux, de Richleau constata qu'aucun ne manquait, aussi se rendit-il à bord du chef de flotille et pénétra-t-il dans la cabine de passerelle du capitaine. Le marin aux cheveux grisonnants sommeillait, étendu sur sa couchette, tout habillé y compris ses bottes de mer, de sorte qu'en cas d'alerte il pût se lever d'un bond, courir à la passerelle et prendre aussitôt le commandement.

Après avoir jeté un coup d'œil sur lui, de Richleau se dirigea vers le coffre-fort et — de même que sous sa forme astrale il pouvait traverser murs ou planchers — l'acier du coffre n'opposa aucun obstacle à sa vue surhumaine. Il vit tout de suite que la valise diplomatique s'y trouvait, sur la deuxième étagère, exactement telle que le capitaine l'y avait posée la nuit précédente. A l'intérieur, le document n'avait pas été touché. S'étant assuré de ce point, il ne pouvait rien faire d'autre. Il rentra donc, s'éveilla et monta se mettre au lit.

La deuxième nuit de la traversée du convoi, il suivit exactement la même procédure, avec les mêmes résultats. La valise diplomatique n'avait pas été ouverte, ni même déplacée. Il n'avait pas cru très vraisemblable qu'elle le serait, mais le voyage lui prenait peu de temps et il considérait que l'enjeu valait la peine qu'il s'assure de manière absolue des faits concernant chaque stade de son enquête.

D'après son calcul, basé sur la vitesse moyenne de neuf nœuds à laquelle se déplaçait le convoi, il s'attendait à ce qu'il atteigne le point où son escorte devrait le quitter, vers cinq heures du matin, au cours de la troisième nuit, mais il pouvait l'atteindre plut tôt si les conditions météorologiques se révélaient plus favorables qu'on ne s'y attendait, ou avoir plusieurs heures de retard s'il rencontrait du mauvais temps. Il supposait que, quelle que soit l'heure à laquelle il atteindrait l'endroit, les ordres cachetés changeraient de main et seraient ouverts, et il lui paraissait maintenant clair que c'était à partir de là qu'il fallait s'attendre à la trahison.

Comme il était impensable que tous les capitaines commandant les convois fussent des traîtres, il était probable qu'à bord de chaque chef de convoi les Allemands plaçaient quelqu'un qui était à même d'avoir accès aux instructions de navigation, une fois qu'elles avaient été ouvertes. Jusqu'ici rien n'indiquait que les nazis utilisassent l'occulte comme moyen de communication. Et le duc se disait qu'il était tout à fait possible, après tout, qu'il apparaisse que les agents nazis introduisaient secrètement à bord quelque nouveau modèle d'émetteur radio, petit mais puissant, grâce auquel ils pouvaient donner la position du convoi dès qu'ils l'avaient découverte.

Dans les deux cas, qu'ils communiquent par un moyen occulte ou par radio, il était peu probable qu'ils pussent voir les ordres secrets aussitôt après que l'officier commandant le convoi en avait pris connaissance. Des heures, ou même un jour et une nuit, pouvaient s'écouler avant qu'ils en aient la possibilité. En conséquence, découvrir l'espion impliquerait une surveillance étroite du capitaine chef du convoi et des pièces officielles contenant ses ordres depuis l'instant où il les prenait en charge, pendant vingt heures consécutives ou même plus, peut-être, et c'est là que se dressait l'obstacle : le laps de temps pendant lequel de Richleau pouvait dormir était limité.

Normalement, il allait rarement au lit avant deux heures et s'éveillait vers huit heures ; bien qu'il eût maîtrisé jusqu'à un certain degré l'art de prolonger, par sa seule volonté, ses périodes de sommeil, il avait dû tellement utiliser ce pouvoir durant ces dix derniers jours qu'il sentait venir le danger. Car, depuis le début de son enquête, il avait en moyenne dormi chaque nuit trois heures de plus qu'à son habitude, aussi avait-il dormi en tout environ trente heures supplémentaires et cela commençait à bouleverser sérieusement les lois de la Nature auxquelles les humains sont liés, quels que puissent être les pouvoirs occultes qu'ils ont acquis.

Pour plus de sûreté, il pensait devoir se trouver à bord du chef de flotille à deux heures du matin au plus tard, mais il était peu probable que les ordres cachetés changent de main avant plusieurs heures, et, en outre, l'espion n'aurait peut-être pas l'occasion de se mettre à l'œuvre avant une heure tardive, le jour suivant.

Par conséquent, le duc prévoyait un écueil : s'il se révélait nécessaire qu'il demeurât endormi pendant plus de douze heures au cours de la nuit à venir — et il estimait que c'était à peu près là sa limite — il pourrait se trouver absolument contraint de se réveiller précisément au moment critique, ou encore juste avant que l'agent nazi ne se fût mis à l'œuvre. Il lui faudrait au moins six heures avant de pouvoir espérer se rendormir, même pour une courte période, et, si la fuite se produisait au cours de ce laps de temps, toutes ses investigations précédentes n'auraient strictement servi à rien. Il décida donc qu'il lui fallait désormais de l'aide sur le plan astral.

Ce soir-là, il consulta ses amis et leur expliqua la situation. Bien que seule Marie-Lou pût se rappeler exactement ses rêves — Simon ne le faisait qu'imparfaitement — n'importe lequel d'entre eux pouvait relever de Richleau dans sa surveillance du convoi, pendant qu'ils étaient dans leur corps astral, et lui faire leur rapport quand il reprendrait son service, avant de regagner leur corps. Bien entendu, tous les quatre se portèrent immédiatement volontaires. Ensuite chacun y alla de sa suggestion quant à savoir lequel d'entre eux était le plus apte à entreprendre cette tâche.

Simon eut un large sourire.

— C'est mon affaire. Aucun de vous ne peut nier que j'en sais plus que vous tous sur les sciences occultes. Jamais pensé qu'un jour viendrait où j'aurais des raisons de me réjouir de ces mois pendant lesquels je les ai étudiées sous la direction de ce salaud de Mocata, mais il m'a appris un tas de choses avant que le duc ne réussisse à l'enchaîner et à l'expédier en Enfer.

— Rien à faire, dit Rex. J'estime que le fait qu'une fois il s'en soit fallu diantrement de peu que vous ne deveniez un adepte de la magie noire vous élimine totalement. J'ai justement été le premier à être appelé pour apporter mon aide au duc dans cette affaire à laquelle vous faites allusion, aussi je réclame à nouveau ce privilège pour cette affaire-ci.

Richard pianota pensivement sur la table.

— Je suis entièrement de l'avis de Rex quand il affirme que ce n'est pas un travail pour Simon.

— C'est bien aimable, s'exclama Rex.

— Mais, d'un autre côté, continua Richard en souriant, je ne pense pas que ce soit un travail pour vous non plus, parce que, de nous cinq, vous êtes le plus jeune et, par conséquent, le moins expérimenté. Si nous nous trouvons effectivement nez à nez avec le magicien noir qui, croyons-nous, travaille pour les nazis, cela peut se révéler extrêmement dangereux. Il se trouve que vous êtes tous sous mon toit et il ne saurait être question de laisser un de mes invités courir un risque, alors que je suis à même de l'assumer en personne, aussi est-il tout à fait évident que ce devrait être à moi d'y aller.

— Na — Simon secoua la tête — le fait qu'une fois il s'en soit fallu de très peu que je ne devienne un adepte de la magie noire a été complètement effacé par le Seigneur de Lumière qui nous est apparu dans ce vieux monastère grec. Il m'a fait grâce pour mon idiotie. Mais vous avez raison à propos du danger possible ; et c'est l'expérience qui compte en ce domaine, Richard.

— O.K., nous vous l'accorderons — Rex sourit — mais, si vous avez raison, nous aurons certainement besoin de vous plus tard pour la grande confrontation, aussi mieux vaudrait que vous nous laissiez mener cette affaire facile, du moins au cours de nos vérifications préliminaires. Après tout, il n'est pas encore certain que les nazis utilisent l'occulte pour leur sale travail.

— Si vous avez tous fini, dit Marie-Lou avec douceur, vous pourriez aller tous les trois tranquillement dans le jardin pendant que Zyeuxgris me donne mes instructions.

D'un geste elle écarta le concert de protestations et poursuivit :

« Mon droit est tout à fait incontestable car, à l'exception du cher Zyeuxgris, je suis de loin la plus initiée d'entre vous, et même si, dans mon actuelle incarnation terrestre, je n'en connais peut-être pas autant que Simon sur les sciences occultes, je suis bien plus forte qu'aucun d'entre vous sur le plan astral ; et, quoique l'argument de Richard selon lequel il est votre hôte tienne parfaitement, il s'applique également à moi, puisqu'il se trouve que je suis votre hôtesse. Ai-je raison, Zyeuxgris ? »

De Richleau approuva de la tête.

— Vous avez gagné, princesse. Mais je pense qu'au moins pour ce premier voyage, il serait sage que vous ayez un compagnon, et à mon avis Simon est le mieux qualifié pour vous accompagner.

Mari-Lou fredonna un petit air de triomphe, tandis que Simon se rasseyait en souriant aux anges. Richard et Rex émirent tous deux un semblant de protestation, mais ce n'était qu'un semblant, car ils savaient d'expérience qu'une fois que le duc avait pris une décision on ne pouvait le faire revenir dessus. Déjà il reprenait :

— Voici ce que je propose. Ce soir, je m'endormirai plus tard que d'habitude et rejoindrai le convoi vers deux heures. Il est impossible de dire quand exactement les documents changeront de mains, mais je suis enclin à penser qu'on atteindra presque certainement l'endroit où l'opération doit se dérouler un peu avant l'aube. Je ne sais pas encore qui est le chef de convoi, mais c'est probablement le plus gros navire. En tout cas je suivrai l'enveloppe renfermant les ordres sur le navire, quel qu'il soit, auquel ils seront transmis, et je surveillerai à la fois ceux-ci et le capitaine. Comme il se peut que j'aie à ressortir la nuit suivante, je pense qu'il vaut mieux que je ne me fatigue pas en tentant de dormir plus de huit heures, ce qui nous amènera aux environs de dix heures demain matin.

« Marie-Lou et Simon partirent alors pour me relever et je pourrai leur dire si la trahison a déjà eu lieu. Dans la négative, ce sera à eux, durant la journée, de surveiller le capitaine commandant le convoi et l'enveloppe qui, à ce moment-là, aura presque certainement été ouverte. Il sera important que l'un deux reste tout près du capitaine afin qu'ils puissent savoir s'il révèle la teneur des ordres à certains de ses officiers sur le bateau, car, dans ce cas, chacun de ceux à qui il en aura parlé devra être également surveillé, l'un d'eux pouvant être celui qui communique avec l'ennemi. Il est cependant plus probable qu'une fois l'enveloppe ouverte, un membre de l'équipage tentera d'y jeter un coup d'œil pendant le sommeil ou l'absence du capitaine, avant d'aller accomplir son infâme besogne. Si l'un ou l'autre d'entre vous venait à découvrir qu'un acte de trahison est sur le point de s'accomplir, vous feriez aussitôt appel à moi et je vous rejoindrais. »

— Si cela arrive dans l'heure qui suivra votre retour il vous sera difficile de vous rendormir assez vite, fit remarquer Richard.

— Oui, convint le duc, mais je pourrai me mettre en état de transe. Je ne le souhaite pas si je puis l'éviter, car ce serait une fatigue supplémentaire, mais il est essentiel que je sois là s'il se passe quelque chose, aussi peut-être le faudra-t-il.

Il regarda Marie-Lou.

« Combien d'heures de sommeil pensez-vous pouvoir vous assurer ? »

— Tout dépendra de notre degré de fatigue quand nous irons au lit, dit Marie-Lou avec bon sens.

Simon approuva de la tête.

— Je resterai debout toute la nuit.

— C'est cela, convint-elle, et, si nous ne dormons pas d'ici demain matin dix heures, nous serons restés éveillés pendant vingt-six heures avant notre départ, aussi devrions-nous facilement pouvoir nous assurer dix heures de sommeil.

— Dans ce cas, s'il ne s'est rien passé, je vous relèverai de nouveau à sept heures du soir, dit le duc. Cela ne fait que neuf heures, mais nous ne devons pas risquer d'interruption entre les tours de garde. Maintenant, en ce qui concerne le guet, Simon et Marie-Lou feraient bien de veiller près de moi toute la nuit, ainsi pourront-ils se tenir éveillés l'un l'autre. Richard et Rex iront au lit comme d'habitude et dormiront la nuit entière, mais à neuf heures, ils feraient bien de descendre pour faire coucher les autres à côté de moi dans le pentacle, afin qu'ils s'endorment bien avant dix heures — et, naturellement, je resterai de garde jusqu'à ce qu'ils arrivent. Est-ce que tout ça est parfaitement clair ?

Un concert d'approbation répondit à sa question et Marie-Lou les laissa pour sortir des draps propres afin de préparer des lits pour Simon et elle-même à côté de celui du duc, dans le pentacle.

Ce soir-là, après le dîner, ils se divertirent d'une innocente partie de « quatre-vingt-et-un ». Puis, à une heure, Richard et Rex montèrent se coucher, tandis que les trois autres commençaient leurs préparatifs dans la bibliothèque. Marie-Lou avait sorti d'autres jeux de cartes afin qu'elle et Simon puissent jouer au bésigue et faire des réussites à deux tout en conversant tranquillement durant leur longue veille. A deux heures moins le quart le duc s'était installé et à deux heures il était endormi.

Tout en filant au-dessus des eaux froides, assombries par la nuit, de l'Atlantique Nord, il songea encore une fois à la tâche gigantesque à laquelle est confrontée en temps de guerre la marine britannique. Sur une carte les taches bleues paraissent relativement si petites qu'on se met aisément dans l'idée qu'un navire de guerre par-ci, un autre par-là, sont amplement suffisants pour surveiller une vaste zone, mais quand on est réellement en mer on se rend compte de l'immensité des océans et même de l'étendue très considérable de ce qu'on appelle les « mers étroites » comme la Manche et la Mer d'Irlande.

Au-dessous de lui une vaste surface désolée de mer verdâtre légèrement agitée s'étendait sans obstacle de l'Irlande du Nord à l'Islande et, en la survolant, il ne vit que deux petites formes noires de vaisseaux en patrouille avant de rattraper le convoi qui suivait toujours le même cap. Il descendit à son niveau, puis pénétra dans la cabine de passerelle du chef de flotille où, planant sans la moindre sensation de fatigue, il attendit patiemment les événements.

A quatre heures, le capitaine sortit sur la passerelle et, par sa conversation avec l'officier de quart, le duc apprit que le convoi avait progressé à bonne allure et atteindrait le point où l'escorte rebrousserait chemin une demi-heure plus tard environ. Et le capitaine avait l'intention de rester à son poste jusqu'au lever du jour, moment où il pourrait s'assurer que l'horizon était dégagé devant le convoi.

L'aube vint, grise, pâle, incertaine, peu après sept heures, mais ce n'est qu'à partir de huit heures que les officiers de la passerelle du chef de flotille firent montre d'une activité inhabituelle. Un ordre fut alors donné, un pavillon hissé et la vitesse du destroyer tomba de moitié.

De Richleau observa que le plus gros navire du convoi — un paquebot de quelque douze mille tonneaux avec des canons de cent cinquante montés à l'avant et à l'arrière — était sur le point de mettre une embarcation à la mer. Cela semblait un projet délicat, la mer étant agitée, mais manifestement les marins connaissaient leur affaire car, peu après, l'embarcation touchait l'eau et s'élançait vers le chef de flotille. Par moments, elle disparaissait complètement au creux des vagues, mais c'était une large baleinière de sauvetage à moteur et elle progressait régulièrement. Pendant ce temps le destroyer réduisait encore sa vitesse et manœuvrait habilement pour lui permettre de l'aborder. On lança des cordages, à la poupe de l'embarcation une silhouette en ciré ceignit une ceinture de sauvetage et on descendit une échelle de corde par laquelle l'homme monta à bord.

A cause du ciré dont le marin était vêtu, le duc ne put s'assurer de son grade, mais il entendit le capitaine de l'escorte l'appeler Carruthers. Le capitaine le conduisit aussitôt dans sa cabine où ils prirent ensemble un whisky-soda, tandis qu'il ouvrait le coffre et lui remettait la valise. Ensuite ils se serrèrent la main, se souhaitèrent bonne chance et l'homme au ciré regagna son canot. De Richleau, silencieux et invisible, l'accompagna jusqu'à son navire, qu'ils atteignirent un quart d'heure plus tard. Le destroyer hissa un autre pavillon, tous les bâtiments du convoi firent retentir leur sirène en guise d'adieu, et les navires de guerre, décrivant un large cercle, prirent le cap sud-est quart est, augmentant leur allure jusqu'à ce que de grandes gerbes d'embrun jaillissent de leur étrave. Ils rebroussaient chemin en direction de l'Angleterre.

Le duc avait suivi Carruthers jusqu'à sa propre cabine de passerelle où il ôta son ciré, révélant son grade de capitaine. Ayant sorti une clé de sa poche, il ouvrit la valise, prit l'enveloppe qu'elle contenait, la décacheta, puis, après avoir parcouru rapidement les instructions secrètes, il les remit dans la valise qu'il ferma à clé avant de l'enfermer dans son coffre, après quoi il sortit sur la passerelle et donna l'ordre de changer de cap.

La demi-flotille de destroyers avait disparu à l'horizon, lorsque, au signal flottant à la drisse du paquebot, le convoi tout entier vira de bord. De Richleau vit qu'il avait maintenant pris le cap ouest quart sud-ouest. Cette manœuvre, pensa-t-il, correspondait manifestement à un plan délibéré de la part de l'Amirauté pour s'assurer que nul à bord des escorteurs ne pourrait livrer la direction que prenait le convoi après qu'ils l'auraient quitté.

Le duc ne perdit pas de vue un instant le capitaine Carruthers car il savait que le moment critique de son enquête devait maintenant approcher. Il avait établi, sans le moindre doute, que la fuite ne se produisait pas à Londres ni pendant que l'enveloppe cachetée contenant les ordres était entre les mains du capitaine commandant l'escorte mais, maintenant qu'ils avaient été lus, il était possible que Carruthers révélât leur contenu à l'un de ses officiers qui, à son tour, pouvait répandre dans tout le navire les détails de la route qu'ils allaient suivre désormais. Si tel était le cas, le guetteur silencieux et invisible savait qu'il aurait besoin de toute la vigilance dont il était capable, car il aurait sans doute à surveiller plusieurs personnes à la fois. Mais il était raisonnablement convaincu de le pouvoir, même si elles étaient dispersées dans différentes parties du navire, du fait de sa capacité de se déplacer rapidement d'un endroit à un autre.

Après avoir donné l'ordre de changer de cap, Carruthers ne parla pourtant à personne. C'était un homme au visage rougeaud et aux lèvres serrées, et le duc eut bientôt le sentiment qu'il n'était pas homme à livrer quoi que ce fût en parlant à tort et à travers. Il fallait donc que l'espion nazi — s'il y en avait un à bord — se procurât ses renseignements en parvenant jusqu'aux ordres quand le capitaine n'était pas dans les parages. Aucune tentative de ce genre ne pourrait, dans ce cas, avoir lieu avant plusieurs heures.

Il n'était maintenant pas loin de dix heures et de Richleau commença à chercher des signes de l'arrivée de Marie-Lou ou de Simon. Il était conscient de l'urgence de regagner son propre corps et il espérait qu'ils ne seraient pas en retard, car l'effort pour résister plus longtemps risquait de devenir considérable.

C'est juste après dix heures que Marie-Lou apparut sans bruit à côté de lui. Elle avait à dessein conservé sous sa forme astrale le visage que de Richleau lui connaissait dans sa vie terrestre, afin qu'il n'ait aucune difficulté à la reconnaître, mais elle était beaucoup plus grande que son moi mortel et, sous la casquette de marine qu'elle portait, il remarqua qu'elle s'était dotée de cheveux blonds, à la place de ses boucles châtaines.

Naturellement, ni l'un ni l'autre ne pouvaient être vus ni entendus des hommes de la passerelle proches d'eux, mais leurs corps astraux pouvaient se parler avec leur voix normale.

Il lui sourit et dit :

— Pourquoi vous être grandie, princesse, alors que vous êtes si parfaite dans votre corps mortel ? Je n'aime pas ça du tout.

Elle eut l'air quelque peu vexé.

— C'est la première fois, cher Zyeuxgris, que je reçois de votre part le contraire d'un compliment. J'ai toujours voulu être plus grande. Je suis une si sotte petite personne quand je suis sur Terre, une haute taille me donne de la dignité.

— Petite folle, dit-il en riant. Qui pourrait vous souhaiter pleine de dignité ? En tout cas, si c'est votre fantaisie d'être plus grande, vous devriez certainement consulter une psyché quand vous composez votre corps astral. Ne voyez-vous pas que pour remarquablement belles que soient ces ravissantes jambes dont vous vous êtes dotée, en tant que jambes, elles sont tout à fait disproportionnées par rapport à votre corps ?

Quelque peu interloquée, Marie-Lou abaissa son regard sur celles-ci et entreprit de s'arranger un peu.

— Et mes cheveux, alors ? demanda-t-elle en ôtant sa casquette. Est-ce que je vous plais en blonde ?

Il la considéra un moment avec attention.

— Oui, pas plus, mais autant. Vous seriez absolument ravissante quelle que soit la couleur de vos cheveux.

— Merci. Parfois je les poudre en bleu anglais, mais j'ai pensé que cela ne convenait pas à ces circonstances.

— Non, admit le duc, un petit peu trop exotique. Mais je peux imaginer des situations dans lesquelles ça se révélerait extrêmement séduisant.

— Je suppose qu'il ne s'est encore rien produit, sinon vous ne vous intéresseriez pas autant à mon apparence ?

— Non, rien. L'homme qui commande le convoi s'appelle Carruthers ; c'est cet individu au visage plutôt rougeaud, debout tout seul, là-bas, du côté bâbord de la passerelle, en train de scruter les eaux. Dès qu'il est revenu à bord avec les ordres, il a ouvert l'enveloppe, les a lus et mis dans le coffre près de la tête de sa couchette, dans sa cabine de passerelle. Excepté pour donner un nouveau cap à l'officier de quart, il n'a encore parlé à âme qui vive, de sorte que, jusqu'à présent, il demeure la seule personne de tout le convoi à connaître la route qu'on lui a ordonné de prendre.

A cet instant, Simon, qui avait mis un peu plus de temps que Marie-Lou à s'endormir, les rejoignit. Tous deux le reconnurent aussitôt, car lui aussi avait conservé son visage terrestre, mais sous tous les autres aspects son corps astral était très différent de son corps mortel. Au lieu de celle du garçon voûté, aux épaules étroites qu'ils connaissaient, Simon avait maintenant l'apparence d'un homme d'une trentaine d'années magnifiquement découplé, avec des yeux noirs brillants et une belle tête plantée sur une paire de larges épaules. Il était habillé d'une chaude tenue de ski en cuir, genre de vêtement qu'il ne portait jamais sur Terre, et d'après la vigueur de ses mouvements nul n'aurait douté qu'il eût pu obtenir sa place dans l'équipe nationale, si tel avait été son souhait.

— Eh bien, où en sont les choses ? demanda-t-il d'une voix forte et pleine, tout en se dirigeant vers eux.

— Je viens justement d'en parler à Marie-Lou, dit le duc. Les ordres sont dans le coffre et personne ne les a encore vus, sauf le capitaine, et il ne les a transmis à personne d'autre, aussi, pour le moment, votre travail est-il très simple : tout ce que vous avez à faire, c'est de surveiller le coffre et le capitaine.

— Très bien, dit Simon, nous allons donc prendre la relève, et vous feriez bien de rentrer. Nous comptons vous revoir vers sept heures, ce soir.

— C'est ça, admit le duc, mais si vous voyez que quiconque prépare quelque chose de bizarre vous devez tous les deux m'appeler immédiatement de toute la force de vos volontés, et je vous rejoindrai aussi vite que je le pourrai.

A l'instant même où il finissait de parler son corps astral s'était évanoui et ils comprirent qu'il avait regagné son corps mortel à Cardinals Folly.

La journée était grise et lugubre. S'étirant sur plusieurs milles, les dix-huit navires fendaient lentement les flots verts et glacés de l'Atlantique Nord. Dans les hunes de vigie de chacun d'eux, des hommes de veille chaudement vêtus surveillaient attentivement les sous-marins ennemis, tandis qu'à l'avant et à l'arrière d'autres membres de l'équipage se tenaient près des canons antiaériens, scrutant les cieux à la jumelle, à la recherche d'avions nazis. Sinon, l'activité était réduite sur chacun des navires et les équipages vaquaient à leurs dangereuses mais monotones occupations courantes.

A dix heures et demie, le capitaine Carruthers se rendit à l'avant pour inspecter une partie des quartiers der l'équipage, après quoi il parla un peu avec son second ; mais Simon, qui se tenait à moins de quelques mètres d'eux, nota que le capitaine ne faisait aucune allusion à la route que le convoi avait reçu l'ordre de prendre.

A onze heures et demie, le soleil s'était montré, aussi l'officier de navigation put-il effectuer sans difficulté ses observations de midi. Quand il eut calculé la position du navire, il la communiqua à Carruthers, qui ordonna un léger changement de cap orientant le convoi quelques degrés plus au sud. A une heure le capitaine déjeuna en solitaire, et, aussitôt après, s'étendit tout habillé sur sa couchette pour dormir.

Peu après trois heures, à un demi-mille par tribord du chef de convoi, un navire fit soudain donner un de ses canons. Aussitôt, tous les navires entrèrent en effervescence, poussèrent l'allure au maximum et, modifiant leur cap, se mirent à zigzaguer.

Carruthers arriva en courant sur la passerelle avec une paire de jumelles et des pavillons montèrent et descendirent rapidement, transmettant les signaux d'un navire à l'autre. Mais il n'y eut pas d'autre tir ; très vite tout rentra dans l'ordre et Carruthers retourna à sa couchette. Un des hommes de vigie du navire qui avait tiré du canon avait cru voir le périscope d'un sous-marin ennemi mais, finalement, ce n'était qu'un morceau de bois flottant qui dansait à quelque distance sur les vagues.

Au fur et à mesure que l'après-midi s'écoulait, lentement, Simon et Marie-Lou commencèrent à s'ennuyer ferme mais ne relâchèrent pas leur vigilance. A cinq heures, un steward réveilla le capitaine et lui apporta le thé, après quoi Carruthers regagna la passerelle. Le crépuscule tombait sur les flots troubles et les autres navires étaient à peine visibles. Au cours de toute la longue journée, ils n'avaient aperçu aucun bateau et n'avaient vu qu'un avion britannique en patrouille mais, vers cinq heures et demie, ils entendirent le vrombissement de puissants moteurs et les marins se précipitèrent aussitôt vers les pièces antiaériennes.

Il se révéla néanmoins que les avions étaient une escadrille de nouveaux bombardiers venant du Canada à destination de l'Angleterre. Quand le chef d'escadrille aperçut le convoi sur la mer qui s'obscurcissait, il piqua en guise de salut et le gros avion descendit si bas qu'on eut un instant l'impression qu'il allait frôler le haut des mâts, tandis que les marins, qui étaient tous accourus sur le pont, lançaient des hourras aux aviateurs.

Juste avant six heures, le second entra dans la cabine de passerelle et fit son rapport à Carruthers à propos d'un marin à qui il était arrivé un accident le jour précédent. Apparemment le médecin avait craint qu'il ne mourût mais, maintenant, l'état de l'homme s'améliorait. Les deux officiers burent un gin rose ensemble et parlèrent un petit moment d'affaires courantes, puis ils écoutèrent les nouvelles de six heures à la radio.

Pendant ce temps, Simon s'agitait car, normalement, il n'avait besoin que de peu de sommeil, et neuf heures constituaient pour lui un tour de garde d'une longueur inhabituelle, même s'il avait cru pouvoir l'assurer sans difficulté après être resté debout toute la nuit précédente. Marie-Lou lui dit que, s'il voulait, il pouvait rentrer, car elle était parfaitement capable de continuer sa tâche pendant deux heures encore si nécessaire, et le duc devait faire acte de présence bien avant. Mais Simon était décidé à tenir jusqu'au bout et à réprimer son envie de regagner son corps jusqu'à ce que de Richleau le relève.

De Richleau arriva à sept heures tapantes, alors que l'horloge du navire sonnait encore, et ils lui dirent qu'ils n'avaient rien à signaler. La nuit était maintenant tombée et tous trois se tenaient debout dans la noire obscurité, sur la passerelle.. Le duc était sur le point de proposer aux autres de rentrer quand, soudain, il frissonna et regarda vivement autour de lui.

Les corps astraux ne sont pas affectés par les conditions atmosphériques de la Terre, aussi les vêtements qu'ils portaient tous trois étaient-ils une concession mentale à leur environnement, de tels vêtements n'étant en aucun cas nécessaires pour les protéger du vent ou des embruns ; mais les formes astrales ressentent effectivement le froid ou la chaleur propre à tout phénomène astral pouvant se produire autour d'eux — d'où la gêne éprouvée par le duc quand il avait dû prendre l'apparence d'un matelot de deuxième classe, la première nuit où il était sorti pour surveiller l'amiral et où celui-ci était parti à bord d'un navire astral sur une mer astrale.

— L'un de vous sent-il quelque chose d'inhabituel ? demanda vivement le duc.

En tant que corps astraux présents dans un décor terrestre aucun des deux autres n'avait, jusque-là, eu la moindre conscience de la température, mais au moment où de Richleau parla Marie-Lou dit :

— Oui. On dirait qu'il se met à faire un froid terrible.

Simon se retourna au même instant et jeta un coup d'œil derrière lui.

— Il y a comme un vent qui souffle, et ça ne peut pas être un vent terrestre ; ça doit être une fichtrement sale chose qui est en train de passer par-là en ce moment.

De Richleau approuva d'un mouvement de tête.

— Peut-être ne fait-elle que passer, pourtant je ne le pense pas. Pour l'instant, vous feriez bien de rester tous les deux avec moi.

Le froid était devenu mortellement glacial et il savait que cet abominable vent était l'indice certain de la présence d'un Mal désincarné. Avec, soudain, l'absolue conviction que sa théorie était exacte — les nazis utilisaient bien les sciences occultes — il se tourna vers la cabine.

— En avant ! s'écria-t-il. Vite ! C'est la chose que nous attendions.

CHAPITRE VIII

Un cauchemar vécu

Maintenant qu'on pouvait sentir si nettement la présence du Mal inconnu, de Richleau savait qu'à tout moment le corps astral qui travaillait pour les nazis était susceptible d'apparaître. S'ils restaient où ils étaient, le corps astral les verrait et, s'il se rendait compte qu'ils l'épiaient, ou bien il déguerpirait, ou bien il livrerait bataille, selon ses pouvoirs. Dans l'un et l'autre cas, ils seraient privés de l'occasion de voir comment il s'y prenait, aussi, pendant qu'ils passaient dans la cabine du capitaine, de Richleau, sachant que ses compagnons ne pouvaient s'élever à un niveau supérieur de conscience, leur dit rapidement de changer d'aspect. Ce disant, il se transforma en mouche et ils en firent aussitôt de même.

Jusque-là aucune forme astrale étrangère n'avait été visible et rien n'indiquait la présence du Mal, sauf ce froid sinistre, surnaturel, qu'ils ressentaient, à l'inverse, semblait-t-il, du capitaine dont la cabine était bien chauffée et qui ne portait ni son ciré doublé de molleton ni son suroît.

Carruthers était maintenant assis à un bureau mural, un grand livre ouvert devant lui. Pendant un petit moment il ne se passa rien. Puis Marie-Lou, son espièglerie l'emportant sur son inquiétude à propos de l'origine du froid, décida de s'assumer en chatouillant le taciturne marin, et elle atterrit sur le bout de son nez, ses six petits pattes bien écartées.

Contrairement à son attente, il n'eut pas de mouvement de recul, ni ne fit de vain geste pour l'attraper : il continua d'examiner ses comptes en fixant le fond de son verre. Elle exécuta une petite danse pour l'agacer, mais presque aussitôt la voix de de Richleau lui parvint :

— Ce n'est pas le moment de faire l'idiote, dit-il, avec une sévérité inhabituelle, et vous devriez avoir le bon sens de vous rendre compte qu'il ne peut ni vous voir ni vous sentir, puisque, quelle que soit l'apparence que vous prenez, vous êtes toujours sur le plan astral. J'ai ordonné ce changement de forme uniquement pour nous rendre moins voyants face à toute entité maléfique susceptible d'apparaître.

Avec un mot de contrition, Marie-Lou abandonna son jeu et alla se poser sur une des poutres peintes en blanc, au-dessus de la tête du capitaine. Au moment même où elle venait de s'y installer, le steward entra afin de mettre le couvert pour le dîner.

Celui-ci fut servi le moment venu, mais le capitaine ne semblait pas avoir grand appétit et se contentait de chipoter. Il demeura assis là, un certain temps après chaque plat, paraissant profondément plongé dans ses pensées, un « thriller » ouvert sur la table, à côté de lui, qu'il ne tentait pas de lire.

Une fois son dîner fini, Carruthers alla s'étendre sur sa couchette pendant qu'on desservait la table et qu'on mettait de l'ordre dans la cabine. Pendant près d'une heure, le froid avait continué avec la même intensité et Simon devait maintenant faire de violents efforts pour demeurer endormi, mais les sens astraux des guetteurs ne perçurent aucune autre sorte de manifestation que le froid.

Il était bien plus de huit heures quand le capitaine quitta sa couchette, se mit à chercher ses clés, et se dirigea vers le coffre.

De Richleau fit signe à ses compagnons-mouches de s'approcher afin que tous trois, en se tenant patte contre patte, puissent offrir une meilleure résistance à l'Entité maléfique, si elle apparaissait effectivement, maintenant que l'instant critique était venu.

Carruthers ouvrit le coffre, en sortit la valise, l'ouvrit et y prit l'ordre de route du convoi. L'ayant emporté vers sa couchette il s'assit, les instructions à la main, et commença à les lire.

Le froid était maintenant devenu positivement glacial et Simon était absolument tenaillé par le désir de se réveiller, mais une légère pression du duc le secoua et il vit que quelque chose bougeait juste au-dessus de la tête du captaine.

La minute suivante, la « Chose » leur apparaissait distinctement à tous trois. C'était une face négroïde lippue derrière laquelle commençait à se matérialiser un crâne allongé et de puissantes épaules.

Aussitôt, ils réalisèrent que c'était-là l'ennemi astral, et qu'il était en train, à cet instant, de graver dans sa mémoire l'itinéraire du convoi, pendant que le capitaine tenait la feuille ouverte à la main.

En moins d'une seconde, de Richleau s'était changé en une grande libellule bleue de cette espèce extrêmement venimeuse qu'on trouve dans les forêts de l'Amazone. Presque aussi rapidement, Marie-Lou se transforma en une grosse guêpe femelle noir et jaune. Tous deux se lancèrent sur le nègre, tandis que Simon, dont les opérations sur le plan astral étaient beaucoup plus lentes, luttait encore pour s'équiper convenablement en vue de participer à la bataille.

Bien qu'ils eussent fondu sur lui par-derrière, le négroïde astral avait dû sentir la présence d'un ennemi. Il changea soudain de forme, se transformant en un énorme scarabée volant, noir, qui s'éleva en bourdonnant vers le plafond de la cabine, de sorte que la libellule et la guêpe passèrent à toute vitesse au-dessous de lui. Se laissant choir comme un plomb il aurait sectionné de ses puissantes pinces le dard effilé de Marie-Lou, si Simon, sous la forme d'un frelon, ne s'était à cet instant précipité dans sa direction pour le bousculer.

L'espace d'un combat aérien général, les quatre corps astraux ailés tournèrent en rond, se poursuivant à une vitesse terrifiante, les trois brillants champions de la Lumière s'efforçant de percer la garde du scarabée et d'enfoncer leur dard dans son corps. Mais son dos était cuirassé, aussi ne pouvaient-ils l'atteindre par-dessus, et chaque fois qu'ils fonçaient sur lui il les repoussait grâce à de rapides estocades de ses formidables pinces pareilles à des couteaux.

Soudain le scarabée se transforma, augmentant de taille et prenant l'aspect d'un grand oiseau noir à bec de vautour. Un seul coup de ce bec aurait coupé net en deux n'importe lequel de ses trois ennemis, et ses mouvements étaient si rapides que Marie-Lou et Simon durent filer à la vitesse de l'éclair pour se réfugier dans les coins, parmi les poutres peintes en blanc, où le gros oiseau ne pouvait les attraper.

Pendant que tous deux s'efforçaient de formuler dans leur esprit une forme astrale mieux adaptée, le duc s'était déjà changé en un aigle d'or et un coup de ses puissantes serres arracha une demi-douzaine de plumes à la queue du vautour noir. L'oiseau poussa des cris perçants de rage et, la seconde après, il avait quitté la cabine, poursuivi par l'aigle volant à toute vitesse.

Simon et Marie-Lou savaient tous deux qu'ils quittaient la Terre pour poursuivre cette bataille astrale dans d'autres sphères et, se transformant en de puissantes créatures emplumées, ils filèrent sur la trace des deux oiseaux. Avant de quitter la cabine, Marie-Lou avait jeté un coup d'œil au capitaine Carruthers. Il n'avait rien vu ni entendu de cet étrange combat qui avait fait rage à moins de quelques mètres de sa tête, et il était toujours assis, tenant les instructions ouvertes à la main, manifestement en train de graver consciencieusement leur contenu dans sa mémoire.

L'Entité maléfique les conduisit dans un sombre pays du plan astral qui n'avait pas d'équivalent sur Terre. C'était un lieu formé de noires montagnes et de vastes ravins, dont les vallées, pourtant, possédaient une étrange végétation d'une luxuriance tropicale. Maintes plantes avaient la forme de cactus, d'autres ressemblant à d'énormes champignons vénéneux. Le sol était couvert, non d'herbe, mais de sumacs vénéneux et de plantes carnivores, et toute cette végétation touffue grouillait d'insectes et de reptiles venimeux.

Comme l'ennemi n'avait pas abandonné son déguisement et gardait toujours l'apparence d'un vautour noir fuyant avec des cris aigus à travers les sombres vallées que seule éclairait une pâle lueur surnaturelle quasi lunaire, de Richleau lui aussi avait conservé son aspect d'aigle.

Soudain le vautour se laissa tomber comme une pierre et disparut au milieu d'un feuillage d'apparence lépreuse. De Richleau plongea à sa suite et ils le perdirent de vue. Les deux autres comprirent alors que, sous peine de perdre leur proie, ils devaient revêtir des formes leur permettant de la suivre à travers l'enchevêtrement apparemment impénétrable de ces hideuses broussailles.

Marie-Lou redevint guêpe et Simon, au prix d'un gros effort de sa volonté vacillante, se retransforma en frelon. Ils volèrent avec rapidité entre les cactus pareils à des aiguilles et filèrent comme des flèches au milieu des champignons géants jusqu'à ce qu'ils eussent atteint une petite clairière rocailleuse où faisait rage une terrible bataille.

Un tourbillon de griffes, de dents acérées, de fourrure, de pattes et de queues empêchait au premier abord de distinguer lequel des deux animaux était le duc ou la maléfique créature astrale ; et le fait que les deux bêtes changèrent de forme une douzaine de fois en soixante secondes augmenta encore la difficulté.

Avec un grognement d'agonie, une des bêtes se détacha de l'autre et, décampant, rampa vivement le long du rocher sous la forme d'un cobra de l'Inde, à quoi les deux observateurs comprirent aussitôt qu'il devait s'agir de l'ennemi ; mais, en un instant, de Richleau s'était transformé en mangouste et s'en prenait au serpent avec la rapidité de l'éclair.

Le cobra se dressa, siffla et sa lourde tête à lunettes frappa, mais manqua son but. La mangouste planta ses dents dans le corps écailleux du serpent ; la queue de la victime commença à battre le sol, mais elle se dégagea, changea de forme et devint l'une des nombreuses pattes velues d'une énorme tarentule.

En un instant, la mangouste était devenue un tatou que son épaisse carapace protégeait de la morsure venimeuse de la tarentule. Soudain, la tarentule sembla disparaître, mais le tatou fouilla furieusement parmi les pierres du sol et il s'en fallut de peu qu'il ne soit piqué à la patte par un petit scorpion. D'un coup rapide le tatou écrasa à demi le scorpion sous une pierre, mais celui-ci se changea en un crabe dont la taille augmenta avec une extraordinaire rapidité, le large dos de sa solide carapace soulevant la pierre, tandis qu'il saisissait le long museau du tatou à l'aide d'une de ses puissantes paires de pinces.

Le tatou émit un grognement perçant, mais Simon se précipita, tel un boulet d'or, et enfonça son dard de frelon dans la partie molle du corps du grand crabe. Celui-ci n'émit aucun son, ses yeux bulbeux au bout de leur long pédoncule se dressèrent vivement et il relâcha son étreinte, tandis que le tatou se retransformait en aigle évitant que son museau ne soit sectionné en le changeant rapidement en un bec d'acier.

Un moment, l'aigle décrivit des cercles au-dessus du crabe, puis il fondit sur ses yeux, mais le crabe s'était mué en une grande panthère noire, qui bondit pour contrer l'attaque de l'aigle. Marie-Lou vit là sa chance et prit la forme d'un lion. Comme elle bondissait, tous trois retombèrent en un tourbillon de poils et de plumes, tandis que Simon, incapable de se transformer aussi facilement que les autres, décrivait frénétiquement des cercles au-dessus d'eux.

La panthère, vaincue par ses deux puissants adversaires, le Roi des Animaux et le Roi des Oiseaux, se sauva en rapetissant pour se transformer rapidement en une mortelle petite veuve noire. Le lion et l'aigle s'éloignèrent vivement d'elle. La seconde d'après, ce fut un lièvre qui bondit loin d'eux, avec une telle rapidité qu'ils furent contraints de transformer de nouveau leur corps astral en libellule et en guêpe pour rester à sa hauteur.

Quant à Simon, c'était trop exiger de lui que de lui demander de faire l'effort de cette nouvelle poursuite. Il avait maintenant complètement épuisé toute sa capacité de sommeil. Bien que luttant de toute sa volonté pour soutenir l'allure, il vit qu'il perdait du terrain et que les sinistres vallées qui l'entouraient s'estompaient. L'instant d'après il s'éveillait, frissonnant.

De Richleau, quant à lui, dépassa le lièvre, reprit la forme d'un aigle et fondit soudain sur lui, mais le lièvre fit un crochet, évita le coup de bec et poursuivit sa course. L'instant d'après, il avait disparu sous terre.

Marie-Lou savait maintenant ce qui les attendait et c'était une des épreuves qu'elle détestait et qu'elle redoutait plus que toute autre chose sur le plan astral. Il leur faudrait suivre un long tunnel étroit dans les profondeurs du sol, avec l'effroyable sentiment qu'à tout moment il pouvait s'ébouler sur eux et qu'ils seraient enterrés vivants. Elle savait parfaitement que cela ne pouvait lui arriver sous sa forme astrale, mais c'était une peur qui avait ses racines dans ses angoisses de mortelle et qu'elle n'avait pas encore surmontée, aussi n'en était-elle pas moins réelle. S'endurcissant à l'épreuve, elle suivit l'exemple du duc, se changea en furet et disparut derrière lui dans le trou.

Le tunnel était juste assez large pour qu'ils y progressent en se tortillant et il leur était inutile de réduire leur taille car, chaque fois, la chose maléfique qui les précédait faisait en sorte que les parois du tunnel se resserrent autour d'eux. Il était abominablement chaud et mal ventilé, et l'obscurité y était impénétrable, même à leurs yeux astraux, car ils étaient entourés par ce que — faute d'un meilleur terme — on peut appeler de la matière astrale, à travers laquelle leurs pouvoirs ne leur permettaient pas de voir, et, au fond de ce puant terrier, l'air était empoisonné par une infecte odeur de corps en décomposition.

La poursuite paraissait interminable et pourtant c'est à peine si une minute passa avant que les poursuivants aient tous deux l'impression qu'ils étaient coincés sous terre et ne pouvaient plus avancer. Ce n'est qu'en recourant à toute leur volonté qu'ils y parvenaient.

Soudain Marie-Lou perçut un avertissement étouffé du duc et, presque aussitôt, il fut refoulé vers elle tandis qu'un puissant courant d'eau se précipitait sur eux et les submergeait tous deux.

La respiration leur manqua et, un instant, ils connurent l'horreur d'un commencement de noyade dans un souterrain, jusqu'à ce qu'ils se changent en poissons et nagent à contre-courant. Tandis qu'ils filaient comme des flèches, Marie-Lou capta une pensée que de Richleau lui envoyait pour l'encourager : « Nous sommes en train de l'user, il doit se fatiguer, sinon il n'aurait jamais utilisé ce truc. » Un peu plus loin, cependant, la galerie s'élargit jusqu'à atteindre la taille d'une grande fissure qui déboucha sous l'eau dans une caverne qu'éclairait faiblement la lueur du jour.

A l'instant où ils surgissaient dans celle-ci ils furent saisis par les tentacules gluants d'une énorme pieuvre, mais tous deux eurent la même inspiration et, avant d'être broyés, ils s'étaient changés en aiguille électrique. Le calmar géant les relâcha aussi bruquement qu'il les avait saisis et disparut dans le nuage d'encre qu'il émit pour couvrir sa retraite, mais de Richleau le poursuivit sous la forme d'un espadon, tandis que Marie-Lou se transformait rapidement en requin.

Tout en filant en direction de l'entrée de la caverne, ils purent voir au-dessus d'eux, grâce au jour qui filtrait maintenant à travers les eaux glauques, des éventails de coraux rouges et des poissons brillamment colorés. Durant quelques instants d'anxiété ils avaient perdu la pieuvre, mais Marie-Lou la vit juste à temps se réduire en une minuscule crevette. Elle fila dans sa direction et la happa de ses énormes mâchoires. Pendant une seconde, la crevette se trouva effectivement dans sa gueule, mais avant qu'elle ait pu l'écraser entre ses sept rangées de dents elle s'était échappée et se remit à enfler jusqu'à des proportions gigantesques, prenant la forme d'une énorme baleine marteau.

Le gros animal n'avait qu'un minuscule gosier, aussi ne pouvait-il efficacement attaquer avec sa gueule aucun de ses adversaires, mais il chercha à les frapper en battant furieusement l'eau de sa queue.

Marie-Lou enfonça ses dents de requin dans une de ses nageoires, mais de Richleau lui envoya un nouveau message mental, la rappelant en ces termes : « Écartez-vous de lui et il ne pourra vous faire de mal. Maintenant qu'il est sur la défensive, nous l'avons battu, mais nous devons ne pas le perdre de vue jusqu'à ce que nous ayons découvert où il va. »

Tandis que la baleine plongeait, puis émergeait des vagues avant d'y replonger, telle un gargantuesque marsouin, transformant l'eau en écume, ils s'éloignèrent un peu ; alors, la noire entité astrale, réalisant apparemment qu'elle ne pouvait les vaincre, quitta brusquement l'eau pour reprendre sa forme humaine.

Comme le paysage marin s'estompait, ils le virent loin au-dessus d'eux : c'était un Nègre musclé vêtu de blanc, avec un chapelet de crânes humains noué à la ceinture et plusieurs colliers de dents de requin autour du cou. Ils n'avaient pas les moyens de savoir si c'était là l'apparence terrestre de leur adversaire ou seulement un autre déguisement adopté par son corps astral mais, immédiatement, ils se changèrent en humains équipés pour se battre sur le plan astral, et entreprirent la poursuite.

Avec une incroyable rapidité un nouveau décor apparut devant eux et ils comprirent que ce n'était pas là une création astrale : ils étaient revenus quelque part sur la Terre. Loin au-dessous d'eux, entouré d'une mer légèrement agitée, apparaissait un vaste promontoire.

Les villes étaient très dispersées et les villages peu nombreux et distants ; à l'intérieur, dans les parties les plus élevées, se dressaient des montagnes découpées au pied desquelles des grèves s'étendaient, longues et désolées. Tout cela, ils pouvaient le voir grâce à leur vue astrale, mais ils savaient qu'en fait ce pays était encore enveloppé dans les ténèbres de la nuit.

Continuant leur course, ils parvinrent au-dessus d'une grande baie dont la forme n'était pas sans rappeler une pince de homard grande ouverte. C'est alors, très haut au-dessus de la grève déserte, que leur ennemi fit soudain demi-tour et les chargea.

De Richleau, esquivant le choc, descendit momentanément au-dessous de lui, se sentant incapable, malgré sa volonté, de résister à la puissance de son ténébreux adversaire. Mais, Marie-Lou, lors de ses précédents voyages astraux, au cours de nombreux siècles, n'avait pas rencontré des entités maléfiques sans en apprendre passablement à leur sujet. Elle savait ainsi que, sauf en de très rares cas, elles manifestent les mêmes désirs que les humains. En conséquence, par la pensée, elle abandonna vivement son aspect de guerrière de Lumière pour son apparence terrestre et apparut alors dans l'éblouissante beauté de sa complète nudité.

Une lueur rouge flamboya dans les yeux du grand Nègre. Il relâcha à demi le duc et tendit une grande main pour la saisir, mais elle s'échappa, et cette seconde de répit suffit au duc pour se ressaisir.

Une seconde encore et Marie-Lou avait retrouvé son apparence de jeune guerrière, et, au même instant, elle et le duc s'élançèrent sur l'adversaire. Il recula dans un geste de peur désespéré au moment où ils s'emparaient de lui pour le ligoter et le précipiter en Enfer. Se sentant aux abois, il usa du seul remède qui lui restât et invoqua à haute voix, dans une langue ancienne, son satanique maître.

Au moment où son appel à l'aide déchira l'air, ce fut comme si un noir nuage se formait, s'élevant du sol, et de Richleau comprit que tous les adeptes du Sentier de Gauche qui se trouvaient dans ces lieux se hâtaient pour porter assistance à leur confrère en difficulté.

Contre de telles forces, lui et Marie-Lou étaient complètement impuissants. Il réalisa trop tard qu'après avoir acculé l'entité maléfique, ils s'étaient rendus coupables de la plus effroyable imprudence et, tandis que les armées de Satan se précipitaient sur eux, il eut le terrible sentiment qu'ils n'étaient peut-être plus, maintenant, en mesure de se sauver.

CHAPITRE IX

Perturbation à Cardinals Folly

Même sur Terre, le cheminement de la pensée peut être incroyablement rapide, de sorte que le cerveau humain est capable de couvrir un terrain considérable en l'espace de quelques secondes. Pourtant ce n'est rien comparé à la vitesse avec laquelle, sur le plan astral, une intelligence entièrement libérée de la matière peut mettre en œuvre ses fonctions mentales. En une fraction de seconde, de Richleau prit conscience de bien des choses.

L'acquisition du pouvoir occulte exige des études et une pratique régulière, comme tout autre art, et nul art ne peut être maîtrisé pleinement le temps d'une seule courte vie. Devenir un génie dans n'importe quel domaine exige qu'on lui consacre de nombreuses réincarnations, c'est pourquoi il n'est nullement inhabituel que de très jeunes enfants étonnent leurs parents en faisant montre d'une extraordinaire aptitude pour la musique, le dessin ou certaines langues. Au cours de leurs incarnations précédentes, ils sont tout simplement parvenus à une compétence hors du commun dans ces domaines particuliers où, quand ils renaissent, ils apparaissent ainsi comme des enfants prodiges. Puis, étant allés, au cours de cette incarnation, dans un domaine particulier, aussi loin qu'il est possible à un être humain, ils s'attaquent, lors de leur incarnation suivante, à quelque autre sujet pour un certain nombre de vies terrestres, jusqu'à ce qu'ils l'aient maîtrisé à fond ; de sorte que, au cours d'une période de plusieurs millénaires, chacun de nous se perfectionne dans tous les arts et acquiert toutes les connaissances dans son vrai moi, mais nous n'en sommes conscients que lorsque nous sommes morts ou endormis.

Comme l'occultisme est le seul art qui s'étende au-delà de la Terre, seule sa périphérie peut être étudiée tant qu'un esprit est encore engagé dans le processus des incarnations terrestres ; pourtant, même ici-bas, la connaissance acquise vie après vie s'accumule progressivement, de sorte que, pour un individu qui a été initié une fois, même si les mystères peuvent lui être cachés durant des incarnations entières, chaque fois que l'étincelle est ranimée, il lui est infiniment plus facile d'acquérir de nouveau la connaissance qu'il eue précédemment. Nul, tant qu'il est dans son corps physique, ne peut espérer prendre pleinement conscience de sa vraie vie astrale sans avoir passé plusieurs de ses incarnations antérieures à s'entraîner pour atteindre ce but ; or, la Terre est maintenant si vieille que rares sont ceux d'entre nous qui ne l'ont pas fait à une période ou à une autre, ce qui rend naturellement possible la ré-acquisition de cette connaissance, pourvu que nous y travaillions avec une réelle détermination.

Mais il ne faut pas oublier que tout le vaste ordre des choses est organisé à la manière d'une grande université. Si quelqu'un, qui a passé six trimestres à étudier l'histoire à Oxford, a décidé ensuite de faire des « maths » et passé deux années de plus plongé dans l'étude des hautes mathématiques, puis est obligé soudain, au bout de ce laps de temps, de rédiger une copie d'histoire, il ne sera pas surprenant qu'il se révèle indéniablement « rouillé » en histoire. La même chose se produit à l'université cosmique, où chaque vie sur Terre n'est rien de plus qu'un trimestre, la vie elle-même, dans son vrai sens astral, étant éternité.

Depuis de nombreuses incarnations, de Richleau avait consacré plusieurs vies terrestres successives à étudier sérieusement l'occultisme, atteignant finalement presque les limites de la connaissance occulte qui est permise aux humains. Au cours de vies terrestres plus récentes, il avait porté son attention vers diverses autres voies de progrès, même si, durant un certain nombre d'entre elles et, en particulier, au cours de sa vie actuelle, il avait conservé la connaissance des grandes vérités et le pouvoir de poursuivre son existence astrale sans interruption. En conséquence, bien qu'il pût encore réaliser quelques tours de magie mineurs, cela faisait bien des siècles qu'il n'avait exercé en tant que puissant magicien blanc et il avait provisoirement oublié la plus grande partie de ce qu'il avait initialement appris se rapportant aux arcanes les plus élevés.

Pour l'heure, il se rendait compte qu'il s'était littéralement jeté tête baissée là où les anges craignent de s'aventurer. Sa conviction que les nazis utilisaient l'occultisme était prouvée sans l'ombre d'un doute. Mais il les avait imaginés employant un occultiste n'ayant que des pouvoirs aussi limités que les siens, ou encore travaillant par l'entremise d'un médium en transe, alors qu'il était désormais clair qu'ils avaient à leur service quelque grand maître du Sentier de Gauche. Il se blâma d'autant plus amèrement de ne l'avoir pas prévu, comme il l'aurait dû, sachant qu'Hitler lui-même prenait soin de prévoir chacune de ses manœuvres à des moments où les astres étaient propices et que le symbole même du parti nazi montrait que celui-ci était fondamentablement allié aux puissances des Ténèbres. Dans une nation de quatre-vingts millions d'Allemands, où tous les adeptes de la magie noire devaient automatiquement être en sympathie avec les nazis, il n'était que naturel de trouver un certain nombre d'initiés de haut rang à leur service.

Tandis que l'armée satanique s'élevait du rivage sombre baigné par la mer, le duc comprit que, pour lever de telles forces, son adversaire devait être à tout le moins un *Magister Templi*, et il s'émerveillait maintenant d'avoir été capable, avec la seule aide de Marie-Lou et de Simon, de repousser, harceler et presque vaincre un aussi puissant ennemi. Il savait pourtant que seule leur immédiate résolution à livrer bataille, et la force avec laquelle ils avaient poursuivi leur attaque le leur avait permis.

Leur action astrale avait été, en fait, parfaitement analogue à celle des croiseurs légers *Ajax* et *Exeter*, inférieurs en armement et en blindage, s'attaquant à l'infiniment plus puissant *Graf Spee*. Mais si, au lieu de chercher refuge dans le port de Montevideo, le *Graf Spee* avait été à même de battre en retraite à Kiel et de resurgir avec une vingtaine de croiseurs légers et une cinquantaine de destroyers, l'*Ajax* et l'*Exeter* n'auraient pas eu la moindre chance face au déluge de feu qui aurait pu alors être dirigé sur eux ; c'était à présent le cas en ce qui les concernait, Marie-Lou et lui-même, leur infime chance de se sauver étant de fuir immédiatement.

— Regagnez votre corps ! lui lança-t-il de toute sa volonté, et, faisant demi-tour, ils prirent la fuite de toute la vitesse dont ils étaient capables.

Un grand hurlement de triomphe s'éleva parmi les émissaires de l'Enfer tandis qu'ils se lançaient à travers l'atmosphère dans une furieuse poursuite, et les secondes qui suivirent parurent aux fugitifs des années d'une bataille de cauchemar. Les forces du Mal mettaient en œuvre tous leurs pouvoirs, cherchant à les abattre à l'aide de projectiles astraux, s'efforçant de les attirer en arrière par l'usage d'une volonté maligne et dressant devant eux toutes les formes de barrières astrales susceptibles de les terrifier et de les arrêter.

Au lieu de voler sans effort comme ils y étaient accoutumés, ils avaient l'impression que leur corps astral était lesté de plomb. Une effroyable tempête se leva, dans laquelle ils se trouvèrent ballottés comme une aigrette de chardon par grand vent. Des éclairs fourchus striaient le ciel tandis que d'incessants coups de tonnerre faisaient vibrer l'air comme un bombardement intensif.

Les deux fugitifs savaient qu'il ne s'agissait que de manifestations ne pouvant leur faire de mal, pourvu qu'ils ne cèdent pas à la peur et conservent leur confiance et leur but. Pourtant, les grands éclairs déchiquetés dirigés vers eux auraient intimidé les plus intrépides, et, dans leur fuite, ils zigzaguaient instinctivement pour tenter de les éviter.

Soudain la scène tout entière changea et, au lieu des nuages noirs tourbillonnants percés par des éclairs terrifiants, ils se trouvèrent face à un grand mur de feu d'une hauteur et d'une profondeur infinies. Ce mur n'était pas seulement composé de flammes : il était pareil à l'intérieur d'une fournaise et à une immense masse de matière solide chauffée à blanc qui rougeoyait, bouillonnait et sifflait, émettant une aveuglante lumière et une chaleur si intense qu'elle semblait consumer leur corps astral.

Avec un gémissement d'effroi, Marie-Lou chancela et s'arrêta, mais de Richleau comprit que s'ils ne réussissaient pas à regagner leur corps ils mourraient dans leur sommeil. Cela faisait partie du prix qu'ils auraient à payer pour s'être attaqués à des puissances maléfiques plus fortes qu'eux-mêmes. Par leur acte inconsidéré, ils auraient mis fin avant l'heure à leur présente incarnation — en fait ç'aurait été une sorte de suicide — et cela entraînerait pour tous les deux un recul sur la route du grand voyage — un recul de peut-être plusieurs vies.

La saisissant par le bras, il l'attira avec lui droit dans la masse rougeoyante. Pendant une seconde la chaleur fut pratiquement insupportable, puis le mur de feu disparut, le rugissement des flammes fit place à un calme qu'on pouvait presque sentir. Avec un soupir de soulagement, tous deux rejetèrent les draps et se mirent sur leur séant pour trouver Richard, Rex et Simon agenouillés à côté d'eux dans le pentacle, la tête inclinée, en train de prier.

Au bruit de leur réveil, Richard ouvrit les yeux et attira Marie-Lou à lui.

— Dieu merci, murmura-t-il, Dieu merci, vous êtes de retour. Simon nous a raconté, et j'étais à demi-fou d'inquiétude pour vous depuis qu'il s'est réveillé.

Simon regarda le duc d'un air penaud.

— Je ne me pardonnerai jamais d'avoir dû vous abandonner dans la pagaille, mais... eh bien, je ne pouvais plus rester endormi.

De Richleau épongea son visage couvert de sueur, puis posa la main sur le bras de Simon.

— Mon cher, ne déraisonnez pas. Je pense que vous avez réalisé un merveilleux exploit en résistant si longtemps. Je parierais que vous ne vous rappelez pas la dernière fois où vous êtes parvenu à dormir onze heures et demies d'affilée, et vous m'avez sauvé de cette brute quand, sous la forme d'un crabe, il me tenait par le nez.

— Seigneur ! s'exclama Simon, je me souviens maintenant. J'ai eu la chance de me glisser sous sa garde et de le piquer au ventre.

— Ce n'était pas de la chance, Simon, c'était du pur courage. Vous avez toujours dit que vous étiez lâche mais, au moment décisif, vous êtes le plus brave de nous tous. D'un seul coup de sa pince libre cette sale bête aurait pu endommager si gravement votre corps astral que jamais vous n'auriez pu regagner votre corps.

— Que s'est-il passé ? demanda Rex. Quand Simon est revenu il nous a dit qu'il avait dû vous quitter brusquement, alors que vous étiez engagés dans un combat avec une sorte de moricaud, mais il n'a pu se rappeler les détails, et il n'y avait rien d'autre que nous puissions faire, sinon prier.

— Vous n'auriez rien pu faire de mieux, répondit le duc, et il est absolument certain que vos prières nous ont aidés à surmonter nos difficultés. Mais, la prochaine fois que vous prierez, restez debout — comme les Anciens — les mains tendues vers l'Infini. Le fait de s'agenouiller est une marque de fausse humilité qui ne date que du christianisme ; et, puisque chacun de nous porte Dieu en lui, il n'est pas convenable de le faire s'incliner devant quoi que ce soit sur Terre ou dans le Ciel.

Richard avait posé une petite liseuse sur les épaules de Marie-Lou mais, en dépit de celle-ci et de la chaleur de la pièce où brûlait toujours un feu vif, elle frissonna légèrement en disant :

— Bien que nous venions à peine de traverser cette brûlante fournaise, j'ai toujours terriblement froid.

— Nous allons y remédier, dit le duc en souriant. Ce dont nous avons besoin tous les deux, c'est d'un bon repas, et nous allons l'avoir.

— Grand Dieu ! lança Rex. J'ai tellement pris l'habitude de vivre de poisson bouilli et de nourriture pour lapin que c'est à peine si je me rappelle ce que c'est que manger comme un chrétien. Mais vous ne vous avouez sûrement pas battu ?

— Non, pas du tout, dit tranquillement de Richleau, mais je ne repartirai pas avant d'avoir réappris certaines des plus puissantes méthodes de protection. Pendant ce temps, cela vous fera du bien à tous de vivre pendant quelque temps comme des êtres humains normaux.

— Voulez-vous dire que nous pouvons goûter à quelque boisson civilisée ? demanda Richard.

De Richleau approuva d'un signe de tête.

— Oui, mais modérément.

— Chouette alors ! dit Rex en riant. Quel cocktail je vais vous préparer à tous ce soir !

— J'ai encore quelques excellentes bouteilles de vin du Rhin à Londres, murmura Simon, Steinberg Cabinets et Schloss Johannesburgs des plus rares vinées. Il faut que j'en rapporte quelques-unes.

Mais dites-moi ce qui vous est arrivé après que j'ai dû m'en aller.

— Quelle heure est-il ? demanda le duc.

— Minuit passé, répondit Richard.

De Richleau regarda Marie-Lou.

— Les domestiques doivent être au lit, alors ! Mais je suis sûr que cela ne vous gênera pas, princesse, si nous faisons une razzia dans votre garde-manger et nous préparons nous-mêmes un petit souper ?

— Bien sûr que non, Zyeuxgris chéri. Les domestiques en sont arrivés à la conclusion que nous sommes tous devenus fous dans les vingt-quatre heures qui ont suivi votre arrivée. Notre brusque conversion au régime végétarien, l'interdiction de toute boisson et la façon dont cette pièce est toujours gardée fermée à clé, pendant que certains d'entre nous y passent des heures sans en sortir, les ont vite convaincus que nous sommes tous bons pour le cabanon, aussi cela ne fera-t-il pas la moindre différence si nous organisons une orgie dans les communs.

— La cuisinière déteste qu'on entre dans sa cuisine, dit Richard d'un ton dubitatif.

Mais de Richleau se mit à rire.

— Je ne doute pas qu'un mot de ma part dans la matinée n'arrange l'affaire. La cuisinière et moi avons toujours été dans les meilleurs termes. Depuis le jour où je lui ai montré comment faire des œufs pochés qui ne deviennent pas durs au milieu d'un soufflé au fromage, elle me considère comme un confrère.

— Un mot de votre part veut dire un billet d'une livre, dit vivement Marie-Lou, et vous donnez déjà trop la pièce aux domestiques. Ce n'est pas du tout nécessaire, Zyeuxgris. Je suis la maîtresse de maison ici, et je ferai ce que je veux dans ma propre cuisine.

— Hourrah ! s'écria Rex. Ça c'est du caractère ! Allons, maintenant, pensons à toutes les bonnes choses que nous allons pouvoir manger coup sur coup.

Quand ils furent dans la cuisine, cependant, tous découvrirent que ce n'était pas des mets délicats contenus dans le placard à provisions de Marie-Lou qu'ils avaient envie. Leur récente privation de nourritures généreuses avait rendu leurs goûts plus simples et, puisqu'ils avaient le bonheur de posséder d'abondants produits de la ferme, ils convinrent à l'unanimité que, pour l'heure, le meilleur de tous les repas serait de se goinfrer de jambon et d'œufs, le tout suivi de crêpes.

Pendant que Rex et Simon mettaient la table dans la cuisine, Marie-Lou fit cuire le jambon et les œufs, de Richleau prépara la pâte pour les crêpes, qu'il se proposa de faire lui-même, et Richard disparut dans la cave d'où il revint quelques minutes après une paire de magnums de champagne.

— Krug 1926, marmonna Simon en connaisseur quand il vit les étiquettes poussiéreuses. Grand Dieu, cela fait un bout de temps que je n'en avais vu !

Richard eut un large sourire.

— J'ai pensé, à l'époque où il est sorti, que c'était un des vins du siècle, aussi en ai-je rentré un bon peu dans ma cave, et je compte que nous pourrons encore faire sauter le bouchon d'un magnum ou deux ensemble bien après qu'Hitler aura bu son dernier verre de jus d'orange.

— En parlant de ça, intervint Rex, nous sommes tous terriblement impatients d'entendre les dernières nouvelles du front astral.

— Marie-Lou vous racontera tout ça quand nous aurons mangé, dit le duc et, trois quarts d'heure plus tard, elle leur fit un pittoresque récit du combat acharné qu'elle et le duc avaient soutenu contre l'ennemi.

— Comment manœuvrerons-nous à présent ? demanda Rex quand elle eut terminé.

— Ma théorie selon laquelle les nazis utilisent l'occultisme s'étant révélée exacte, dit le duc, notre prochain problème est de trouver en chair et en os l'occultiste noir qui travaille pour eux. Ensuite nous devrons le tuer.

— Comment vous proposez-vous de vous y prendre ? demanda Richard.

— Nous savons que c'est un nègre — un sorcier noir — et il ne doit pas y avoir beaucoup de gens de cette sorte en Allemagne, dit Marie-Lou.

— Peut-être, intervint Rex. Et vous pouvez vous rendre en Allemagne avec votre corps astral mais, tant que vous êtes vous-même sur le plan astral, vous ne pouvez tuer un humain. Aussi quelle est votre idée ? Comptez-vous que nous tentions d'entrer en Allemagne en chair et en os ?

— Il se pourrait qu'il le faille, répondit le duc, et, avec l'aide de sir Pellinore, je ne doute pas que certains d'entre nous puissent y parvenir. Je pense surtout que Marie-Lou se trompe en présumant que celui que nous poursuivons est nécessairement un Nègre. Il est probable qu'il n'a pris cette apparence qu'au moment où nous l'avons vu. Il est beaucoup plus vraisemblable qu'en chair et en os ce soit un boche aux cheveux blonds et aux yeux bleus.

— Cela rend la situation nettement plus compliquée, dit Richard d'un air maussade, car en Allemagne des boches aux cheveux blonds et aux yeux bleus on en trouve treize à la douzaine. En outre, nous en savons si peu que ça pourrait être aussi bien un Rhénan brun ou une femme rousse — en fait il me semble que jusqu'ici nous n'avons aucune certitude sur laquelle nous fonder.

— Oh si, nous en savons une, rétorqua le duc. Il y a une chose que nous savons de manière très précise : il vient d'une île dont une partie de la côte ressemble un peu à une pince de homard aux extrémités émoussées. C'est indubitablement une partie de sa Terre que nous avons découverte et, si je la revoyais, ou même seulement son contour sur une carte, je la reconnaîtrais.

— Êtes-vous tout à fait sûr que c'était une île ? demanda Marie-Lou.

— Je ne le jurerais pas, car l'endroit était très étendu et on distinguait mal, dans le lointain, entre ciel et mer, mais c'est l'impression que j'ai eue.

— Pas moi, dit-elle en secouant la tête. Il m'a semblé que nous étions juste au-dessus du littoral d'une grande péninsule, mais je conviens qu'il serait très facile de reconnaître cette portion de côte en la revoyant.

— Vous avez probablement raison : c'était une péninsule. Ça ne pouvait pas être une des Iles Frisonnes, elles sont trop petites et trop plates, pourtant il est presque certain que c'était une partie du continent européen. Néanmoins, comme les Allemands contrôlent maintenant le Danemark et la Norvège, notre ennemi peut très bien opérer à partir d'une des îles de la Baltique ou de la côte norvégienne.

— C'est ça ! s'exclama Marie-Lou. Je me souviens qu'au-delà du rivage le pays était très montagneux, aussi était-ce probablement un grand cap s'avançant entre deux fjords norvégiens.

Une fois le repas terminé, ils revinrent dans la bibliothèque et, ayant sorti l'atlas du « Times » de Richard, ils se mirent à étudier très attentivement le littoral de l'Europe du Nord, mais ils ne purent trouver aucune étendue de côte correspondant à celle au-dessus de laquelle leur corps astral avait plané plus tôt au cours de la nuit.

— Cet atlas est ce qui existe de mieux dans le genre, fit remarquer le duc, mais pour trouver ce que nous voulons c'est en réalité de cartes à grande échelle que nous avons besoin, aussi demain irai-je à l'Amirauté. De toute façon, j'ai besoin de me rendre au British Museum pour étudier les vieux ouvrages clés sur la magie qu'ils possèdent sûrement, afin de raviver mes connaissances en matière de protection.

Il était maintenant plus de quatre heures du matin, aussi décidèrent-ils de monter se coucher, Richard et Rex pour dormir, les autres pour s'étendre, mais le duc avertit Marie-Lou et Simon que s'ils s'endormaient de nouveau, en dépit de leurs longues heures de sommeil durant la journée, ils devaient rester à proximité immédiate de leur corps, car maintenant que l'adversaire les avait vus et, pour les avoir suivis jusqu'à Cardinals Folly, savait où ils habitaient, il se cachait peut-être encore dans le voisinage, attendant l'occasion de les attaquer aussitôt qu'ils reviendraient sur le plan astral.

Quand ils se retrouvèrent le matin suivant Simon déclara qu'il n'avait fait que somnoler et n'avait pas eu d'ennuis, mais Marie-Lou descendit avec un air pâle et souffrant. Elle s'était endormie vers cinq heures, dit-elle, certainement pas de sa propre volonté, et s'était soudain retrouvée dans un labyrinthe pareil à celui de Hampton Court, sauf que les lieux tout entiers empestaient positivement le mal, et que, malgré tous ses efforts, elle ne pouvait retrouver la sortie. Il lui avait semblé que, durant des heures et des heures, elle avait fui, envahie par une terreur irrépressible, le long d'innombrables chemins bordés de hautes haies de buis, sans être capable de découvrir l'issue, et sans cesser d'être horriblement consciente qu'une chose extrêmement maléfique la suivait furtivement d'un couloir à l'autre du labyrinthe, bien qu'à vrai dire elle ne franchît jamais un tournant avant qu'elle-même n'ait franchi le suivant.

Elle était complètement épuisée et commençait à désespérer, quand Richard, en uniforme de gardien de square, était soudain apparu sur la colonne, au centre du labyrinthe, d'où il pouvait découvrir tous les chemins au-dessous de lui et ainsi la diriger vers la sortie, sur quoi elle s'était réveillée, encore baignée de sueur froide.

De Richleau la considéra avec gravité.

— Je suis navré, princesse. C'est ma faute et, si je n'avais pas été si secoué après ce qui s'est passé la nuit dernière, j'y aurais pensé plus tôt. A partir de maintenant aucun de nous ne doit dormir, ne serait-ce qu'une heure, ailleurs qu'à l'intérieur du pentacle et, quand vous êtes endormis, il ne faut pas que votre corps astral en sorte. Ce n'est qu'ainsi que vous serez à l'abri des mésaventures semblables, ou peut-être encore plus terribles.

— Il ne vous est rien arrivé ? demanda-t-elle.

Il secoua la tête.

— Non, je n'ai nullement été inquiété. Peut-être est ce parce que je suis le plus fort d'entre nous, et qu'ils cherchent naturellement à user et à détruire d'abord la plus faible de nous deux ; ou peut-être pensiez-vous encore à cette affaire quand vous vous êtes endormie, ce qui leur a permis de vous atteindre plus facilement, alors que j'avais pris la précaution de purger mon esprit de toute l'affaire avant de me laisser aller au sommeil. Je m'en veux terriblement d'avoir oublié de vous suggérer tout cela.

Elle haussa les épaules avec un peu de lassitude.

— Ça ne fait rien, Zyeuxgris chéri, pour autant que le pentacle nous fournisse une protection suffisante pour cette nuit.

— Il vous la fournira, si vous le construisez correctement. Je serai à Londres et je devrai veiller sur moi. Mais vous m'avez si fréquemment vu le construire, au cours de la dernière quinzaine, que vous devriez être capable de le faire vous-même sans la moindre erreur. Vous pensez pouvoir ?

— Oui. De toute façon les autres seront là pour m'aider et vérifier que je ne me trompe sur aucun détail. C'est plutôt surprenant, cependant, qu'il ne soit rien arrivé à Simon — vous ne trouvez pas ?

— Non. Il semble bien qu'il n'ait fait que somnoler et, de toute manière, notre adversaire ne l'a vu que sous l'apparence d'un bourdon, alors qu'il nous a vus, vous et moi, à visage découvert. Pourtant, maintenant que la bataille est engagée, je ne serais pas surpris que le corps astral de tous les habitants de cette maison soit attaqué systématiquement — même celui des domestiques.

— Oh, ciel ! Marie-Lou fit la grimace. Que pouvons-nous faire pour les protéger ?

De Richleau eut un sourire sans gaieté.

— Rien, j'en ai peur, à moins de les faire tous dormir dans des pentacles. Mais, très franchement, je recule devant la tâche de tenter d'expliquer la guerre qui se mène sur le plan astral, et ses possibles conséquences, à Malin et à vos servantes ; ça ne ferait que les confronter dans leur idée que nous avons perdu la tête et il est probable qu'ils donneraient leurs huit jours en bloc.

— Ils risquent de le faire de toute façon, dit Richard d'un air maussade, mais le point important est : peut-il leur arriver quelque chose ? Si oui, il n'est que juste que je les renvoie tout de suite.

— Ce n'est pas nécessaire, répondit de Richleau. Les forces adverses découvriront très vite qui, parmi les gens de cette maison, nous prête une assistance active, à Marie-Lou et à moi-même. En conséquence, elles concentreront leur méchanceté contre eux et laisseront les domestiques tranquilles après leur avoir occasionné quelques cauchemars désagréables.

— Les cauchemars ne font véritablement de mal à personne. Aussi sommes-nous en droit de ne rien leur dire, déclara Richard. Quant à nous, le temps que vous serez absent nous ne quitterons absolument pas le pentacle.

— Certainement, approuva de Richleau. C'est une affaire beaucoup plus terrible que je ne m'y attendais, mais je suis certain, sans même avoir à vous le demander, que vous avez tous assez de cran pour la mener à bien.

Un murmure d'approbation s'éleva et il poursuivit :

— Je serai probablement parti trois ou quatre jours. Pendant ce temps pour l'amour de Dieu, ne tentez rien de votre propre initiative et, autant que possible relayez-vous pour dormir deux par deux. Ainsi vous aurez chacun un compagnon pendant que vous êtes hors de votre corps et deux gardiens pour veiller à ce que les forces du Mal ne tentent pas de déranger ou de rompre les défenses du pentacle pendant que les deux autres dorment. Quand je reviendrai, j'espère être mieux armé pour affronter l'ennemi que je ne l'étais quand j'ai entrepris si témérairement cette incroyable campagne.

Après le déjeuner le duc les quitta pour se rendre en voiture à Londres, où il dîna ce soir-là avec sir Pellinore. Dans les termes les plus simples qu'il put trouver, en omettant tous les détails qui donnaient à l'affaire une apparence si absurdement irréelle, il raconta au vieux baronnet ce qui s'était passé et demanda que des dispositions soient prises à l'Amirauté pour qu'il puisse examiner les cartes à grande échelle de la côte de l'Europe du Nord.

Sir Pellinore traita la question avec le plus parfait sérieux. Il avait eu le temps de réfléchir aux thèses de de Richleau sur l'occultisme, et il avait eu de plus l'occasion d'avoir plusieurs longues conversations sur le sujet, et il en était arrivé à la conclusion que la théorie de de Richleau n'était en aucune façon aussi follement invraisemblable qu'il lui avait paru au premier abord. Plus il approfondissait le sujet, plus elle parassait logique ; en effet, bien qu'ayant posé questions sur questions à un vieil ami à lui qui croyait fermement à la réincarnation, il avait reçu une réponse satisfaisante à toutes, rien n'étant laissé dans le vague ; or, si sir Pellinore déclarait couramment qu'il n'était pas un intellectuel, il n'en possédait pas moins un sens extraordinairement aigu de la logique. C'est, en fait, à cette exceptionnelle facilité de penser par lui-même et à sa totale confiance en son propre jugement qu'il devait son immense réussite. De Richleau, donc, le trouva beaucoup plus convaincu, intéressé, et disposé à prendre en considération des faits nouveaux qu'il ne s'y était attendu, et la visite à l'Amirauté fut décidée sans aucune difficulté pour le matin suivant.

Le lendemain, le duc passa plus de trois heures avec un lieutenant de vaisseau, spécialiste des cartes, dans une des salles des cartes de l'Amirauté mais, malgré un examen attentif des côtes de Norvège depuis l'Arctique jusqu'au Cattégat, d'une bonne partie de la Baltique, de la totalité du Danemark et des côtes de l'Allemagne, de la Hollande, de la Belgique et même de la France, il ne put découvrir d'île ou de promontoire ayant une configuration comparable au paysage que Marie-Lou et lui avaient vu à l'heure du danger.

Ayant éliminé cette piste, il obtint d'un des conservateurs du British Museum, un ami à lui, l'autorisation d'étudier certains vieux manuscrits inestimables que l'on retira, spécialement à son intention, des caves où on les avait placés pour les protéger de la destruction par les raids aériens. Pendant près de trois journées entières, il se consacra à ces antiques grimoires, prenant quantité de notes. Il se rendit ensuite à Culpeper House, dans Burton Street, et fit l'emplette d'un étrange assortiment d'articles chez le fameux herboriste. Le quatrième jour il déjeuna avec sir Pellinore.

Quand il lui eut fait part de son insuccès à l'Amirauté, le baronet lui demanda ce qu'il entendait faire.

— Je dois sortir de nouveau, répondit le duc, et utiliser tous les moyens possibles pour découvrir l'identité de celui qui travaille pour les nazis sur le plan astral. Quel qu'il soit et où qu'il soit, nous devons le trouver et le tuer.

Sir Pellinore approuva de la tête.

La tâche à laquelle vous vous attelez n'est pas mince et j'imagine que vous allez courir des risques considérables. Je souhaiterais pouvoir vous remercier officiellement, au nom du gouvernement, mais, très honnêtement, les ministres me croiraient un peu marteau si je tentais de leur parler du travail extraordinaire que vous faites. Cependant, je suis sûr que ce sera une réelle satisfaction pour vous de savoir que, je l'ai appris ce matin, le convoi au départ duquel vous avez assisté n'a pas été attaqué jusqu'ici et se trouve maintenant hors de la zone dangereuse.

De Richleau sourit.

— Alors nous avons au moins fait quelque chose. Nous avons manifestement réussi à déranger l'agent astral avant qu'il ne puisse graver dans sa mémoire tous les détails de l'itinéraire. Mais je dois vous dire franchement que la bataille ne fait que commencer, et je suis passablement anxieux de savoir ce qui a pu se passer à Cardinals Folly en mon absence.

— Que craignez-vous ?

— Je n'en sais rien, mais on ne peut guère s'attendre à ce que l'ennemi laisse mes amis tranquilles, maintenant qu'il a localisé l'endroit à partir duquel nous travaillons. Ç'a été un grand malheur qu'ils aient pu nous suivre, Mrs Eaton et moi, sur le chemin du retour, cette nuit-là. Il y a encore autre chose. Puisqu'ils peuvent utiliser le plan astral pour communiquer, Berlin doit savoir, depuis quelques jours, que nous avons compris ce qu'ils fabriquent. En conséquence, la gestapo va presque certainement charger ses agents ici de nous attaquer sur le plan physique. Une chose aussi insignifiante qu'un meurtre n'a jamais arrêté les nazis.

— Bon Dieu ! Voulez-vous dire qu'ils vont lancer à vos trousses certains des leurs dans ce pays même ?

— Oui. Tout comme mon objectif est de tuer l'occultiste qui transmet les renseignements, leur objectif va être maintenant de nous tuer, moi-même et mes amis, afin de nous neutraliser.

Sir Pellinore émit un long sifflement et se versa rapidement un autre verre de vieux cognac avant de dire :

— Je pense que je ferais bien de vous placer sous la protection de la police.

De Richleau secoua la tête.

— Cela exigerait toutes sortes d'explications dangereuses, car moins nous sommes à être mêlés à cette affaire, mieux c'est. Il faudra un certain temps à Berlin pour communiquer avec ses agents, aussi n'avons-nous rien à craindre pendant quelques jours encore. Je préférerais donc me passer de la protection de la police, tant que cela ne sera pas absolument nécessaire. Pour le moment, mes inquiétudes à propos de mes amis se limitent à la nature de l'attaque astrale qui risque d'être lancée contre eux.

Quand le duc rentra à Cardinals Folly, cette nuit-là, il découvrit que son inquiétude n'avait pas été sans fondement. Ses quatre amis étaient assis au salon dans un silence lugubre mais, dès qu'il fut entré, tous se mirent à parler en même temps.

Depuis la nuit de son départ, la maison avait été rendue quasi inhabitable par, selon les mots de Richard, une compagnie entière de poltergeists. Ils faisaient s'entrechoquer les porcelaines, déchiraient les rideaux, jetaient de l'eau sur les lits, claquaient les portes jusqu'à ce que le bruit ait rendu presque tout le monde fou ; et ils accomplissaient d'innombrables autres actes de malveillance chaque nuit, aussi longtemps que durait l'obscurité. Le deuxième jour, les domestiques étaient tous partis, à l'exception du fidèle valet de chambre-maître d'hôtel de Richard, Malin, qui s'était refusé à céder à la peur et qui, avec son habituelle politesse souriante, venait de faire entrer le duc.

— Je craignais quelque chose de ce genre, avoua de Richleau, et il regarda Marie-Lou d'un air contrit. Je ne saurais dire combien je suis désolé d'avoir apporté tant de désordres dans votre maison, princesse.

Elle lui adressa un pitoyable sourire.

— Ne vous en faites pas, Zyeuxgris chéri. Au moins, cela nous donne le sentiment de payer de notre personne. C'est quelquefois un peu effrayant et le dérangement me rend absolument furieuse, mais ce n'est rien en comparaison des tirs antiaériens que doivent essuyer nos aviateurs quand ils bombardent l'Allemagne, ou de ce que nos marins doivent endurer.

— C'est vrai, dit le duc en hochant la tête. Je suppose qu'ils n'ont pas commencé leur offensive sur le plan physique ? Aucun d'entre vous n'a été attaqué pendant qu'il se promenait dans le parc, ou n'a vu dans les environs d'inconnu à la mine suspecte, hein ?

— Il y avait deux hommes ce matin... commença Richard, mais sa phrase resta en suspens car, à cet instant, il y eut un bruit de vitre brisée, tandis que quelque chose traversait la fenêtre et qu'un gros objet noir et rond roulait sous les rideaux. Un seul coup d'œil leur suffit : avec l'horrible sentiment de défaillir, tous se rendirent compte que c'était une bombe de forte puissance.

CHAPITRE X

La bombe

L'attaque avait été si inattendue et, cependant, en si parfait synchronisme avec la question de de Richleau à propos de suspects rôdant dans le parc, qu'aucun d'eux n'eut le moindre doute quant à la nature de l'objet noir. Manifestement, leur adversaire sur le plan astral était entré en communication avec des agents ennemis qui avaient eu le temps d'atteindre Cardinals Folly pour tenter de les détruire.

Etant donné que l'attaque avait eu lieu quelques minutes après l'arrivée du duc dans la maison, il semblait bien que leurs ennemis eussent attendu son retour afin de les exterminer tous les cinq au cours du même attentat.

La bombe était une grosse grenade à main. De Richleau comprit immédiatement qu'elle était assez puissante pour détruire la pièce et les tuer ou les estropier tous. D'une seconde à l'autre elle se désintègrerait avec un éclair aveuglant en une centaine d'éclats d'acier déchiqueté.

Si les rideaux n'avaient pas été tirés, il l'aurait ramassée et jetée par la fenêtre en priant le ciel de lui laisser le temps de la renvoyer avant qu'elle n'éclate. Mais les rideaux *étaient* tirés aussi risquait-elle de rebondir sur eux jusqu'au milieu du plancher. Il lui sembla que la seule chose qu'il pût faire était de se jeter de tout son long sur elle pour tenter de sauver ses amis en se sacrifiant délibérément.

Au moment où il se précipitait, Simon, qui était tout près de la bombe, éloigna celle-ci d'un coup de pied. Au prix d'un terrible effort le duc reprit son équilibre, fit un écart et, s'emparant d'un fauteuil, le lança contre une bibliothèque au-dessous de laquelle la bombe avait roulé.

Marie-Lou, qui était assise dans un fauteuil près du feu, se leva à demi en poussant un cri étouffé, mais Richard la fit se rasseoir en se jetant sur elle pour la protéger des éclats mortels.

Une seconde après, il y eut un grondement assourdissant. Toute la maison trembla. Un instant, le contour des objets dans la pièce parut frémir dans un jaillissement de lumière livide, puis tout fut plongé dans l'obscurité.

Le duc et Simon furent précipités à terre. Le fauteuil où était allongée Marie-Lou, Richard étendu sur elle, bras et jambes écartés, fut renversé et tous deux roulèrent sur le plancher.

Au bout d'un moment, l'obscurité s'éclaira : le feu, en effet, brûlait encore, bien que quelques bûches enflammées eussent été projetées hors de la grille dans l'âtre et que quelques braises fussent tombées sur les tapis persans dégageant une forte odeur de brûlé.

— Chérie ! Chérie, ça va ?

La voix de Richard s'élevait, emplie d'une folle anxiété, tandis qu'il cherchait à tâtons Marie-Lou.

— Oui, dit-elle, haletante. Mais toi, es-tu blessé ?

— Non, murmura-t-il en se remettant debout. Simon, Zyeuxgris, où êtes vous ?

— Ici, répondit Simon en se relevant de l'autre côté de la cheminée. Quelqu'un a-t-il de la lumière ?

Mais il n'y eut pas de réponse de la part du duc.

Un instant plus tard, ils entendirent Malin appeler depuis le seuil :

— Monsieur Richard, monsieur, madame ! Que s'est-il passé ? Êtes-vous blessés ?

— Non, Malin, non. Mais j'ai peur que Sa Grâce ne le soit, répondit Richard. Vite ! Allez chercher de la lumière, des bougies !

Tandis que Malin s'éloignait en toute hâte, Marie-Lou commença à remettre les bûches enflammées dans la grille afin qu'elles fournissent davantage de lumière, pendant que les deux hommes tâtonnaient dans la demi-obscurité, à la recherche du corps de de Richleau. D'après le peu qu'ils pouvaient voir il semblait que la bibliothèque tout entière avait été projetée sur la tête du duc et qu'elle devait l'avoir écrasé. Leurs doigts déblayèrent frénétiquement les débris de bois.

— Où est Rex ? s'écria soudain Richard. Nous avons besoin de sa force pour redresser ça ! Rex ! Où diable êtes-vous ?

Ce fut Marie-Lou qui répondit :

— Il n'est pas ici, il se tenait près de la porte et je l'ai vu la franchir d'un bond en direction du vestibule juste avant l'explosion de la bombe.

C'est alors que Malin revint, porteur de quelques bougies allumées, et, pour la première fois, ils furent à même de constater l'étendue des dégâts. La bombe avait réduit en miettes toute la partie inférieure de la bibliothèque, et la partie supérieure, ainsi que les livres qui en avaient dégringolé, gisaient au centre de la pièce, monceau épars, pardessus le fauteuil renversé. Il y avait un trou béant à la partie inférieure du mur contre lequel se trouvait la bibliothèque, plusieurs gros morceaux de plâtre étaient tombés du plafond, la cheminée était pleine de suie, tous les bibelots étaient brisés et pratiquement tous les meubles étaient soit abîmés soit éventrés.

Comme Malin levait les bougies allumées au-dessus de sa tête, ils virent que le duc gisait, coincé sous le fauteuil et à demi enfoui sous l'amas de livres. Maintenant qu'ils y voyaient convenablement, ils purent se mettre à l'œuvre et en quelques instants ils l'eurent dégagé.

Ils craignirent d'abord qu'il ne fût mort, mais bientôt ils remarquèrent qu'il respirait et, bien qu'il eût au visage une vilaine coupure due aux éclats de verre de la bibliothèque, ils ne lui trouvèrent qu'une seule autre blessure, au pied droit. Manifestement, dans un ultime effort désespéré pour protéger du mieux possible ses amis, il s'était jeté à genoux dans le fauteuil, face à la bibliothèque, pour tenter de les maintenir en place, celle-ci et le fauteuil, grâce à son propre poids. L'explosion avait renversé le tout, mais le rembourrage du fauteuil l'avait protégé des fragments de bombe, à l'exception de la partie de son pied qui devait pendre.

— Nous ferions mieux de l'emmener dans la bibliothèque, dit Richard, et de le mettre dans le pentacle, autrement un de ces salauds est capable de le zigouiller sur le plan astral pendant qu'il est inconscient.

Malin les aida à transporter le duc, mais c'était la première fois qu'il pénétrait dans la bibliothèque depuis qu'ils en avaient pris possession, et Richard le surprit à observer avec une désapprobation mal dissimulée tout l'attirail et le pentacle, aussi dit-il tranquillement :

— Je suppose que vous pensez que nous faisions du spiritisme, Malin, et que c'est notre faute si nous avons eu tous ces ennuis dans la maison au cours de ces derniers jours, mais je vous donne ma parole que nous n'avons pas fait ça pour nous amuser.

— Ce n'est pas à moi de critiquer, monsieur, répondit gravement le vieux serviteur, mais j'ai toujours été d'avis que le spiritisme n'avait jamais rien apporté de bon à personne.

— Je suis sincèrement d'accord avec vous, répondit Richard d'une voix émue tandis qu'ils déposaient le duc sur son lit. Pourtant l'explosion qui vient d'avoir lieu n'a rien à voir avec les esprits : elle a été causée par une grenade à main jetée à travers la fenêtre par un espion nazi.

— Miséricorde, monsieur ! On dirait que nous sommes juste en première ligne, alors, pour ainsi dire.

— C'est exactement ça, Malin, et, bien que ce ne soit guère le moment de vous donner des explications, tout cet attirail et les ennuis que nous avons eus font partie de la même affaire. Je suis très touché que vous soyez resté, mais maintenant que l'ennemi a commencé à tenter de nous assassiner, je pense que vous feriez mieux, pour votre propre sécurité, de suivre l'exemple du reste du personnel.

— Je n'y songerai pas, monsieur, aussi longtemps que vous aurez besoin de moi. Il me suffit de savoir que Sa Grâce et vous tous avez des démêlées avec les nazis. Mais je dois dire que le sommeil me manque, la nuit, les portes claquent continuellement. Avec votre permission, je pensais occuper provisoirement une chambre dans le cottage de Mr Mac Pherson et venir à la maison chaque jour.

Mac Pherson était le chef jardinier de Richard. Ce dernier trouva le projet excellent, aussi suggéra-t-il à Malin de faire sa valise et d'aller s'installer dès ce même soir au cottage.

Marie-Lou entra alors, en courant, avec une cuvette d'eau chaude, des serviettes et des bandes. Elle nettoya le sang des coupures sur le visage de de Richleau et, peu après, ayant repris connaissance, celui-ci poussa un soupir de soulagement quand il sut qu'à l'exception de quelques égratignures et contusions les autres étaient indemnes.

En lui enlevant sa chaussure et sa chaussette droites, ils découvrirent qu'un minuscule fragment de la bombe avait pénétré dans la chair sur le côté du pied. La blessure était douloureuse, mais il ne semblait pas qu'un tendon eût été sectionné ; aussi estimèrent-ils qu'ils s'en étaient tous tirés à bon compte.

En revanche, ils se demandaient ce qui pouvait bien être arrivé à Rex mais, alors que Marie-Lou n'avait encore bandé qu'à demi le pied blessé, le mystère de sa disparition fut éclairci.

Il y eut un bruit de pas dans l'entrée, la voix de Rex cria des ordres, puis un petit homme pénétra en chancelant dans la bibliothèque, presque plié en deux sous le poids d'un homme plus grand qu'il portait au travers de ses épaules. Derrière eux, Rex fit une entrée triomphale.

— Dieu soit loué, vous êtes tous sains et saufs, murmura-t-il après un rapide coup d'œil à la ronde. Puis, d'une rapide poussée de sa puissante main sur l'homme qui se tenait devant lui, il envoya l'individu et son fardeau s'étaler sur le plancher.

Brusquement, il se mit à rire.

« Je les ai eus, je les ai eus tous les deux, ces démons. Ils attendaient, par là, l'explosion de la grenade, avant de venir s'assurer qu'ils nous avaient descendus ! »

— Bien joué, Rex, bien joué ! s'écria Marie-Lou, et tous les yeux se tournèrent vers les prisonniers qui faisaient une figure d'enterrement.

Celui que Rex avait transformé en bête de somme était un petit Japonais sec et nerveux, l'autre, toujours sans connaissance, un Européen grand, mince, au visage basané. Les avoir fait tous deux prisonniers n'était pas un mince exploit, mais Rex n'était pas un homme ordinaire. Sa grande taille lui conférait une foulée immense que peu de gens pouvaient suivre, et malheur à quiconque provoquait son courroux, pour peu qu'il soit assez près pour mettre en oeuvre sa force gigantesque à l'encontre du coupable.

Il raconta d'un air parfaitement désinvolte qu'il avait capturé d'abord le Jap, puis, l'ayant saisi par le cou, l'avait utilisé comme projectile pour jeter l'autre à terre. L'Européen avait tenté de le poignarder, mais il lui avait porté un coup de poing-massue qui lui avait fait perdre connaissance. Le Jap avait mis ce temps à profit pour décamper, mais il l'avait rattrapé et il l'avait fait tourner en rond à coups de pied dans le derrière jusqu'à ce qu'il se soumette à ses ordres.

Tous le félicitèrent de son exploit et de Richleau, qui avait quelque peu récupéré, se mit sur son séant pour interroger les prisonniers. Mais ils comprirent vite que, dans l'état de faiblesse où il se trouvait encore, c'était trop d'efforts pour lui, aussi Marie-Lou insista-t-elle pour qu'il se recouche et laisse faire les autres.

Maintenant le prisonnier européen gémissait et bientôt il revint suffisamment à lui pour qu'ils puissent le remettre debout. Il fut alors décidé que les deux hommes seraient enfermés à clé dans une des nombreuses caves qui s'étendaient au-dessous de l'aile la plus ancienne de Cardinals Folly. Richard sortit le premier, tandis que Rex poussait sans ménagement ses prisonniers pour les faire avancer. Quant à Simon il s'en alla avec Marie-Lou pour l'aider à préparer le dîner.

Manger à l'intérieur du pentacle aurait détruit sa protection occulte, aussi, trois quarts d'heure plus tard, accompagnèrent-ils de Richleau jusqu'à la salle à manger où ils se réunirent pour le repas du soir. Malin étant parti pour le cottage du jardinier, ils assurèrent le service eux-mêmes. La nuit était maintenant complètement tombée et les poltergeists avaient repris leurs irritants agissements, après avoir annoncé leur arrivée par un claquement de porte, quelque part dans les communs, à peine s'étaient-ils mis à table. Mais ils feignirent d'ignorer le bruit pendant qu'ils discutaient de la situation.

Bien qu'une des plus belles pièces de sa maison eût été totalement détruite, Richard était de bonne humeur tant il était sûr qu'ils allaient pouvoir extorquer toutes sortes de renseignements utiles à leurs deux prisonniers. Mais le duc était loin d'un tel optimisme.

— Je doute qu'ils sachent quoi que ce soit du côté astral de l'affaire, dit-il. Notre véritable adversaire sera entré en communication avec le chef du réseau d'espionnage nazi en Grande-Bretagne et lui aura ordonné de nous éliminer. Ces deux tueurs ont été désignés pour accomplir le travail, mais je crois très improbable qu'ils aient la moindre idée du *pourquoi* on leur a demandé de nous assassiner.

— Pourtant, fit remarquer Simon, si nous les remettions à la police, les Services Secrets Militaires devraient pouvoir arracher le nom de celui de qui ils ont reçu leurs ordres. Bien que, dans ce pays, personne n'ose manier les espions sans mettre des gants, à moins d'accepter le risque d'être sacqué.

— C'est vrai, marmonna Richard d'un ton amer. On en a récemment fusillé un ou deux, mais il a fallu attendre que nous soyons en guerre depuis quinze mois et la nomination d'un nouveau ministre de l'Intérieur qui a eu le cran de le faire. Je parierais n'importe quoi que le gouvernement n'a pas encore donné l'autorisation à nos Services Secrets d'appliquer le troisième degré à ces salauds. Des tas de gens semblent ne pas encore s'être mis en tête qu'Hitler est en train de mener contre nous une guerre *totale* et que, si nous voulons gagner, nous devons mener une guerre totale contre lui.

— De mon point de vue, ce que les gens du contre-espionnage sont ou ne sont pas autorisés à faire n'a à nous faire ni chaud ni froid, dit Rex en guise de commentaire. Nous avons mis ces deux minables au frais, aussi pourquoi ne pas nous offrir une petite séance privée ? Je déteste littéralement faire souffrir, mais je ne perdrai pas du tout le sommeil d'avoir flanqué une autre raclée à ces voyous.

— Vous pouvez essayer, si ça vous dit, et voir ce que nous pouvons tirer d'eux, convint de Richleau. Quant à moi, je ne me sens indéniablement pas encore assez d'aplomb, aussi je m'en retourne tout droit au lit. Je ne tenterai rien cette nuit sur le plan astral mais, à la place, je vais m'appliquer à récupérer mes forces. Tout de même, je vous serais reconnaissant si l'un de vous veillait à côté de moi jusqu'à ce que les autres aillent se coucher.

— Hum, fit Simon en approuvant du chef. Depuis votre départ pour Londres et le début des perturbations ici, nous avons pris pour règle de circuler par deux après la tombée de la nuit et de dormir à tour de rôle, deux par deux, dans le pentacle, pendant que les deux autres veillent. N'ai jamais osé moi-même le chahut, aussi je suis prêt à laisser nos visiteurs aux tendres soins de Rex et de Richard.

— Je vais aussi rester avec vous, dit Maire-Lou. Ecoutez cette damnée porte ! C'est suffisant pour vous rendre folle.

Tendant l'oreille, ils entendirent une porte claquer, quelque part dans l'aile ouest. Elle continua de battre en cadence, à peu près toutes les trente secondes, comme si constamment quelqu'un l'ouvrait, la tirait à lui puis la refermait avec fracas.

— Faisons quelque chose, dit tout à coup le duc. Demain, quand je me sentirai plus fort, je célèbrerai une cérémonie d'exorcisme et essaierai de vous débarrasser de ces choses. Elles ne sont pas dangereuses en elles-mêmes et sont une forme tout à fait inférieure d'élémentals envoyés par notre ennemi pour nous tourmenter, aussi je ne pense pas qu'il y ait grande difficulté à les chasser.

Pendant qu'il clopinait jusqu'à la bibliothèque avec Marie-Lou et Simon, afin de préparer le grand pentacle pour la nuit, Richard et Rex allumèrent des bougies et descendirent ensemble dans les caves de la maison. Elles étaient vieilles de plusieurs siècles, avec d'épais murs de pierre et de lourdes portes, de sorte qu'elles présentaient peu de différence avec de vrais cachots médiévaux, et il se pouvait bien qu'elles eussent été utilisées à cet effet au cours des sombres periodes du passé où les lords Abbott exerçaient le pouvoir temporel aussi bien que spirituel sur les terres jouxtant Cardinals Folly.

L'une d'elles était maintenant utilisée comme cave à vin et deux autres comme débarras, mais une quatrième était vide, et c'est dans celle-ci que Richard avait enfermé les deux agents ennemis. Prenant une énorme clé accrochée à un clou près de la porte, il ouvrit et, tenant leurs bougies en l'air, ils entrèrent.

Le Japonais était assis en tailleur au milieu de la pièce, et l'autre individu gisait, appuyé à un angle. Ils clignèrent un peu des paupières, étant restés plus de deux heures dans une complète obscurité, et Rex dit :

— Allons, vous deux, vous feriez mieux de bien piger ça. Nous ne plaisantons pas. Vous avez essayé de nous éliminer, et à moins que vous répondiez aux questions que je vais vous poser, c'est nous qui allons *vous* éliminer. Compris ?

— Pas comprendre anglais, dit le Jap.

— Oh que si ! gronda Rex. Et qui plus est, tu vas le parler, à moins que vous vouliez tous les deux qu'on vous arrache les oreilles.

— Pas comprendre anglais, répéta le Jap, impassible.

Rex examina l'autre homme.

— Et toi, camarade ? Vas-tu parler un peu anglais ou est-ce que je te fais rentrer les dents dans la gorge ?

L'homme s'était mis lentement debout, mais il resta là, à secouer la tête sans rien dire.

— Ces types cherchent les ennuis, fit remarquer Rex à Richard, et dans une minute ils vont les trouver.

Richard posa la main sur son bras.

— Avant que vous commenciez avec eux, laissez-moi faire un essai. Je parierais qu'ils comprennent très bien. En temps de guerre ils n'auraient pas pu échapper aux griffes de la police plus de vingt-quatre heures s'ils n'avaient pas su assez parler anglais pour se faire comprendre pendant qu'ils circulaient dans le pays. Mais le Jap a l'air capable de supporter une bonne correction sans desserrer les dents. Peut-être aurons-nous donc plus de chance d'obtenir ce que nous voulons en exerçant une pression morale.

— A votre guise, dit Rex en haussant les épaules. Je ne tiens pas à me souiller les mais avec ce sale petit rat jaune.

Richard s'adressa alors aux deux prisonniers, en parlant très lentement et très distinctement, d'une voix dure et froide.

— Ecoutez tous les deux. Ceci est ma maison. Il n'y a pas de domestiques et personne ne descendra dans ces caves quoi qu'il arrive. Vous pouvez crier jusqu'à en perdre la voix, personne ne vous entendra, et si vous persistez à oublier que vous avez une langue, je me propose d'oublier que j'ai jamais posé mon regard sur aucun de vous deux. Cette cave, comme vous le voyez, est absolument vide ; il n'y a ni nourriture ni eau, pas même un lit pour s'étendre. Qui plus est, le sol de pierre est humide et froid. Si vous persistez à refuser de répondre à mes questions, mon ami et moi allons vous laisser ici et *nous ne reviendrons pas*. On ne vous apportera ni nourriture ni eau, aussi au bout d'un jour ou deux mourrez-vous de soif — et vous verrez que c'est une façon de mourir très désagréable. *Maintenant* allez-vous être raisonnables, ou préférez-vous mourir ici ?

Les deux prisonniers gardèrent un silence maussade, aussi, après avoir attendu quelques secondes Rex dit :

— Cette méthode n'est pas la bonne, Richard — du moins ne nous mènera-t-elle nulle part pour le moment. De toute façon, ils tiendraient probablement vingt-quatre heures avant de se décider à manger le morceau. Il nous faut essayer autre chose si nous voulons des résultats rapides.

Il faisait très froid dans la cave et tout était calme. Le seul bruit qui ponctuait le silence était, léger mais persistant, le claquement de la porte, en haut dans l'aile ouest. Ce fut le froid glacial qui donna une nouvelle inspiration à Richard.

— Je sais comment nous pouvons hâter les choses, dit-il d'un ton sinistre. Quoi que nous tirions d'eux, nous ne pourrons pas l'utiliser avant demain matin et, de toute façon, nous devons fouiller leurs vêtements pour voir s'ils n'ont rien d'intéressant sur eux. Déshabillons-les tous les deux et laissons-les ici au froid toute la nuit. Je parie qu'ils seront prêts à parler lorsque nous aurons pris notre petit déjeuner.

— Parfait, approuva Rex avec un signe de tête. C'est une bonne idée, ça, et si, après, ils meurent d'une pneumonie, peu importe. Des gens qui valent mieux qu'eux sont en train de mourir en ce moment à cause des raids aériens nazis. Faisons commes vous dites. Demain matin, pour une couverture et un bol de soupe chaude, ils seront prêts à trahir leur propre mère.

Posant soigneusement leurs bougies sur le sol, près de la porte, ils s'avancèrent vers le Japonais. Se sachant plus forts que les deux prisonniers, ni l'un ni l'autre n'avait cru nécessaire de prendre une arme. Les voyant désarmés, le Japonais se mit debout, apparemment prêt à se défendre, tandis que l'Européen glissait un peu sur le côté, comme s'il s'apprêtait à s'élancer vers la porte. Mais Rex, qui le surveillait du coin de l'oeil, le laissa parcourir quelques mètres, puis, à l'instant où il était sur le point de s'élancer, il pivota sur lui-même et le frappa derrière l'oreille. Avec un hoquet, l'homme buta contre le mur et glissa sur le sol.

Le Japonais profita de la diversion pour bondir sur Richard. Ils s'écroulèrent, et la violence du choc coupa presque la respiration à Richard qui se retrouva dessous et comprit tout de suite, à la façon dont l'autre lui saisit les bras et les lui tordit, provoquant un instant une atroce douleur, que le nerveux petit démon jaune était un spécialiste de judo.

Mais, même un maître du judo ne pouvait l'emporter contre la force herculéenne de Rex : ses grandes mains se refermèrennt sur le cou du Japonais et le fond de son pantalon. D'une violente secousse, il l'arracha de Richard et le lança contre le mur de pierre de la cave.

Tandis que Richard, haletant, tentait de se relever, Rex se précipita sur le Japonais et, se saisissant à nouveau de lui, le secoua comme un terrier un rat.

— Allons-y, Richard, s'écria-t-il. Je tiens ce petit salaud. Aidez-moi à lui enlever ses vêtements, voulez-vous ?

C'est en vain que le Japonais se tortilla et rua. A eux deux, ils lui arrachèrent jusqu'au dernier de ses vêtements et le jetèrent, pantelant dans un coin.

— Maintenant, à l'autre, dit Rex en projetant d'un coup de pied les vêtements du Japonais vers la porte.

Tous deux s'avancèrent vers l'Européen qui, paraissant à demi-inconscient, était étendu, gémissant, sur le sol. Rex le mit sur son séant et Richard lui enleva sa veste. Ce fut à cet instant que, par-dessus l'épaule de Rex, Richard aperçut quelque chose qui lui glaça le sang dans les veines.

CHAPITRE XI

L'horreur dans les caves

Ce que vit Richard n'était pas effrayant en soi. S'il était descendu dans cette cave un mois plus tôt et avait vu la même chose, il se serait juste demandé ce que diantre ça pouvait être, car ce n'était rien de plus qu'une minuscule tache de lumière rouge violacé, à peu près de la grosseur d'une luciole, qui se balançait près du plafond. Il aurait probablement pensé alors qu'il s'agissait d'une espèce de scarabée phosphorescent. Mais, dans les circonstances présentes, il sut immédiatement que ce devait être quelque chose d'infiniment plus dangereux.

Depuis l'instant où le duc avait commencé ses investigations sur le plan astral, Richard s'était attendu à ce qu'ils soient l'objet d'agressions de la part d'entités maléfiques et, durant les quelques jours précédents, ils avaient eu amplement la preuve qu'on était maintenant en train de porter la guerre dans leur propre camp. Cette petite lueur rouge pouvait n'être qu'une forme inférieure d'élémental, comme les poltergeists qui leur avaient causé tant de désagréments, bien qu'étant relativement inoffensifs. Mais cela pouvait aussi représenter quelque terrible manifestation issue du Cercle Extérieur, venue sur les lieux pour protéger les deux tueurs qui étaient des pions dans son jeu physique. S'il en était ainsi, dans les quelques secondes qui allaient suivre, lui et Rex, qu'aucune barrière astrale ne protégeait, avaient de fortes chances de perdre la raison.

Poussant un cri étranglé : « Rex ! Vite ! Sortez ! », Richard s'éloigna d'un bond de l'homme qu'il était en train de déshabiller.

Immédiatement, Rex se retourna et vit la Chose derrière lui. Au cours de ce pourtant bref laps de temps, la lueur rougeâtre avait grossi de la taille d'une cacahuète à celle d'une balle de golf. Le rayonnement qu'elle émettait était si brillant, qu'il éclairait tout le coin de la cave et projetait un éclat rouge sur le corps nu du Japonais étendu au-dessous d'elle. Du même coup d'œil, Rex vit que la flamme des deux bougies qu'ils avaient posées près de la porte vacillait violemment, bien qu'il n'y eût pas le moindre courant d'air dans cette cave humide. De concert, ils se précipitèrent vers la porte et l'ouvrirent violemment.

Au même moment, les bougies s'éteignirent, mais la cave ne fut pas pour autant plongée dans l'obscurité. La sinistre lueur rouge éclairait maintenant la pièce tout entière et le phénomène s'était enflé jusqu'à atteindre la taille d'une balle de cricket. Transpirant de terreur, ils se précipitèrent dans le couloir et se mirent à courir, mais tous deux avaient l'horrible sensation que quelque chose les tirait en arrière.

Lever un pied exigeait un effort colossal. C'était comme s'ils avaient essayé de courir sous l'eau, et le couloir obscur s'étendant devant eux semblait avoir cent mètres de long, au lieu des vingt mètres à peine qu'il mesurait réellement. Faisant appel à toute leur volonté, ils luttèrent jusqu'à ce que, alors qu'ils n'avaient parcouru que la moitié du couloir, Rex pousse un cri plaintif, titube et tombe.

Le temps parut s'arrêter en cet instant horrible où Richard se baissa, et saisissant Rex par le bras, s'efforça de le remettre debout. Tout en tirant sur le corps pesant, apparemment inerte, de son ami il essayait de toutes ses forces de se rappeler les termes de certaines adjurations contre les maléfices qu'il avait entendu de Richleau prononcer des années auparavant, mais son cerveau semblait pâteux et engourdi, de sorte que, en dépit de tous ses efforts, il ne pouvait se rappeler même le premier mot de l'exorcisme qu'il cherchait.

Instinctivement il murmura cette simple prière : « Mon Dieu, protégez-nous, ô mon Dieu, protégez-nous », et son appel reçut une réponse.

Il se souvint d'une recommandation de de Richleau selon laquelle une des meilleures protections contre le mal était la vibration bleue : il fallait s'imaginer entièrement entouré d'une aura ovale de lumière bleue et porteur sur le front d'un crucifix disposé à l'intérieur d'un fer à cheval debout, ces deux symboles brillant également d'une lumière bleue, là, à quelques centimètres au-dessus des yeux.

Au moment où il « pensa bleu », une force nouvelle parut lui venir. Il parvint à remettre Rex debout, tandis qu'il murmurait d'une voix rauque : « L'aura bleue, Rex,le fer à cheval et la croix, pensez à eux en bleu. »

— Oui, haleta Rex, oui.

Et, ensemble, ils repartirent en titubant le long du couloir. Pourtant, derrière eux, la Chose refusait de rendre sa proie. Bien que n'osant pas regarder par-dessus leur épaule, ils savaient qu'elle était sortie de la cave et les suivait, furtive et silencieuse, usant de toute sa force pour les attirer en arrière.

Pendant quelques instants, tous deux purent voir que la Lumière Bleue les entourait. Mais, graduellement,elle s'estompa et, avant qu'ils n'eussent atteint le pied de l'escalier, la sinistre Lumière Magenta l'avait supplantée. Les marches semblaient s'élever jusqu'à l'infini et leurs pieds étaient si pesants qu'il paraissait impossible que l'un ou l'autre pût jamais monter jusqu'à l'étage. Un fardeau terrible pesait maintenant sur leurs épaules, de sorte qu'ils ne pouvaient plus se tenir debout. Ils étaient presque courbés en deux, au point que, les quelques premières marches se trouvaient dans leur champ visuel.

— O mon Dieu, protégez-nous — ô mon Dieu, protégez-nous, murmura de nouveau Richard, et, au prix d'un nouvel effort, ils gravirent les trois premières marches pour s'effondrer côte à côte sur la quatrième.

Une vague de lumière rougeâtre parut les recouvrir, les rendant aveugles à tout le reste. Ils y furent immergés, le souffle coupé, haletants. Leur coeur battait péniblement, au ralenti, de sorte que, devant leurs yeux, le rouge s'assombrit jusqu'au noir teinté de pourpre. Tous deux sentaient que leur fin était imminente quand, soudain, la voix de Simon fit irruption dans leur conscience engourdie. Il les appelait du haut de l'escalier :

— Richard ! Rex !

Son cri fut suivi d'un sursaut d'effroi, à les voir gisant là, serrés l'un contre l'autre. Alors, d'une voix retentissante, il cria très haut : « *Fundamenta ejus in montibus santis* ! »

Aussitôt la Lumière Magenta s'évanouit, leurs membres furent libérés du poids terrible qui les maintenait au sol et, l'instant d'après, Simon, qui s'était précipité vers eux, les tirait tous les deux pêle-mêle en haut de l'escalier. Hors d'haleine, tremblants et encore glacés de la terreur du Mal qui avait été sur eux, ils traversèrent le vestibule en trébuchant et entrèrent dans la bibliothèque.

De Richleau était déjà endormi à l'intérieur du pentacle et Marie-Lou, en toilette de nuit, était assise à côté de lui. Au moment où ils firent irruption dans la pièce, elle eut un geste autoritaire leur intimant de ne pas faire de bruit, de crainte de réveiller le duc, puis leurs visages blêmes et effrayés l'inquiétèrent :

— Que s'est-il passé ? demanda-t-elle brusquement.

Ce fut Simon qui lui répondit, après avoir rapidement fermé la porte et fait sur elle le signe de la croix.

— Je venais juste de monter me préparer pour la nuit, haleta-t-il, quand soudain il m'est venu à l'esprit que cela faisait un bon moment que Richard et Rex étaient descendus dans cette cave, me suis demandé si quelque chose n'allait pas, aussi — euh — je suis descendu voir, les ai trouvés dans une fichue mélasse.

Richard était en train d'éponger la transpiration de son front, mais l'expression familière de Simon pour désigner n'importe quel sorte d'ennui fit naître un léger sourire sur ses lèvres et il prit lui-même la parole :

— Les prisonniers ne voulaient pas parler, aussi Rex et moi décidâmes-nous de les laisser sans vêtements pour la nuit, en bas, dans la cave froide et humide. Nous avions déshabillé le Jap et nous étions juste sur le point de commencer avec l'autre type, quand le Grand Magicien Noir à qui nous avons affaire a dû comprendre ce qui se passait. Ou bien il est venu en personne, ou bien il a envoyé quelque chose de fichtrement mauvais contre nous. Jamais de ma vie je n'ai été plus totalement effrayé.

— Moi non plus...

Un frisson parcourut le puissant corps de Rex.

« Dieu sait ce qu'il nous serait arrivé si ce bon vieux Simon n'était pas descendu dans cette immonde brume pourpre pour nous en tirer. »

— Oh, soyez béni, Simon,s'exclama Marie-Lou, puis elle soupira : « Je ne puis dire à quel point je deteste cette affaire. C'est la pensée que nous pouvons tous devenir fous si nous cessons d'être sur nos gardes qui est si terrifiante, je pense. Néanmoins on ne peut reculer, nous devons aller jusqu'au bout. »

— Sûr, convint Rex. Mais, ce qui vient d'arriver, c'était diantrement notre faute. Au milieu d'une affaire comme celle-ci, il fallait que nous soyons complètement cinglés pour seulement descendre dans les caves. J'estime que se serait dangereux même en plein jour, alors que dire de la nuit. A l'avenir, il nous faudra mieux veiller sur nous-mêmes.

Simon secoua sa tête d'oiseau et ses yeux noirs allèrent de l'un à l'autre.

— C'est ça. Ne devons pas prendre le moindre risque à partir de maintenant. Vous deux feriez bien de vous déshabiller ici. Je vais en vitesse chercher vos pyjamas, puis nous nous mettrons à l'abri dans le pentacle.

Mais ils ne voulurent pas le laisser quitter la pièce seul, aussi les trois hommes traversèrent-ils l'entrée et gravirent-ils l'escalier ensemble, se rendant d'abord dans la chambre de Rex, puis dans celle de Richard. Et ce n'est qu'au moment où il allait saisir le pyjama propre qu'on disposait chaque soir à son intention que Richard réalisa qu'il tenait toujours dans sa main droite la veste qu'il avait arrachée du dos de leur prisonnier européen.

Jetant celle-ci sur le lit, il en fit rapidement la fouille pour découvrir que, si les poches extérieures étaient vides, la poche intérieure contenait une petite liasse de papiers. Tenant ceux-ci d'une main et le pyjama de l'autre, il revint vers la porte et, entouré de ses amis, dévala l'escalier pour rejoindre la bibliothèque.

Simon et Marie-Lou avaient déjà refait le pentacle pour la nuit avant que de Richleau ne s'endorme, il ne restait donc rien d'autre à faire qu'apposer les scellés sur les portes et les fenêtres, ce dont Simon se chargea pendanr que les deux autres se déshabillaient. Avec un soupir d'aise, tous se glissèrent sans leurs lits de fortune, disposés en étoile à cinq branches, la tête vers le centre et les pieds vers la périphérie du pentacle.

Richard avait pris avec lui les papiers qu'il avait trouvés dans la veste du prisonnier et, à voix basse pour ne pas réveiller le duc endormi, ils commencèrent à les examiner et à en discuter.

Les papiers comprenaient un passeport délivré à un certain Alphonse Rodin, membre des Forces Françaises Libres et un certain nombre de lettres qui lui étaient adressées. Il y avait en plus une somme de quatre livres dix en billets de banque britanniques. Marie-Lou, dont le français était bien meilleur que celui de ses compagnons, parcourut soigneusement les lettres. Elles provenaient de trois femmes différentes et toutes présentaient un étrange mélange d'amour et d'affaires qu'elle ne parvint tout d'abord à comprendre. Mais, quand elle les eut traduites, Richard dit :

— Je pense pouvoir résoudre cette énigme particulière. Elles viennent de trois prostituées françaises exerçant leur métier à Londres, dans le West End. Cet individu est évidemment une de ces brutes qui protègent pareilles femmes, mais leur prennent la plus grande partie de leur argent après leur avoir fourni un appartement et des vêtements. Les pauvres créatures doivent essayer de se bercer de l'espoir qu'il y a un peu de romanesque dans leur vie, autrement elles deviendraient folles, aussi reportent-elles habituellement leur affection sur leur soi-disant protecteur, même si elles se vendent à son profit. D'où les passages amoureux qui apparaissent dans les lettres, mêlés aux comptes des versements journaliers à la banque.

— Hum, c'est à peu près ça, approuva Simon d'un mouvement de tête. L'une d'elles mentionne même une amende de trente shillings, bien qu'elle ne dise pas pourquoi, manifestement elle a été pincée pour racolage et coffrée par la police.

— L'immonde salaud ! marmonna Rex. Si j'avais été au courant de ses activités, je lui aurais si bien arrangé le visage que même la plus vieilles des filles de Marseille n'aurait jamais retravaillé pour lui. Mais il ne semble pas que ces lettres nous fassent avancer d'un pas.

— Non. Marie-Lou secoua sa tête bouclée. « Mais je me demande ce que ce proxénète fait dans les Forces Françaises Libres du Général de Gaulle ? »

— Une couverture, probablement, répondit Richard. Il doit opérer à Londres depuis des années, mais tout Français a fait son service militaire, et ce type a dû penser que les autorités le flanqueraient dehors après la débâcle de la France, à moins qu'il ne se débrouille pour entrer dans la Légion de de Gaulle.

— C'est vraisemblable, admit Rex. De Gaulle semble être un grand bonhomme et beaucoup de ses hommes sont des types épatants, mais ça doit être extrêmement difficile de savoir à qui se fier par les temps qui courent. Ce ne sont pas seulement les hommes politiques qui nous ont trahis l'été dernier. La pourriture nazie a gagné toute la nation et, d'après moi, en ce moment même, la majorité des Français des classes supérieures sont dans l'indécision.

Marie-Lou approuva vivement de la tête.

— Et, naturellement, ils se faufileront de nouveau à nos côtés, pour sauver la face, quand nous aurons pour ainsi dire gagné la guerre par nos propres moyens. Mais, pour l'heure, nous avons affaire à quelque chose de bien pire que les souteneurs allemands, les gangsters italiens et les escrocs français, et je pense que nous devrions essayer de dormir un peu. Qui va prendre la première garde ?

— Moi, proposèrent ensemble Rex et Simon.

— Laissez Simon la prendre, Rex, dit Marie-Lou. Il faut que vous et Richard dormiez bien et longuement après votre désagréable aventure de cette nuit. Si Simon veille jusqu'à une heure je prendrai la suite d'une heure à trois heures, ce qui vous donnera à tous les deux près de cinq heures avant votre tour. Puis vous pourrez veiller de trois à cinq, et Richard de cinq à sept.

Ainsi fut-il convenu et, à l'exception de Simon, ils se blottirent sous leurs couvertures.

Durant la plus grande partie de sa veille, Simon fit une forme très compliquée de réussite, avec un jeu de cartes neuf qu'il avait apporté dans le pentacle. Pourtant, au bout de quelques minutes il leva les yeux de son jeu et son regard parcourut la pièce tranquille. Au loin, le claquement monotone mais irritant de la porte continuait et, une fois, il perçut un petit bruit de porcelaine cassée venant de la cuisine, où un autre poltergeist était manifestement à l'œuvre. Mais, à part ces manifestations, sa veille fut sans histoire et, à une heure, il reveilla Marie-Lou.

Elle lui souhaita de beaux rêves, moucha soigneusement les cierges, examina les petits vases plein d'eau magnétisée, les fers à cheval et les bouquets d'herbes puis, ayant constaté que tout était en ordre elle s'installa pour lire un livre flambant neuf que Richard lui avait acheté l'après-midi.

Comme nombre des femmes qui ont de grands yeux d'une particulière beauté, elle n'avait pas très bonne vue, aussi portait-elle toujours des lunettes pour lire. Aussi est-ce avec contrariété qu'elle constata avoir oublié de les prendre quand elle était montée se préparer pour la nuit. Comme les caractères du livre étaient assez gros, elle put lire un moment sans elles, mais elle finit par resssentir de la fatigue et dut poser son livre.

N'ayant absolument rien pour s'occuper, elle trouva la veille lugubre et se décida presque à faire une réussite avec les cartes de Simon, mais elle abandonna l'idée car, pour les atteindre, il lui aurait fallu ramper par-dessus son corps, ce qui aurait pu le réveiller.

La porte avait enfin cessé de claquer et un silence total s'était abattu sur la vieille demeure, au point que même les petits bruits normaux de la nuit ne semblaient plus le troubler. Le grand feu brûlait toujours dans la vaste cheminée et la flamme des cierges était parfaitement stable. La pièce était chaude et confortable. Aucun souffle de ce Mal glacé et repoussant ne se manifestait et il semblait que tous les cinq, à l'intérieur de leurs solides défenses occultes, fussent absolument à l'abri. Elle savait que, même si leur corps était toujours endormi, ses amis étaient tous quatre toujours près d'elle car, au point où en étaient les choses, même leur corps astral ne s'aventurerait pas cette nuit hors du pentacle.

Pendant plus d'une heure elle demeura assise à ne rien faire, si ce n'est méditer calmement sur cet extraordinaire combat sans armes dans lequel ils étaient engagés contre Hitler, et se demander comment il se terminerait. L'effort de lire lui avait un peu fatigué les yeux, et pendant quelques instants, elle laissa ses paupières lourdes se fermer.

Quand elle les rouvrit, tout continuait d'aller bien, aussi les refermat-elle une fois encore et elle ne sut jamais combien de temps elle avait gardé les yeux clos. Assise là, les mains étreignant ses genoux, la tête inclinée sur la poitrine, elle était presque endormie, mais pas tout à fait. Elle était en fait en train de se demander combien de temps il restait avant qu'elle puisse réveiller Rex pour son tour de garde quand, soudain, elle prit conscience qu'au cours des derniers instants la température de la pièce s'était modifiée : d'une agréable chaleur elle était tombée à un froid inconfortable qui parut s'insinuer dans tous ses membres.

Aussitôt, elle fut complètement réveillée et regarda anxieusement autour d'elle. Avec inquiétude et effroi, elle vit que le feu était éteint et que la flamme de chacun des cinq cierges s'était réduite à une simple lueur, de sorte que la totalité de la pièce était pratiquement dans l'obscurité.

Se tournant brusquement, elle tendit les mains pour réveiller les autres, mais la terreur à l'état pur étouffa son cri d'alarme dans sa gorge. Tapie sur la poitrine de de Richleau il y avait une énorme et horrible chose noire. Ses yeux s'accoutumant rapidement à la faible clarté, elle vit que c'était un vampire géant, aussi gros qu'un grand chien ; à la lueur phosphorescente émise par les yeux de la bête, on voyait que ses dents étaient enfoncées dans la gorge du duc.

Sa paralysie temporaire disparut. Elle poussa un cri perçant. Richard, Rex et Simon se débarrassèrent de leurs draps et furent debout d'un bond, mais de Richleau se borna à gémir, paraissant lutter dans son sommeil.

Aucun d'eux n'avait d'arme, mais Rex saisit la répugnante créature de ses mains nues. Elle fut contrainte de retirer ses dents de la gorge du duc, mais elle glissa entre les doigts de Rex, déploya ses puissantes ailes et se précipita droit sur le visage de Marie-Lou.

Celle-ci poussa un cri perçant et fit un bond en arrière. Richard porta à la bête un coup qui l'atteignit en pleine poitrine et l'envoya au sol. Une seconde elle resta là, à se tordre, puis elle changea soudain de forme, se muant en un grand serpent à sept têtes.

Simon avait saisi le duc sous les aisselles et le tirait de son lit à travers la pièce.

— Hors du pentacle, tous ! hurla-t-il. Sortez du pentacle !

Lové sur sa queue, le grand serpent siffla et ses sept têtes frappèrent dans toutes les directions à la fois. Marie-Lou roula plusieurs fois sur elle-même pour s'en éloigner, Rex fit un bond de côté, mais Richard glissa et tomba. Le serpent se dressa au-dessus de lui et Richard resta un moment à terre, à se demander avec horreur laquelle des sept têtes allait le frapper la première.

— O mon Dieu, pria-t-il, délivrez-moi.

Et, à la même seconde, il s'aperçut qu'une de ses mains touchait un des petits vases d'argent contenant l'eau magnétisée. Il y plongea ses doigts et, d'un geste frénétique de la main, il projeta quelques gouttes d'eau en direction du serpent. Quelques-unes le touchèrent et grésillèrent comme si elles étaient tombées sur du métal chauffé à blanc. Le serpent s'enroula sur lui-même avec une incroyable rapidité, tandis que Richard s'en éloignait d'un bond.

Tous les cinq étaient maintenant hors du pentacle. Rex, Richard et Marie-Lou, fixant le monstre, tremblaient toujours de peur, mais Simon qui, jadis, avait bien failli devenir un adepte de la magie noire, comprit que, pour l'instant, ils étaient sains et saufs. Le pentacle était une barrière d'une immense puissance qui fonctionnait dans les deux sens. Il pouvait empêcher n'importe quelle créature maléfique d'y pénétrer, mais en même temps il pouvait s'opposer à la fuite de toute chose maléfique se trouvant à l'intérieur. Le non-humain se précipita avec violence d'un bord à l'autre, ses sept têtes frappant l'air au-dessus de la ligne constituée par les cierges et les vases emplis d'eau magnétisée, mais il était emprisonné et ne put les poursuivre.

De Richleau était parvenu à émerger du sommeil dès que Simon avait réussi à le sortir du pentacle. Un seul regard suffit à lui montrer le terrible danger auquel ils venaient d'échapper. Se levant en chancelant, il clopina jusqu'à sa valise qui se trouvait dans un coin de la pièce. Il en sortit une bouteille pleine d'eau magnétisée qu'il gardait en réserve et se mit à en asperger le pentacle en tapotant le haut de la bouteille de façon que l'eau tombe au centre du cercle, tout en prononçant à haute voix une adjuration latine.

Le temps de cinquante battements de cœur, le monstre continua à glisser d'un bord à l'autre du pentacle pour tenter d'éviter les gouttes brûlantes, puis il abandonna la lutte et, avec un sifflement de colère, disparut en un petit nuage de maléfique vapeur verte.

Ce ne fut qu'au bout de plusieurs minutes que tous purent respirer normalement. Alors, d'une voix étouffée, de Richleau demanda ce qui était arrivé et Marie-Lou dit :

— La bête était une énorme chauve-souris et, la première fois que je l'ai vue, ses crocs étaient enfoncés dans votre gorge.

— Oui, approuva Simon. Regardez, voici les marques : deux petits points ronds près de votre veine jugulaire.

De Richleau les toucha.

— Oui, je les sens. Dans une minute je vais devoir accomplir un rite de purification pour assainir l'endroit. Heureusement, en tout cas, il n'a pu enfoncer ses crocs dans mon cou que quelques secondes, autrement je serais plus faible que je ne le suis. Mais, ce qui me tracasse le plus, c'est qu'une force satanique soit parvenue à pénétrer dans le pentacle. Vous avez dû commettre quelque omission quand vous avez dressé nos défenses astrales la nuit dernière.

Marie-Lou secoua la tête.

— Ce n'est pas ça. Simon et moi avons fait le pentacle ensemble pendant que vous vous prépariez à vous endormir, et nous avons vérifié l'un l'autre chacun de nos gestes.

— Alors l'un d'entre vous doit avoir apporté quelque chose d'impur à l'intérieur du pentacle, dit le duc.

— C'est ça ! s'exclama Richard. Et c'est entièrement ma faute. Il y avait quelques lettres et un passeport, des papiers que j'ai sortis de la poche d'un de nos prisonniers. Rex et moi avons eu une sacrée peur la nuit dernière, en bas dans les caves. Si j'avais été dans mon état normal, jamais je n'aurais fait une chose pareille mais, les choses étant ainsi, j'ai pris ces trucs avec moi quand nous sommes allés au lit et nous les avons examinées avant de nous endormir. Je ne saurais dire à quel point je suis navré.

— N'importe quoi de tel serait tout à faire suffisant pour permettre à une Entité du Mal de se matérialiser. Eh bien, voilà qui explique l'affaire.

— Cela a été tout autant ma faute, dit vivement Marie-Lou. J'avais oublié de descendre mes lunettes, aussi n'ai-je pas pu lire longtemps, et j'ai été bien près de m'endormir, du moins ai-je un moment fermé les yeux, et cela a donné à la Chose le temps de se matérialiser avant que je ne puisse vous avertir. Je suis absolument effrayée de tout ça.

— Inutile que vous et Richard vous fassiez injustement des reproches, dit le duc en souriant, car c'est à moi d'abord qu'incombe la faute. J'avais dit que je ne sortirais pas cette nuit. J'aurais dû m'en tenir là et rester dans le pentacle près de mon corps ; ainsi j'aurais vu tout de suite ce qui se passait et pu revenir avant que la bête n'ait acquis une matérialité suffisante pour m'attaquer. Car les choses sont ainsi : peu après m'être endormi, j'ai décidé que, après tout, il ne pouvait y avoir grand péril à aller voir si je pouvais recueillir quelques renseignements que je suis très impatient d'obtenir.

— C'était joliment téméraire, dit Simon.

— Je le sais et, si Marie-Lou ne s'était pas réveillée à temps, il est certain que j'aurais pu le payer de ma vie. Mais j'ai découvert ce pour quoi je suis allé consulter les archives, et j'ai quelque chose d'extraordinairement intéressant à vous dire à tous. Je connais maintenant la base terrestre à partir de laquelle opère notre ennemi.

Il fut un instant interrompu par un murmure général exprimant un vif intérêt, puis il poursuivit :

« J'avais raison à propos de la côte en forme de pince de homard que Marie-Lou et moi-même avions vue. C'est bien un morceau d'île, et je crois que les nazis se sont assuré le concours d'un grand prêtre du vaudou qui travaille pour eux sur le plan astral. L'île est la République nègre d'Haïti, aux Antilles, et, si nous voulons stopper cette menace pour la navigation britannique, nous devrons aller là-bas.

CHAPITRE XII

Le crime ne paie pas

— Quelle récréation ! s'exclama Rex. Là-bas, aux Antilles, nous pourrons oublier un peu cette sale guerre. Soleil, baignade, danse, chasse au gros gibier, pêche, un tas de bonnes choses à manger et à boire. Songez à tout le bon temps que nous nous donnions, au temps de la paix, quand nous faisions nos valises pour le Midi ensoleillé.

Richard soupira.

— Ces merveilleuses vacances d'hiver au soleil sont ce qui nous a manqué le plus, à Marie-Lou et à moi. Nous avons bien souvent évoqué quel paradis ce serait de repartir en croisière avec vous tous sur le yacht. Pourtant, d'une certaine façon, il ne semble pas convenable de quitter l'Angleterre pendant la guerre, et je parierais que, si nous nous mettions réellement à essayer de nous amuser, nous n'en serions tout bonnement pas capables, parce que nous ne cesserions de penser à ce qui se passe ici.

Marie-Lou glissa sa main sous son bras.

— Mon idiot chéri, il n'est pas question de s'amuser et tu sais très bien que pas un de nous ne songerait à partir pour son seul plaisir, mais là, c'est différent.

— Bien sûr, ajouta le duc. Loin de fuir le danger, nous irons au-devant de lui. Et c'est un combat pour l'Angleterre que nous devrons livrer.

— Je suppose que vous avez raison, convint Richard, encore qu'avec une certaine réticence. De toute manière, vous avez toujours été notre chef et c'est vous qui menez la barque.

— Merci, Richard, dit de Richleau avec un sourire. Nous ferons nos préparatifs demain matin. Entre-temps nous avons pas mal à faire après la chaude alerte de cette nuit ; et d'ailleurs certains d'entre nous au moins devraient dormir un peu.

Au cours de l'heure qui suivit, ils s'employèrent à faire disparaître toute trace de la manifestation maléfique qui les avait attaqués. Le sol tout entier dut être nettoyé à fond pendant que le duc accomplissait certains exorcismes, puis le pentacle fut refait. Les papiers du prisonnier français furent emportés dans le vestibule, le duc s'occupa des marques sur sa gorge, la porte fut de nouveau scellée, et ils s'installèrent une nouvelle fois, avec Richard et Rex pour veiller pendant que les trois autres dormiraient.

Quand ils s'éveillèrent, Richard, Rex et Simon portant toujours leurs guirlandes de fleurs d'ail et leurs crucifix en guise de protection, ils descendirent dans les caves pour voir si les deux prisonniers s'y trouvaient toujours mais, au cours de la panique de la nuit précédente, la porte était restée ouverte et, comme ils s'y étaient attendus, le Français et le Japonais s'étaient évadés sans laisser de traces.

Pendant ce temps, Marie-Lou aida le duc à monter dans sa chambre et entreprit de soigner son pied blessé. Comme elle pansait la coupure il lui fit remarquer :

— Ne mettez pas un bandage trop épais car je dois pouvoir me chausser. Je monte à Londres voir sir Pellinore.

— Non, Zyeuxgris, vous n'irez pas, le contredit-elle promptement. Vous vous êtes comporté magnifiquement la nuit dernière, mais cette explosion vous a secoué beaucoup plus que vous ne voulez nous le faire croire, et vous ne pouvez décemment compter que ce bobo à votre pied se cicatrisera si vous ne gardez pas votre jambe allongée. Vous ne bougerez pas de cette maison et vous allez passer la journée à vous reposer.

De Richleau était un des hommes les plus déterminés du monde, mais il était déjà entré en conflit avec Marie-Lou auparavant et savait qu'elle pouvait être extraordinairement têtue. Il leva les yeux vers elle d'un air gêné tandis qu'elle poursuivait :

« Richard peut très bien se rendre à Londres à votre place. Tout ce qui vous incombe, c'est de lui dire ce qu'il doit y faire. Il verra sir Pellinore et prendra les dispositions pour notre voyage. Vous savez aussi bien que moi qu'il est extraordinairement compétent pour ce genre de chose. »

— Bien sûr, convint le duc, mais il est essentiel que je voie Pellinore moi-même.

— Alors c'est l'histoire de Mahomet et de la montagne, rétorqua-t-elle. Puisque je ne vous permets pas de monter le voir, il doit descendre vous voir ici.

— Impossible, il est beaucoup trop occupé, dit le duc un peu sèchement.

Sur quoi, à sa grande surprise, Marie-Lou lui répondit.

— Eh bien, s'il est vraiment trop occupé pour descendre, je suppose que je dois vous laisser partir, mais j'insiste pour que vous preniez le petit déjeuner au lit.

— C'est entendu, alors, dit de Richleau en souriant.

Pourtant, la reddition soudaine de Marie-Lou lui laissait un vague doute et, comme la suite le prouva, non sans raison. Environ une heure plus tard, juste comme il finissait son petit déjeuner, elle revint dans sa chambre et dit avec un sourire espiègle :

— Inutile de vous donner la peine de vous lever, après tout. J'ai eu la chance de pouvoir personnellement obtenir la communication avec Londres sans trop d'attente et j'ai parlé à sir Pellinore. Il dit qu'en ce moment aucune affaire n'est plus importante que celle qui nous occupe et, puisque vous êtes alité, il va descendre en voiture déjeuner avec nous.

Le duc se mit à rire et, prenant la petite main de Marie-Lou, il y déposa un baiser.

— J'aurais dû savoir que vous l'emporteriez et, franchement, je n'en suis pas fâché. Cette bombe m'a salement secoué et c'est plutôt un soulagement de pouvoir prendre les choses en douceur.

Peu après une heure, sir Pellirone les avait rejoints. Quand on lui montra le petit salon dévasté de Marie-Lou, il manifesta une réelle inquiétude et insista pour que, maintenant que cette étrange guerre à l'intérieur de la guerre avait eu des prolongements sur le plan physique, ils soient placés sous la surveillance de la police qui les protégerait de nouveaux attentats contre leur vie.

De Richleau protesta en riant : il était tout à fait inutile d'avoir des policiers dans la maison car, au lieu d'assurer leur protection après la tombée de la nuit, c'est eux qui auraient besoin de la leur, et cela ne ferait qu'ajouter à leurs propres charges ; mais sir Pellinore s'obstina, disant qu'en tout cas la police pouvait patrouiller dans le parc pour empêcher des inconnus de s'approcher de la maison, et il passa sur-le-champ un coup de téléphone prioritaire aux Services Spéciaux de Scotland Yard pour qu'ils prennent des dispositions, donnant en même temps le signalement des deux agents ennemis qui avaient jeté la bombe et s'étaient ensuite échappés.

A la demande particulière du duc, il ajouta que le policier responsable ne devrait pas se présenter à la maison, ni effectuer la moindre enquête, mais limiter ses activités à veiller à ce que nul inconnu ne soit autorisé à s'approcher à moins de deux cents mètres de la maison ou de ses dépendances.

Au cours du déjeuner le duc annonça sa découverte : l'ennemi opérait à partir d'Haïti et il leur serait nécessaire de se rendre là-bas.

— Quoi ? demanda brutalement sir Pellinore. D'après ce que j'ai compris de cette extraordinaire histoire, vous autres semblez capables de voyager n'importe où, avec la plus grande facilité, dans votre sommeil, aussi à quoi cela vous avancera-t-il d'effectuer en chair et en os la traversée pour les Antilles ?

— Il n'y a qu'une seule manière pour nous de pouvoir stopper ces menées, dit vivement le duc. L'initié du Sentier de Gauche dont le corps astral monte à bord de chaque navire chef de convoi doit, après s'être emparé des détails de l'itinéraire, entrer ensuite en communication avec un occultiste nazi en Allemagne. Puis le nazi s'éveille et transmet ces détails à l'amirauté allemande, qui envoie des instructions en code à ceux de ses sous-marins qui patrouillent dans l'Atlantique, ou expédie des bombardiers en piqué depuis la côte française, pour attaquer le convoi. Mais, chaque matin, l'initié, quel que soit son pouvoir, doit se réveiller dans son corps en *Haïti*, et c'est cet individu que nous devons découvrir.

— Il y a une chose que je ne comprends pas, dit Simon en remuant nerveusement la tête. Si un initié d'Haïti peut se procurer ces renseignements, pourquoi l'occultiste nazi à qui il les transmet ne peut-il se les procurer lui-même ?

De Richleau haussa les épaules.

— C'est plus que je ne peux dire pour le moment, mais je crois que c'est une question de pouvoir relatif. Vous devez vous rappeler que, quand je suis parti pour ma mission, j'avais des faits précis sur lesquels travailler. Je connaissais l'heure et le lieu de départ du convoi et la route qu'il devait prendre. Par conséquent, chaque fois que je suis sorti, je savais, à l'intérieur d'une zone relativement circonscrite, où le chercher. Notre ennemi, de son côté, ne possède pas un tel renseignement. Or, chercher un groupe de navires dans les vastes étendues de l'Atlantique, sans la moindre indication, serait comme chercher une aiguille dans une meule de foin. De plus — et écoutez bien ce que je vous dis — le convoi doit être localisé au plus tard vingt-quatre heures après le départ de son escorte, autrement il atteindrait la limite au-delà de laquelle l'ennemi peut opérer. Si on me confiait à moi pareil travail, il est presque certain que je manquerais neuf convois sur dix, et il est probable que l'occultiste allemand n'aurait pas plus de succès.

— Alors que l'individu à qui nous avons affaire parvient à localiser tous les convois dans le temps limité dont il dispose.

— Exactement. Comment s'y prend-il, je ne prétends pas le savoir, mais c'est manifestement un initié d'un très haut pouvoir, et c'est pourquoi, à mon sens, les Allemands doivent passer par lui au lieu de faire le travail eux-mêmes.

— Ça paraît plausible, gronda sir Pellinore, tout au moins dans la mesure où on peut dire que ces balivernes ont le moindre sens. Mais je ne vois toujours pas pourquoi vous devez faire tout ce chemin jusqu'à Haïti pour vous occuper de cet individu, je veux dire, puisque cette bataille est en train de se livrer sur le — euh — plan astral.

— Parce que, répondit patiemment le duc, le seul remède définitif à cet état de choses, c'est de tuer l'initié haïtien, et nous ne pouvons le faire que sous notre forme physique.

— Sûr. Cela implique en effet d'aller là-bas si nous voulons l'éliminer, dit Rex. Mais comment le fait de le tuer va-t-il empêcher son corps astral de poursuivre son sale travail en continuant à transmettre à ses amis nazis, pendant leur sommeil, les renseignements qu'ils veulent ?

— Question très judicieuse, Rex, dit le duc en souriant, et la réponse se trouve dans la loi des Eternels qui ont fait toutes choses telles qu'elles sont. Comme je l'ai expliqué il y a quelque temps à sir Pellinore, et comme vous le savez tous, quand nous sommes parvenus à un certain stade de progrès à travers plusieurs vies, nous avons une continuité de conscience complète, c'est-à-dire que, quand nous dormons, notre corps astral sait tout ce qu'il y a à savoir à propos du corps physique auquel il est temporairement lié. Et, quand nous sommes éveillés, nous sommes capables, après une longue pratique, de nous souvenir de tout ce que nous avons fait sur le plan astral. Plus : quand nous atteignons la vraie mémoire nous sommes capables de revoir et de nous rappeler tout ce que nous avons fait au cours de nos innombrables vies passées sur Terre. Par conséquent, l'authentique initié, qu'il soit du Sentier de Droite ou de Gauche, peut voir son existence, dans son corps de chair ou en dehors de lui, comme un tout continu.

Simon approuva du chef.

— C'est ce qui rend si difficile de prendre au piège un adepte de la magie noire vraiment puissant. Posséder la continuité de conscience lui permet d'être perpétuellement sur ses gardes, aussi est-il pratiquement impossible de le prendre par surprise. Qu'il soit à l'intérieur de son corps ou non, il est toujours sur le qui-vive pour déjouer toute tentative de l'atteindre.

— C'est vrai, admit de Richleau. Mais les Sages ont prévu cela et y ont pourvu. Quelque puissant que puisse devenir un individu, il y a toujours un moment où il est complètement démuni. Ce moment se situe à l'issue de chaque vie terrestre. Peu importe que les gens meurent dans leur lit de prétendue vieillesse ou, en pleine force de l'âge, de mort violente. A la fin de chaque incarnation, il y a un court laps de temps durant lequel l'individu souffre d'une totale faiblesse, et c'est alors, dans le cas d'un magicien noir, que les Guerriers de Lumière peuvent s'élancer pour le réduire à l'impuissance.

Sir Pellinore passa la main sur sa belle chevelure blanche :

— Vraiment, tout cela est très... ma foi je ne dirai pas que ça me dépasse, mais c'est un peu hors de portée d'un individu ordinaire comme moi. Néanmoins je ne doute pas que vous sachiez de quoi vous parlez, et tout semble se tenir. J'en conclus donc, que vous vous proposez de tuer le type qui est la cause de tous nos ennuis et de mettre la main au collet de son — euh — âme, c'est ainsi, j'imagine, que vous l'appelleriez, au moment où les circonstances seront favorables. Que lui arrivera-t-il ensuite ? Non que je me soucie de ce que vous ferez à l'individu, mais juste pour savoir. Est-il possible de tuer aussi son âme ?

— Non, dit en souriant le duc, mais nous pouvons la jeter en prison. Aucun individu n'est complètement mauvais et les magiciens noirs sont seulement des gens qui ont fait fausse route au long d'un certain nombre d'incarnations. On peut raisonnablement les comparer à des hommes qui seraient devenus des récidivistes du crime au cours de leur vie. La plupart des délinquants commencent leur carrière criminelle dans leur jeunesse : à cause d'un mauvais exemple ou d'une impulsion subite, ils commettent un vol à la tire ou cambriolent un tiroir-caisse et s'enfuient. Ils savent parfaitement qu'ils courent un risque et que, tôt ou tard, ils seront pris et punis, mais ils sont tentés, par paresse ou par ambition, ou, plus souvent encore, par une vanité qui fait qu'ils sont flattés à la pensée de leur habileté, de continuer à se procurer de l'argent par des moyens illicites, au lieu de travailler pour le gagner. Quelquefois le choc d'être arrêtés et mis en liberté sous surveillance, ou condamnés à une légère peine de prison, suffit pour les ramener à la raison et ils s'amendent. Dans d'autre cas, il leur faut condamnation sur condamnation avant de comprendre finalement que *le crime ne paie pas*.

— Oh, allons ! protesta sir Pellinore. Et les irrécupérables ? Les criminels réellement endurcis ne s'arrêtent jamais, quel que soit le nombre de leurs séjours en prison.

— Un moment. Je vous accorde que la vie terrestre moyenne de soixante-dix ans n'est pas assez longue pour les pires cas. Mais si les hommes vivaient sept mille ans, au lieu de soixante-dix, je pense que vous conviendriez que le criminel le plus endurci qui ait jamais vécu serait un peu fatigué de la prison après qu'il y eut passé environ deux mille ans, et que chaque nouvelle condamnation fut devenue de plus en plus longue.

— Ah ! s'esclaffa sir Pellinore. C'est bon, oui, vous avez raison, duc, je saisis votre idée.

— Eh bien, c'est ce qui se passe sur le plan astral. Il n'en est pas un d'entre nous qui ne se soit adonné à la magie noire à un moment ou à un autre de ses nombreuses vies et, à un moment donné, j'ai pu moi-même faire aussi bien dans la sorcellerie que la plupart des gens. Mais la majorité d'entre nous l'abandonnent après qu'on leur a demandé des comptes et qu'on les a mis en garde, tandis que les plus endurcis continuent pendant peut-être une douzaine de vies, jusqu'à ce qu'ils soient pris sur le fait et condamnés à une peine vraiment longue. Si cela ne suffit pas, ils écopent d'une peine encore plus lourde la fois suivante. Et, naturellement, chaque peine de prison les ramène en arrière dans le voyage vers les hauteurs que nous devons tous accomplir tôt ou tard, que cela nous plaise ou non.

— Que voulez-vous dire ?

— Simplement que si un esprit est jeté en prison pour avoir pris le Sentier de Gauche, il est automatiquement privé de toute chance de réincarnation durant la période de son emprisonnement. Les peines de prison sont beaucoup plus longues sur le plan astral qu'elles ne le sont sur Terre, aussi un mauvais magicien noir pourrait-il aisément écoper de mille ans. Cela le retarderait de trois ou quatre vies et des longues périodes intermédiaires au cours desquelles nous n'avons pas d'incarnation et, comme il doit vivre ces vies à un moment précis avant de pouvoir accéder à une sphère supérieure, tout ce temps perdu se révélera plus tard un lourd handicap. Cependant vous devez rentrer à Londres, nous ne devons donc pas trop nous éloigner de l'affaire en cours. Je suppose que vous pouvez vous occuper de nos places pour Haïti !

— Certainement, dit rapidement sir Pellinore. Je vous ferai partir par avion pour Lisbonne et veillerai à ce qu'on vous réserve des places sur le *Clipper* de New York. De là, la Pan American Airways vous déposerait à Cuba et vous pourriez continuer par mer. Réfléchissons une minute, cependant : si vous faisiez cela vous risqueriez de rester en panne une semaine ou plus à Cuba, car les échanges avec la République Nègre étant pratiquement inexistants les bateaux en partance de La Havane à destination de Haïti sont probablement peu fréquents. Il vaudrait mieux que vous preniez un vol de New York à Miami et que, là, vous louiez un avion jusqu'à votre destination, car l'argent ne compte pas, seule la rapidité de votre intervention est d'importance primordiale.

— La situation est toujours aussi mauvaise, alors ? hasarda Simon.

— Mauvaise ! reprit sir Pellinore en écho, ses yeux bleus levés vers le ciel. Mon Dieu, si seulement vous saviez ! Les Services Secrets se font des cheveux blancs, au point que ce service, « muet » par nature, a été contraint d'admettre qu'il ne sait plus à quel saint se vouer. Jusqu'à présent le Premier Ministre s'est montré compréhensif étant donné les difficultés auxquelles tous doivent faire face, mais je vois venir le moment où *sa* patience sera à bout et, alors, j'aimerais mieux me trouver face à Hitler.

— Nos pertes navales ont pourtant considérablement diminué la semaine dernière, fit remarquer Richard.

— Oui, grâce à la brillante façon dont nos marins manœuvrent et, aussi, semble-t-il au fait que de Richleau a mis des bâtons dans les roues des nazis et permis ainsi à un de nos convois de passer sans être attaqué. Cependant la menace est toujours là. La Grande-Bretagne a commencé la guerre avec une marine de vingt et un millions de tonneaux, mais celle-ci est dispersée à travers le monde, et depuis septembre nous avons perdu des centaines de milliers de tonneaux chaque mois dans les eaux de l'Atlantique. Nous ne pouvons continuer ainsi. Ce ne sont pas seulement des navires que nous perdons, ce sont des centaines de braves marins qui ne peuvent être remplacés — le sel même de notre race insulaire — dont beaucoup sont des jeunes gens qui n'ont pas vécu encore assez longtemps pour procréer des fils et ainsi transmettre le sang qui, depuis des siècles, a donné à l'Angleterre la maîtrise des mers, proches et lointaines, et des océans. Et puis il y a les cargos : les pertes en produits exportés entraînent des pertes en dollars et, chose plus grave encore, cela a provisoirement diminé de moitié nos importations de produits essentiels tels que vivres, armes et munitions, sans parler des avions importés d'Amérique sur lesquels nous comptions pour battre les Allemands en 1941.

— Eh bien, vous pouvez compter sur nous pour faire le maximum, dit tranquillement le duc.

— Je le sais. Mais je n'insisterai jamais assez sur l'enjeu absolument vital de votre action. Tous nos splendides succès navals en Méditerranée et le magnifique travail, dans le désert de Libye, grâce auquel l'Armée de Terre a regagné la confiance de la nation, ne serviront à rien si cette destruction massive de notre marine n'est pas stoppée. Les approches ouest sont maintenant devenues le point cardinal de toute la guerre et, comme le printemps arrive, Hitler va sans doute intensifier ses attaques. Je ne prétends pas comprendre ce que vous avez en tête, mais vous semblez avoir obtenu un premier renseignement, et vous êtes bien le seul en Angleterre, aussi je vous supplie de ne pas vous ménager. Si vous êtes victorieux, jamais nous ne pourrons dire au public comment le contre-blocus nazi a été brisé, mais vous aurez la satisfaction de savoir qu'à vous cinq vous avez remporté un triomphe aussi capital pour l'Angleterrc que celui que n'importe quel chef militaire, avec la totalité de nos nouvelles armées, aurait pu obtenir sur le champ de bataille.

Simon étouffa un petit rire derrière sa main.

— Cela fait que nous équivalons à environ dix divisions chacun, joli rendement, hein ?

— Je pense pouvoir dire en notre nom à tous que nous serons prêts à partir dès que vous aurez pris les dispositions pour notre voyage, dit le duc en consultant tour à tour du regard les autres qui, tous, approuvèrent silencieusement d'un signe de tête.

— Bon. Alors ce sera pour après-demain. Le Clipper part de Lisbonne vendredi, et cela ne rimerait à rien de vous faire poireauter là-bas pendant vingt-quatre heures que vous pourrez sans doute mieux employer ici.

— Serez-vous à même de nous obtenir des places dans un si court délai ? demanda Rex. Je suppose que le Clipper est particulièrement plein ces temps-ci.

Sir Pellinore écarta la question d'une de ses grandes mains.

— Vos compatriotes sont maintenant avec nous dans tout ça, Van Ryn, Dieu soit loué. Je n'ai qu'à demander à un des fonctionnaires du Cabinet de Guerre de se mettre en rapport avec l'ambassade américaine et — quitte même à changer de vol des personnalités — ils feront en sorte de nous avoir des places pour vous.

Peu après, leur ayant souhaité avec ferveur que Dieu les bénisse au cours de leur étrange mission, sir Pellinore repartit pour Londres. Le duc dit alors à ses amis qu'il avait l'intention de se mettre à débarrasser la maison des poltergeists.

Marie-Lou voulait qu'il se recouche pour reposer son pied blessé, mais il lui fit remarquer que, comme il y aurait quantité de choses à faire à Londres avant qu'il ne se mettent en route, il leur faudrait quitter Cardinals Folly de très bonne heure le matin suivant. Il était donc urgent que la maison soit rendue de nouveau habitable, afin que les domestiques puissent y revenir avant qu'eux-mêmes n'en partent.

Comprenant que c'était raisonnable, elle céda, mais lui posa une question qui l'intriguait depuis quelques jours.

— Comment se fait-il qu'alors que *nous*, on ne peut ni nous toucher ni nous entendre quand nous sommes hors de notre corps, un poltergeist puisse accomplir toutes sortes d'actes physiques ?

— C'est parce que ce ne sont pas des individus, mais des élémentals, répondit-il. Ils diffèrent des esprits vivants de la même façon qu'une méduse venimeuse diffère d'un être humain. Ces formes inférieures sont toutes deux déplaisantes et méchantes, mais elles sont aveugles et dépourvues de toute intelligence. Toutes deux peuvent se manifester d'une façon qui nous est inaccessible, mais elles peuvent facilement être détruites par nous.

Ils passèrent les deux heures qui suivirent à accompagner le duc dans ses déplacements d'une pièce à l'autre, avec une clochette, un livre et un goupillon. Dans chaque pièce il demeura immobile, lisant un exorcisme, tandis qu'ils ne tenaient à côté de lui, murmurant les répons à ses adjurations. Il aspergeait ensuite les coins de la pièce, le seuil et le foyer tout en récitant certaines puissantes adjurations connues depuis des temps immémoriaux pour chasser les mauvais esprits.

Dans chaque pièce, une fois la cérémonie accomplie, régnait momentanément une répugnante puanteur, jusqu'à ce qu'ils ouvrent toutes grandes les fenêtres pour laisser pénétrer l'air froid de l'hiver. A un endroit de l'aile ouest l'horrible odeur de viande en putréfaction était si forte que Marie-Lou fut sur le point de vomir, jusqu'à ce que de Richleau lui dise que, si elle était dans son corps astral, elle rirait de voir la sarabande des poltergeists qui étaient de petits esprits mauvais, pareils à des aérostats sphériques ayant à peu près la taille de ballons de football. Chaque fois que l'eau bénite en touchait un, il éclatait, se désintégrant en une bouffée de fumée astrale qui dégageait l'odeur abominable des immondices terrestres de l'essence desquelles il tirait sa force.

Cette nuit-là, ils dormirent de nouveau dans le pentacle, prenant des tours de veille, tandis que le corps astral de ceux qui dormaient ne les quittait pas. En conséquence ils passèrent une nuit paisible et, au-delà de la porte de la bibliothèque, le silence régna tout au long de la nuit, preuve que la purification de la maison effectuée l'après-midi avait été entièrement couronnée de succès.

Le matin suivant, ils furent debout très tôt. Dès qu'ils furent habillés, ils firent leurs bagages et, tandis que Marie-Lou faisait la valise de Richard, celui-ci eut un entretien avec Malin. Il donna au maître d'hôtel un certain nombre de chèques postdatés pour les dépenses ménagères durant l'absence du maître et de la maîtresse de maison. Malin entreprit ensuite de rassurer tous les membres du personnel qui voulaient revenir, leur affirmant qu'ils ne seraient plus dérangés par d'autres phénomènes insolites. A neuf heures il leur serra à tous la main avec déférence et leur souhaita bonne chance, tandis qu'ils montaient dans l'auto de Richard et se mettaient en route pour Londres.

Tous les cinq avaient devant eux une journée chargée. A la demande du duc, Simon téléphona à sir Pellinore qui prit des dispositions pour obtenir une autorisation spéciale du Trésor leur permettant de transférer des fonds importants dans une banque de Port-au-Prince, la capitale d'Haïti. Marie-Lou occupa fiévreusement son après-midi à courir les magasins, faisant l'acquisition de belles toilettes, légères et gaies, convenant au soleil des tropiques et qu'elle n'avait plus espéré porter de nouveau avant la fin de la guerre. Rex se présenta au Quartier Général de la Royal Air Force pour s'assurer que sa prolongation de permission pour une durée indéterminèe était en règle. De Richleau acheta une provision supplémentaire d'herbes rares à Culpeper House, tandis que Richard, toujours pratique, veillait à ce que les armes de tout le monde fussent en bon état. Tous possédaient des automatiques, vestiges de leurs aventures passées, et avaient un permis de port d'arme, mais aucun n'avait été utilisé depuis plusieurs années et, pour deux d'entre eux, il dut se procurer une nouvelle provision de munitions.

A l'heure de l'apéritif, ils se retrouvèrent à l'appartement du duc, car il avait été convenu qu'après s'y être donné rendez-vous pour prendre un verre, ils dîneraient au Dorchester et feraient la fête pour cette dernière soirée — avant combien de temps, aucun d'eux ne pouvait le savoir — dans ce cher Londres déchiré par les bombes.

Ils venaient juste de faire le point sur toutes les dispositions ayant été prises et s'apprêtaient à partir pour le Dorchester quand la sonnerie du téléphone retentit. De Richleau décrocha et la voix profonde de sir Pellinore gronda à travers la ligne.

— C'est vous, de Richleau ? Ecoutez, j'ai une faveur à vous demander.

— Certainement. De quoi s'agit-il ? répondit le duc.

— Il s'agit d'une jeune femme — elle s'appelle Philippa Ricardi — elle est la fille de quelqu'un que je connais et qui est très anxieux de lui faire quitter l'Angleterre. Il a une propriété à la Jamaïque — cultive de la canne à sucre ou quelque chose de ce genre, et c'est sa sœur qui s'en occupe. Il a déjà pris ses dispositions pour y envoyer la jeune fille par le Clipper qui part vendredi, aussi ses papiers et son passeport sont-ils tous en règle. Elle voyage seule, cependant, et je me demandais si Mrs Eaton aurait l'amabilité de la chaperonner jusqu'à Miami. Ce serait d'une grande bonté si elle acceptait.

— Ne quittez pas, un instant.

De Richleau se retourna et répéta la requête à Marie-Lou.

— Naturellement que j'accepte, dit-elle tout de suite, et le duc annonça à sir Pellinore que c'était d'accord.

— Magnifique, tonna le baronet. Je vous en prie, transmettez mes remerciements les plus reconnaissants à Mrs Eaton. Miss Ricardi vous retrouvera à Waterloo, demain matin. Oh, à propos, j'ai oublié de vous dire, et je ne peux pas vous donner davantage d'explications parce qu'on m'appelle sur une autre ligne, mais la pauvre fille est muette — vous savez, sourde et muette.

CHAPITRE XIII

La belle muette

Il faisait encore presque nuit quand ils traversèrent Londres en voiture, le matin suivant. Il tombait une petite bruine et la froide demi-obscurité découvrait un décor qui aurait difficilement pu être plus déprimant. Dans les rues de Londres la circulation était réduite environ au tiers de ce qu'elle était avant guerre. C'est à peine si une sur cent des maisons devant lesquelles ils passaient avait été détruite par les bombes, mais beaucoup semblaient avoir été fermées et abandonnées par leur propriétaire et, dans le voisinage de chaque maison détruite, une douzaine d'autres avaient leurs fenêtres en morceaux ou garnies de planches à la suite d'une explosion. Pourtant Londres continuait à vivre avec une sombre détermination, comme en témoignaient les petits groupes d'hommes, de femmes et de jeunes filles descendant des autobus et sortant des stations de métro pour se rendre au travail.

A Waterloo, on les conduisit à un pullman réservé pour les passagers voyageant à bord de l'avion de Lisbonne, et, dans le petit groupe de personnes attendant sur le quai, ils repérèrent tout de suite Philippa Ricardi. La seule autre femme était une dame d'un certain âge, aussi furent-ils certains que la jeune fille se tenant un peu à l'écart, avec un homme de grande taille aux cheveux gris, devait être celle qui leur était confiée. Comme ils approchaient, l'homme s'avança et leva son chapeau à l'intention de Marie-Lou.

— Je suis sûr que vous devez être Mrs Eaton, dit-il, et, la voyant sourire, il poursuivit : « C'est très aimable de votre part de vous charger de ma fille. Comme elle ne peut pas parler, il lui serait terriblement difficile d'effectuer le voyage seule. Nous vous sommes tous deux extrêmement reconnaissants.

— Je vous en prie, protesta Marie-Lou. Je suis enchantée de penser que nous pourrons lui faciliter les choses.

Elle se tourna vivement vers la jeune fille et lui tendit la main.

Absolument rien chez Philippa ne laissait supposer sa terrible infirmité. Elle était de taille moyenne, avec des cheveux noirs qui bouclaient sous un élégant petit chapeau, et elle était vêtue d'un simple, mais coûteux, ensemble de voyage en cheviotte. Elle avait de grands yeux noirs et intelligents, une bouche aux lèvres charnues et généreuses. Sa peau, particulièrement belle, avait une nuance chaude et légèrement foncée, ce qui, chez elle, était le seul détail trahissant la présence d'une goutte de sang noir dans ses veines. Elle paraissait avoir vingt-trois ans environ, mais peut-être était-elle plus jeune et, s'ils n'avaient pas été au courant de ses liens familiaux avec la Jamaïque, ils n'auraient guère soupçonné qu'elle était octavonne.

Ce n'est pas une situation des plus faciles que se trouver soudain face à une sourde-muette, mais Marie-Lou avait déjà décidé que la meilleure attitude était d'ignorer autant que possible l'infirmité de la jeune fille, aussi entreprit-elle de présenter chacun, exactement comme si Philippa pouvait entendre ce qu'elle disait, et en retour la jeune fille les salua tous d'une inclinaison de tête.

Peu après un employé leur demanda de gagner leurs places, aussi Philippa prit-elle affectueusement congé de son père et tous montèrent dans le train. Deux minutes plus tard le sifflet retentissait et le train à vapeur quittait lentement la gare.

Comme Philippa se retirait de la vitre pour s'asseoir, ils virent que ses grands yeux noirs étaient à demi emplis de larmes et qu'elle avait beaucoup de mal à surmonter son émotion, aussi détournèrent-ils le regard quelques instants, s'occupant de leurs plaids et de leurs journaux. Puis Simon sortit de sa poche une de ces ardoises magiques constituées par une feuille de celluloïd sur laquelle, si on gribouille avec un objet pointu, l'écriture apparaît, mais peut s'effacer en tirant sur la petite attache au bas du bloc, ce qui laisse l'ardoise parfaitement nette.

Sur celle-ci, il écrivit :

— Courage ! Nous partons tous pour le soleil.

Marie-Lou, qui l'observait, songea que c'était bien du gentil et prévenant Simon d'avoir prévu que si la jeune fille ne pouvait ni parler ni entendre, ils pourraient communiquer avec elle par l'écriture, et de s'être procuré au cours de la nuit, par elle ne savait quel étrange moyen, et probablement au prix de pas mal de dérangement, un objet si admirablement adapté à ce dessein.

Sortant de son sac une ardoise magique semblable, Philippa écrivit :

— Oui. Mais je déteste quitter Londres.

Simon écrivit : « Pourquoi ? »

Philippa répondit : « Ça m'a l'air d'une fuite », et elle ajouta : « Pourquoi écrivez-vous vos paroles ? J'entends parfaitement bien. »

Simon la regarda avec étonnement et dit :

— Je pensais que vous étiez — euh — sourde-muette.

Elle secoua la tête et écrivit sur son bloc :

— Seulement muette !

Les autres, qui avaient suivi cet échange avec le plus grand intérêt, eurent du mal à dissimuler leur soulagement à cette bonne nouvelle qui faciliterait considérablement les relations, et tous se mirent à parler à la fois, disant à Philippa combien ils espéraient que ce voyage aux Antilles en leur compagnie serait agréable pour elle.

Avant que le train ne s'éloigne de l'obscure banlieue de Londres, ils eurent une autre surprise. Quand Philippa apprit que Rex était pilote de guerre, en permission de convalescence de durée indéterminée pour une mauvaise blessure à la jambe, elle écrivit :

— En tant qu'infirmière volontaire pour le secours aux blessés, je me suis occupée d'un certain nombre d'aviateurs et me suis spécialisée dans les massages, aussi puis-je donner des soins à votre jambe.

De Richleau exprima sa surprise qu'en dépit de sa mutité elle ait réussi à obtenir son brevet d'infirmière, sur quoi ils apprirent qu'elle n'était pas infirme de naissance. Son hôpital avait été bombardé en septembre dernier, et ce n'est qu'après que l'équipe de secours l'eut tirée des décombres qu'on s'était rendu compte qu'elle avait été frappée de mutité à la suite de l'effroyable choc de l'explosion. Depuis, elle avait été soignée par de nombreux médecins, mais aucun n'avait pu lui faire recouvrer la parole ; le dernier consulté avait suggéré, bien que son cas parût sans espoir, que la parole pourrait lui revenir si on l'envoyait quelque part où il n'y aurait aucun risque qu'elle entendît d'autres bombes ou explosions pendant quelques mois.

Il pleuvait toujours quand ils arrivèrent au port de la côte méridionale dont le nom, en tant que terminus secret en temps de guerre des hydravions assurant l'aller-retour quotidien Londres-Lisbonne, ne doit pas être révélé. Vu le nombre relativement réduit de passagers, les formalités avec les douanes et les services de l'émigration furent rapidement accomplies et, une demi-heure plus tard, une vedette rapide les emmenait vers le gros hydravion Empire qui se balançait sur ses amarres dans le gris-vert des eaux agitées.

A peine étaient-ils installés sains et saufs à bord que la vedette s'en retournait. Les amarres furent larguées et les moteurs commencèrent à tourner. L'hydravion glissa sur l'eau pendant environ un kilomètre puis, ayant atteint le milieu de la baie, vira à droite pour se mettre dans le vent et soudain s'élança. Les passagers purent entendre les embruns recouvrir au passage les hublots de la cabine, mais ils ne purent les voir, car les vitres étaient obscurcis en raison du black-out. Brusquement, ce bruit cessa et les moteurs baissèrent de régime, comme si l'avion était sur le point de s'arrêter. Ils réalisèrent alors qu'ils avaient quitté l'eau et s'élevaient dans les airs.

De Richleau savait que, même s'ils rencontraient des avions ennemis, il était peu vraisemblable qu'ils fussent attaqués, car l'avion de Lisbonne transporte de nombreux documents anglais sur lesquels l'ennemi compte comme source d'une importante partie de ses renseignements. A l'arrivée au Portugal, ceux qu'il a pu copier sont immédiatement expédiés en Allemagne et en Italie. Parallèlement, au retour, l'avion ramène de Lisbonne en Angleterre des copies de documents allemands et italiens pour les Services de Renseignement britanniques. Le voyage aller est, de ce fait, toujours raisonnablement sûr, car les nazis sont très désireux de ne pas interrompre le flot de renseignements qui leur parviennent à travers ce canal neutre.

Les hublots ayant été également obscurcis pour empêcher les voyageurs de surprendre des secrets militaires, le voyage fut ennuyeux. Comme le temps était beau, aucun d'eux ne fut malade. La plupart du temps, ils lurent ou somnolèrent, jusqu'à ce que, à quatre heures et demie, l'avion s'inclinât fortement sur l''aile pour se poser deux minutes plus tard dans l'embouchure du Tage avec un jaillissement d'écume.

En descendant de l'hydravion pour prendre place dans une vedette tous furent frappés par la différence de climat, et il leur sembla tout à fait miraculeux qu'un voyage de cinq heures ait pu représenter un tel changement. Au lieu du ciel gris et hivernal d'Angleterre ils découvraient la capitale portugaise se chauffant au soleil et, après le Londres à demi vide, l'animation des rues de Lisbonne, grouillant de circulation, les emplirent d'une étrange joie de vivre, Leur voiture passa devant les cafés pleins à craquer situés en face du fameux Rolling Stone Square et s'arrêta devant un grand hôtel de luxe, l'Aviz, dans l'Avenida, où des chambres avaient été réservées pour les passagers du Clipper.

Comme tous l'avaient entendu dire, Lisbonne regorgeait de réfugiés de guerre. Il y avait là un grand nombre de riches Français qui avaient fui la France après la débâcle. Il y avait aussi beaucoup de réfugiés juifs venus d'Allemagne et d'Italie, et un certain nombre d'Anglais, dont la plupart — et ce n'était pas à leur honneur — se cachaient là après avoir été chassés de leurs sûres retraites du Midi de la France.

A Lisbonne, la seule chose rappelant la guerre, mis à part l'inhabituelle affluence dans les grands hôtels et les cafés, était une sérieuse pénurie alimentaire, car le Portugal, bien que neutre et ne subissant officiellement aucun blocus de la part des belligérants, faisait maigre du fait de l'aveugle torpillage des navires par les nazis.

Après s'être reposés de leur voyage, ils descendirent pour un dîner aussi succulent que la crise le permettait, puis ils sortirent pour voir ce qui était pour eux, après presque une année et demie de black-out, un spetacle d'une incroyable gaieté : une grande ville dans toute la splendeur de ses lumières et de ses enseignes au néon.

Après qu'ils eurent marché un moment le long des rues principales pleines de monde, de Richleau, qui connaissait bien Lisbonne, les emmena au Métropole, la plus réputée des boîtes de nuit, et ses amis furent stupéfaits de ses dimensions dignes d'un palais.

Le grand hall d'entrée carrelé était construit dans le style des galeries à colonnades mauresques. Sous chaque arcade, il y avait une boutique indépendante où les riches clients mâles qui se sentaient en veine de générosité à l'égard de leurs belles compagnes, pouvaient acheter sur-le-champ fleurs, chocolats, parfums, sacs à main, éventails, bijoux. A l'étage, on trouvait d'un côté les salles de jeu et de l'autre un restaurant avec une vaste piste de danse, où ils assistèrent plus tard à un numéro très soigné.

A sa grande fureur, Rex dut convenir que sa jambe était encore trop douloureuse pour la danse, quant au duc — même si son pied blessé, qui était maintenant en voie de guérison, n'avait pas dû être encore ménagé — il ne dansait jamais. Mais Richard, Marie-Lou et Simon s'amusèrent de bon cœur et, se mêlant à la foule sur la piste de danse, oublièrent un instant la guerre. Les y abandonnant après l'attraction, le duc et Rex se dirigèrent vers les tables de jeu. Riant, plaisantant et murmurant à ses voisins, Rex perdit un argent fou à la roulette, mais de Richleau, jouant au baccarat avec l'impassibilité d'un professionnel, parvint à ramasser plus de cinquante livres en un quart d'heure.

Ils étaient partis avec l'intention de rentrer à leur hôtel peu après minuit, car ils devaient être debout à quatre heures et demie du matin, mais ils s'amusèrent tous tellement qu'ils demeurèrent au Métropole jusqu'à trois heures, après avoir décidé qu'ils ne rentreraient à l'hôtel que pour prendre un bain chaud et le petit déjeuner, avant de se mettre en route pour prendre le Clipper.

L'aube les trouva, fatigués mais heureux, installés à bord du gigantesque avion américain à l'aéroport de Cabo Ruiva et, au moment où les premières lueurs rouges coloraient le ciel à l'est, au-dessus des fortifications de Torres Vedras où, jadis, Wellington avait tenu en échec les armées de Napoléon, le grand hydravion s'envola pour sa longue traversée de l'Atlantique.

Le temps était beau et, après avoir placé en position presque horizontale les confortables « fauteuils de dentiste » dont était équipé l'avion, bercés par le bourdonnement régulier des moteurs, ils s'endormirent bientôt. Cependant, après quelques heures de vol,le temps se détériora. L'avion fut violemment secoué, ce qui les réveilla,et Marie-Lou et Simon furent tous deux malades.

Pendant un moment qui leur parut long,ils continuèrent à voler dans le mauvais temps, et ils furent sincèrement heureux quand enfin l'avion décrivit un cercle pour se poser dans le port de Horta, la capitale des Açores.

Le navigateur leur dit que le temps était trop mauvais pour tenter une autre étape ce jour-là, aussi les mena-t-on à terre dans un hôtel, et, comme ils n'avaient pris que quelques heures de sommeil depuis leur départ d'Angleterre, ils allèrent tous au lit pour l'après-midi.

Quand ils se retrouvèrent pour dîner, ils constatètent que la pénurie alimentaire provoquée par l'hécatombe de navires due aux torpillages nazis se faisait sentir bien au-delà de l'Europe déchirée par la guerre. Après un repas assez succinct, ils gagnèrent le hall pour prendre les liqueurs et le café, et Philippa , qui avait appris que ses compagnons se rendaient à Haïti, écrivit sur son ardoise pour leur demander ce qu'ils savaient de la République Nègre.

Ce fut Richleau qui répondit.

— Je connais seulement les grandes lignes de son histoire émaillée de troubles. Ce fut, c'est connu, une des premières îles à être colonisée par les Espagnols sous les ordres de Christophe Colomb, mais les Français chassèrent les Espagnols et, pendant prés de deux cents ans, elle fut riche et propère. Puis, s'inspirant de la Révolution Française, la population se souleva et, après avoir massacré les riches planteurs, réussit à obtenir de l'Assemblée Nationale, à Paris, une sorte de statut d'indépendance.

«Les aristocrates français qui avaient échappé au massacre appelèrent les Anglais à leur aide, mais un esclave nommé Toussaint Louverture prit la tête d'une nouvelle révolte au cours de laquelle la plupart des blancs furent assassinés. Napoléon fit une timide tentative pour ramener l'île sous la domination française et Louverture fut arrêté et emmené en France, mais je suppose que l'empereur était trop occupé en Europe pour se soucier beaucoup de ses possessions antillaises et la Révolution avait déjà complètement perturbé la loi et l'ordre dans l'île. De toute façon, en 1804, les esclaves se soulevèrent de nouveau et les Européens furent massacrés ou définitivement chassés. Depuis c'est une République Nègre. »

— Je ne soupçonnais pas que les esclaves avaient obtenus là-bas leur liberté depuis si longtemps, fit remarquer Richard. Il sera intéressant de voir ce qu'une race de couleur a fait par elle-même durant près de cent cinquante ans d'indépendance.

Rex grimaça un sourire

— Si vous cherchez des innovations vous serez fortement déçu. Comme le dit le duc, du temps des Français, cette île était une des plus riches des Antilles, et elle possède toujours toutes ses capacités naturelles à produire des richesses, mais les Noirs se sont contentés de tout laisser à la ruine.

— Y êtes-vous déjà allé ? demanda Marie-Lou.

— Non. Mais un de mes amis, qui est dans notre infanterie de marine, y est resté en garnison pendant quelques années, et il m'a raconté des tas de choses. En matière de corruption, nos politiciens véreux ont l'air d'enfants de chœur à côté de leurs présidents nègres. Il n'en est pas un qui ait occupé son poste jusqu'au bout de son mandat de quatre ans et, avec chaque cow-boy qui s'est fait élire grâce à une bande de tueurs, ç'a été la course pour savoir s'il pourrait en six mois ramasser assez de galette pour ficher le camp à la Jamaïque, ou s'il aurait la gorge tranchée par un prétendu successeur. C'est pourquoi les États-Unis ont pris les choses en main pendant un certain temps et ont envoyé les marines.

— Et que faisions-nous pour vous le permettre ? demanda Richard avec un sourire. Je pensais que ce genre de chose était le privilège exclusif de l'Angleterre. J'ai peur qu'après tout le vieux pays ne commence à manquer de poigne.

Rex se mit à rire.

— Il se trouve justement que vous aviez une guerre sur les bras. C'est en 1915 que nous sommes allés en Haïti mais, de toute façon, vous, Anglais accapareurs de terres, n'auriez pas été autorisés à fourrer votre nez là-bas. Peut-être avez-vous entendu parler de la doctrine Monroe ? D'ailleurs vous avez été assez contents que nous intervenions. Au cours des années passées, les Allemands ont prêté de l'argent à ces vantards de Noirs dans l'espoir d'avoir prise sur l'île et de pouvoir jouer à l'huissier un jour, mais les États-Unis ont coupé court à cette velléité et agi loyalement envers les intêrets britanniques — ce qui est sacrément plus que n'auraient fait les Allemands. Pendant dix-neuf ans nous avons fait régner la paix chez nos pauvres frères noirs, puis nous leur avons rendus leur indépendance et avons mis les voiles.

— Ce n'est pas tout récemment que vous avez débarrassé le plancher, alors ?

— Ouais. Sous la première présidence de Roosevelt, dans le cadre de sa politique de bon voisinage. Les Noirs voulaient qu'on leur rende leur île, disant qu'ils seraient de bons enfants, aussi la leur avons-nous laissée. Mais, depuis, tous, sauf les politiciens, sont bien embêtés de nous avoir demandé de partir. Les dollars que nos gars avaient coutume de dépenser chez eux leur manquent. Ces fainéants de couleur n'ont absolument aucun sens de l'organisation et ça ressemble à un gigantesque bidonville tropical. N'eût été le climat et la quantité de fruits qu'on peut se procurer rien qu'en les cueillant, tous seraient morts de faim depuis fichtrement longtemps.

Marie-Lou fit la grimace.

— Vous ne brossez pas un tableau très attrayant de notre destination. Je pensais que ce serait un peu comme Cuba. Pas aussi grandiose que la Havane, bien sûr, mais avec des hôtels convenables tenus par des métis, alors qu'à vous entendre il semblerait que nous allons loger dans quelque pension de famille infestée de punaises.

Il acquiesça de la tête.

— C'est à peu près tout ce que nous trouverons là-bas. Dans les campagnes, les nègres vivent dans des cabanes qui ne valent guère mieux que des tentes et qu'ils fabriquent en attachant ensemble quelques feuilles de bananiers, et, dans les villes, la plupart des maisons tombent en ruine. Comparer ça à La Havane, c'est comme opposer une ville de péquenots du Middle West à New York.

— Naturellement La Havane est très différente, intervint le duc. C'est une grande ville, où nous pourrions vivre aussi confortablement qu'en temps de paix dans le Midi de la France, mais je ne soupçonnais pas qu'Haïti était aussi primitive que le donne à penser Rex. Néanmoins, loyers et main-d'œuvre sont sans aucun doute très bon marché, aussi, si c'est nécessaire, louerons-nous une maison et la feronsnous nettoyer de la cave au grenier par une douzaine de femmes indigènes.

Philippa avait écrit quelque chose sur son ardoise et le montra à Simon qui lut la question à haute voix :

— L'un d'entre vous parle-t-il le créole ?

Les autres regardèrent avec espoir le duc, qui était un linguiste tout à fait exceptionnel, mais il secoua la tête.

— Non. Je crains que le créole ne me dépasse. C'est une sorte de français, bâtard, mais j'imagine qu'il doit y avoir quantité de gens dans l'île qui parlent un français correct ou même l'anglais.

Philippa écrivit une nouvelle phrase :

— Très peu. Une année ou deux à peine avant que les Américains prennent les choses en main, ils avaient un président qui ne savait ni lire ni écrire.

— Mon Dieu, murmura le duc, que c'est ennuyeux, mais je ne doute pas que nous pourrons engager comme interprète un mulâtre parlant français.

Ils allèrent au lit de bonne heure cette nuit-là car, si le temps le permettait, le Clipper devait repartir tôt le lendemain. Pendant qu'ils montaient, Marie-Lou demanda au duc s'ils devaient prendre des précautions contre une attaque sur le plan astral pendant leur sommeil, mais il secoua la tête.

— Non. Comme je vous l'ai dit à Londres, puisque nous avons quitté Cardinals Folly en plein jour, il y a une chance sur un million que l'ennemi n'ait pas perdu notre piste. Sans doute se demande-t-il où nous sommes allés et, à l'heure actuelle, peut-être a-t-il retrouvé notre trace jusqu'à mon appartement, mais il n'y a rien là-bas pour lui fournir la moindre indication quant à nos intentions, aussi pourrait-il parcourir le monde pendant cent mille nuits sans être plus près de nous trouver. Nous devrons continuer à porter nos amulettes magnétisées, mais je suis sûr que nous n'avons pas la moindre raison de nous inquiéter.

On les appela à quatre heures et demie pour leur apprendre que le voyage allait reprendre et, peu après l'aube, ils étaient de nouveau en route. Quelques heures plus tard, ils se posaient aux Bermudes, où ils furent heureux de pouvoir se dégourdir les jambes pendant une demi-heure tandis qu'ils allaient faire contrôler leur passeport et accomplir les formalités habituelles. Le soir même, sans incident fâcheux, ils arrivèrent sains et saufs dans le port de New York.

Rex avait appelé son père depuis Lisbonne pour qu'il vienne les attendre, et ils étaient encore à deux cents mètres du quai quand ils purent distinguer sans difficulté la silhouette de colosse à cheveux blancs du vieux Channock Van Ryn, dominant de la tête et les épaules tous ceux qui attendaient les passagers du Clipper. Lui et le duc étaient des amis de longue date et ils se saluèrent avec l'enthousiasme de frères séparés depuis longtemps. Rex présenta à son père le reste du groupe, puis le banquier les conduisit tous en voiture à son vaste hôtel particulier de Riverside Drive.

Quand Rex annonça qu'ils étaient seulement de passage à New York pour une mission en rapport avec la guerre et qu'ils devraient partir par l'avion du lendemain pour Miami, le visage du vieillard se décomposa. Il leur dit qu'il avait organisé une grande réception pour le soir suivant afin de célébrer la Distinguished Flying Cross obtenue par Rex pour sa bravoure dans la Royal Air Force, mais de Richleau lui expliqua que, tout désolé qu'il fût, leur visite ne pouvait être que très brève : il était de la plus haute importance qu'ils parviennent aux Antilles sans perdre une heure, sauf cas de force majeure.

Avec cette immédiate faculté d'adaptation pour laquelle les Américains sont justement célèbres, le vieillard dit aussitôt :

— Très bien, alors, il semble que nous devrons donner la réception ce soir.

Dès qu'ils furent arrivés chez lui, il attela donc ses deux secrétaires et son maître d'hôtel à la tâche de téléphoner à tous ses amis de venir sans cérémonie aussi nombreux que possible après dîner.

Rex tenta de l'arrêter, arguant qu'il se sentirait sottement embarrassé d'être mis en vedette et que c'était la dernière chose qu'il souhaitait. Mais le vieux colosse, qui était encore plus grand que son géant de fils, s'emporta et dit, de cette voix qui avait fait reculer des secrétaires d'Etat :

— Ecoute, fils, pas d'absurdités. Je sais qu'un homme bien n'aime pas qu'on parle de ce qu'il a fait mais, dans ce cas, tu l'as sacrément bien mérité. Il n'est pas question de parader, mais d'aider l'Angleterre. A dix heures et demie nous aurons ici une cinquantaine de personnes vraiment influentes, dont la plupart sont pro-britanniques comme nous, mais dont certaines sont indécises. Tu peux en faire plus ce soir qu'en abattant une demi-douzaine de Messerschmitts, simplement en disant à ces gens, à ta façon, sans la moindre affectation, ce qui se passe là-bas : comment tu as vu tout ça, comment tu as été au beau milieu de tout ça et de quelle manière ces magnifiques Anglais continuent — et *ont l'intention* de continuer quels que soient les trucs infernaux que ces damnés nazis emploient contre eux. Peut-être as-tu remarqué la statue de la Liberté qui se dresse là-bas, au bord de l'eau, au sud de Manhattan, au moment où vous survoliez Ellis Island, il y a une heure. Oublie-la, fils. Cette statue n'est plus là, elle est aujourd'hui dans le Pas-de-Calais et c'est à toi d'ouvrir les yeux à nos amis là-dessus, comme seul peut le faire quelqu'un qui a combattu là-bas pour la liberté.

Rex étreignit le bras de son père.

— Bien sûr, papa. Je comprends et je ferai exactement comme tu dis.

Depuis qu'elle avait été frappée de mutité, Philippa avait naturellement évité jusqu'aux rares réceptions qui se donnaient à Londres en temps de guerre. Aussi, après le dîner, demanda-t-elle qu'on l'excuse. Mais Simon la pria de reconsidérer sa décision.

— Ecoutez, dit-il avec insistance après l'avoir prise à part, je pense que vous êtes merveilleusement courageuse après ce qui vous est arrivé. Ce doit être un enfer pour vous, mais vous ne vous plaignez jamais, et s'il n'y a réellement aucun moyen pour que vous retrouviez la parole, vous devez essayer d'être encore plus courageuse. Je veux dire, vous vous êtes bien amusée avec nous, l'autre nuit au Métropole de Lisbonne, n'est-ce pas ? Aussi qu'importe s'il y a un peu plus de monde ! Vous n'avez sûrement pas l'intention d'éviter toutes les réceptions pour le reste de votre vie ? Vous aurez à affronter la foule un jour ou l'autre — pourquoi ne pas commencer maintenant ?

Elle écrivit sur son ardoise :

— Avec des amis qui connaissent mon état, je me sens bien, mais je ne pourrais pas supporter qu'une foule de gens me regardent et me plaignent. Je pourrais m'effondrer.

— Na, dit-il en secouant violemment la tête. Vous serez très bien. Et c'est travailler pour l'Angleterre. Vous avez dit que vous détestiez fuir l'Angleterre alors que c'est la guerre. Maintenant vous pouvez le prouver, si vous le voulez. Son père a demandé à Rex de faire un peu de propagande en notre faveur en racontant aux gens qui vont venir ce que les nazis ont fait à Londres, mais vous pouvez faire bien davantage en restant avec nous, sans dire un mot. Je n'aime pas avoir l'air d'utiliser l'horrible malheur qui vous est arrivé, mais si seulement vous pouviez soutenir leurs regards, songez quel effet cela aura sur ces Américains. On dira à la ronde : « Cette belle jeune fille, là-bas, est anglaise. Elle était infirmière dans un hôpital que les nazis ont bombardé, et quand on l'a sortie des ruines, on s'est aperçu qu'elle avait été frappée de mutité. Voilà ce que ces salopards font aux femmes, et ils le feraient ici, à New York, s'ils en avaient l'occasion. Voyez-vous ce que je veux dire ?

Philippa devint un peu plus pâle, puis elle sourit et écrivit sur son ardoise :

— Merci pour le « belle ». Je n'aimerai pas ça, mais je suis prête à le faire si vous me promettez de ne pas me quitter.

— Epatant. Simon lui prit soudain la main et la serra. « Et naturellement je ne vous quitterai pas. Jamais eu l'intention — pas une seconde. »

La réception se révéla un immense succès. Avec les encouragements du duc, Rex surmonta bientôt son embarras de devoir parler de ses exploits, et le fait qu'il soit américain faisait que chacun des invités de son père sentait un peu rejaillir sur lui cette gloire, à la pensée qu'un des leurs avait participé à cette épique défense de l'Angleterre et avait été décoré pour sa bravoure par le roi d'Angleterre. Mais la présence de Philippa, comme l'avait si finement prévu Simon, eut encore plus de poids. Il avait mis dans le coup Marie-Lou, Richard et le duc pour que tous trois racontent son histoire aux gens, lorsqu'elle ne pouvait les entendre, et Dieu seul sait ce qu'en conséquence les invités de Channock Van Ryn purent dire qu'ils aimeraient faire aux pilotes assasins de Goering !

Le matin suivant leur hôte les conduisit en voiture jusqu'à l'aéroport de New York et, après avoir affectueusement pris congé du vieil homme, ils reprirent leur voyage vers le sud à bord d'un gros avion de transport américain. Le vol fut beaucoup plus intéressant que ceux des jours précédents. L'avion n'était pas soumis au black-out et la plupart du temps ils volaient au-dessus des côtes. Ils purent ainsi observer le changement de paysage entre le Maryland, la Virginie et les Carolines du Nord et du Sud, jusqu'à ce qu'ils traversent le grand golfe à l'est de la Floride et se posent à Miami.

Rex avait suggéré que, puisqu'ils n'avaient aucune idée du temps qu'allait durer leur séjour en Haïti, il valait mieux affréter un avion sans pilote. Il le piloterait et ils pourraient ensuite le garder à leur disposition de façon à pouvoir repartir avec quand ils le souhaiteraient. Channock Van Ryn avait, le matin même, promis de faire le nécessaire pour qu'un appareil autonome les attende à Miami.

Son fondé de pouvoir les accueillit en effet sur le terrain d'aviation et les mena aussitôt vers un appareil à six places qu'il avait loué, selon les instructions reçues, pour leur voyage en Haïti. Rex passa vingt minutes à inspecter le moteur pour s'assurer qu'il était en bon état et, satisfait sur ce point, il demanda au mécanicien de faire le plein de carburant et de tenir l'avion prêt pour neuf heures trente le matin suivant.

Après avoir remercié le fondé de pouvoir, ils prirent un taxi et Rex, qui connaissait d'un bout à l'autre les plages de la côte américaine, les conduisit tous au Pancoast Hotel, situé à quelque distance de la ville, juste après les marécages, au milieu de palmeraies et de jardins, au bord de la plage sans cesse battue par la houle de l'Atlantique.

C'est là que, pour la première fois, ils sentirent qu'ils avaient enfin franchi les limites des vastes territoires affectés par la guerre. Comme de coutume en hiver, le luxueux hôtel était plein de riches Américains en villégiature. Il n'y avait pénurie ni de nourriture ni de boissons, et chacun ne s'intéressait qu'au plaisir du moment. De solides jeunes gens et de jolies jeunes filles en toilettes d'été ou en élégantes tenues de plage se promenaient dans de puissantes voitures nullement touchées par quelque rationnement de l'essence, faisaient du canoë sur le lac proche de l'hôtel ou prenaient des bains de soleil sur la plage, sous des parasols aux couleurs vives.

Pour eux la guerre n'était rien de plus que les photos des journaux illustrés qu'ils feuilletaient d'un doigt paresseux. Pour le duc et ses amis, fraîchement sortis des dures réalités de la Bataille d'Angleterre, ces scènes de plaisirs balnéaires aux couleurs de l'avant-guerre, cette indolence et cette gaieté, semblaient aussi irréelles qu'un décor d'opérette. Mais après s'être inscrits et avoir visité leurs chambres, ils s'assirent un moment dans le jardin brûlé par le soleil, se détendant et essayant de réaliser que ce lieu appartenait au même monde que celui où, au cours des dix-huit derniers mois, des millions d'hommes et de femmes jadis libres du continent européen avaient été littéralement réduits en esclavage, battus, emprisonnés, torturés, étaient morts de faim ou de froid, avaient péri sous les balles, avaient été brûlés ou anéantis par les bombes à cause de l'horrible férocité et de la soif effrénée de conquête des hordes de fanatiques nazis.

Après avoir bu de rafraîchissantes boissons glacées, ils décidèrent que ce serait une bonne idée de prendre un bain. Ils sortirent de leurs bagages leurs tenues de plage et passèrent, pendant plus d'une heure, un agréable moment à se poursuivre et à s'ébattre dans les vagues vivifiantes, puis ils paressèrent sous le magnifique soleil jusqu'à l'heure de l'apéritif.

Simon, qui s'était renseigné pour Philippa, avait appris que le paquebot hebdomadaire par lequel elle devait se rendre à Kingston, à la Jamaïque, partait de Miami deux jours après mais, comme eux-mêmes devaient partir pour Haïti le matin suivant, il ne leur restait que peu de temps à être ensemble, ce qui jeta une ombre sur le dîner ce soir-là. Bien que ne la connaissant que depuis quatre jours, ils avaient passé la totalité de leurs journées en sa compagnie et avaient forcément fini par parfaitement bien la connaître, malgré son handicap d'avoir à écrire tout ce qu'elle souhaitait leur dire. Tous admiraient son courage souriant et résigné face à sa malheureuse infirmité, et Simon, contrairement à son habitude, fut tellement silencieux ce soir-là qu'en dansant avec lui Marie-Lou le taquina, prétendant qu'il était tombé amoureux de leur belle et muette compagne.

Il tortilla le cou, fut plus près de rougir qu'elle ne l'avait jamais vu et nia avec véhémence, tout en admettant qu'il trouvait Philippa très séduisante. Cependant, quand ils se furent tous souhaité « bonne nuit » et qu'il eut rejoint sa chambre, il ressentit une véritable émotion en trouvant une lettre d'elle posée bien en évidence sur la table de toilette. L'ayant ouverte, il vit que c'était une assez longue missive et ses yeux parcoururent rapidement les lignes nettes, d'une écriture ronde et ferme. Elle disait :

Cher Simon,

D'abord je veux vous remercier pour toute votre gentillesse envers moi durant notre voyage. Les autres ont tous été charmants, mais par votre sympathie et votre prévenance naturelles et spontanées en mille petites choses, vous avez été au-delà de tout ce que j'aurais jamais cru possible chez un homme.

J'ai l'habitude que les hommes se montrent galants envers moi et, avant la bombe, je suppose que je considérais plutôt cela comme allant de soi mais, depuis que j'ai perdu la parole, je fais beaucoup plus attention à ce genre de chose. Ne plus pouvoir parler — quand on avait l'habitude d'être quelqu'un de tout à fait amusant — est un effroyable handicap. La plupart des gens sont terriblement désireux d'être gentils mais, depuis que j'ai quitté la maison de repos, j'ai découvert que presque tous mes amis masculins semblent devenir eux-mêmes muets quand ils sont avec moi et, m'a-t-il semblé, mais peut-être suis-je insjuste envers eux, ils paraissent s'ennuyer en compagnie d'une malheureuse jeune fille qui doit mettre par écrit toutes ses remarques. Aussi comprendrez-vous combien je vous suis reconnaissante pour ces derniers jours.

Venons-en maintenant au second et, en réalité, plus important objet de cette lettre. Vous avez tous été terriblement discrets sur la raison de votre voyage à Haïti, mais je ne suis pas tout à fait sotte et, quelques heures après avoir fait votre connaissance à tous, j'ai été convaincue que cinq personnes ayant vos sentiments ne fuieraient jamais notre chère Angleterre, alors que nous sommes en guerre, à moins d'avoir un motif précis. Et même, dans le cas contraire, *pourquoi*, au nom du ciel, choisir un endroit arriéré comme Haïti ?

Bien évidemment, vous vous rendez là-bas pour quelque mission secrète, même un enfant pourrait le deviner. Et le fait qu'aucun de vous ne comprend le créole ne tardera pas à se révéler comme une terrible entrave à vos plans.

J'ai vécu à la Jamaïque pendant cinq ans avant la guerre et, durant cette période, j'ai pas mal voyagé dans les Antilles avec mon oncle, visitant presque toutes les îles. Son passe-temps était l'étude des indigènes et j'avais coutume de l'aider pour ses notes, aussi, avant la bombe, parlais-je couramment le créole et en ai-je appris beaucoup sur ces étranges et malheureux métis qui sont un mélange d'aborigènes caraïbes, de nègres et d'européens.

Les Haïtiens sont une race rien moins qu'agréable. Pourquoi sont-ils différents des autres, qui sont, pour la plupart, des gens simples et insouciants, je ne puis le dire — mais c'est un fait. Peut-être est-ce l'absence d'exemple de Blancs de la meilleure sorte, mais tout Haïtien semble être un voleur et un menteur né, et leur cruauté envers les animaux et entre eux est presque incroyable.

Comme le duc l'a suggéré, vous pourriez engager un interprète, bien sûr, mais il est à peu près certain qu'il vous volera et vous fera faux bond d'un tas de façons différentes. Aussi, pourquoi ne pas me prendre moi ?

Bien que privée de parole, je peux écouter ce que disent les indigènes, vous l'écrire et traduire la réponse que vous souhaitez faire. Honnêtement, je serais mieux capable de vous seconder et de vous obtenir ce que vous voulez qu'une douzaine d'interprètes rémunérés. En outre, je serai terriblement malheureuse sur la plantation de ma tante à la Jamaïque. Je peux facilement lui téléphoner que je reste avec des amis et que je ne viendrai pas chez elle, tout au moins pour le moment. Soyez un ange et discutez cette proposition avec les autres.

Votre très reconnaissante
Philippa Ricardi

La lecture terminée, Simon se précipita, la lettre à la main, dans la chambre du duc.

— Que pensez-vous de son offre ? demanda-t-il quand de Richleau eut fini de la lire.

— Elle n'est certainement pas de celles qu'on refuse à la légère. Elle a raison, naturellement. Elle pourrait nous être beaucoup plus utile que n'importe quel mercenaire mulâtre parlant français. Tout de même, je n'aime pas l'idée de l'exposer aux risques que nous aurons à courir.

Simon acquiesça du chef. Il était déchiré entre le violent désir d'insister pour qu'il accepte, pour le motif purement égoïste de garder Philippa avec eux de façon à continuer à la voir, et la répugnance de la mettre en danger.

— Nous pourrions le lui demander, dit-il, évitant de se compromettre, mais peut-être devrions-nous décider nous-mêmes. Il sera difficile de lui faire comprendre les risques que nous allons courir en quelques mots, et nous devons régler cette question ce soir.

— Consultons les autres, dit le duc et, prenant Rex au passage, ils se dirigèrent vers la chambre de Marie-Lou.

Quand on lui eut expliqué la situation, Marie-Lou dit aussitôt :

— Naturellement que nous l'emmènerons. Pourquoi pas ? La pauvre petite n'est que trop désireuse d'avoir l'occasion de faire quelque chose pour son pays, et ce serait une honte de le lui refuser.

— Oui, ajouta Richard, pratique, et si ces Haïtiens sont aussi peu dignes de confiance qu'elle le dit, peut-être serons-nous joliment heureux, avant d'en avoir fini, d'avoir avec nous quelqu'un qui comprend leur jargon.

— Bien sûr, convint Rex. Dans une affaire comme celle-ci nous serions complètement fous de repousser une telle offre.

— Vous trois êtes pour, alors, dit lentement le duc, et j'admets que vous parlez tous le langage du bon sens. Je ne sais pas pourquoi, pour ma part, je répugne à emmener cette jeune fille. Sans doute d'une manière ou d'une autre, ai-je le sentiment que, si nous l'emmenons, nous la précipiterons dans de graves ennuis dont nous serons dans l'incapacité de la protéger.

— Si vous avez une prémonition de ce genre, nous ferions mieux de la laisser, dit Marie-Lou avec un soupir. Mais cela paraît plutôt bête, à moins que ce sentiment prémonitoire ne soit très fort.

— Non, dit le duc, ce n'est pas vraiment une prémonition. Je suis peut-être influencé par le fait de savoir qu'en cas d'urgence elle n'aurait pas la possibilité d'appeler à l'aide. Mais, à nous tous, nous devrions être capables de veiller sur elle.

Simon grimaça un sourire.

— Si elle vient, vraiment, jamais je ne la perdrai de vue.

— J'ai bien pensé que c'était dans cette direction que soufflait le vent, dit le duc en souriant. Très bien, alors. Marie-Lou ferait bien d'aller lui parler. Qu'elle insiste aussi fortement que possible sur les choses réellement horribles qui peuvent arriver à un esprit sans protection sur le plan astral. Si elle manifeste le moindre signe de légèreté je ne l'emmènerai pas mais, si elle fait preuve d'une sérieuse compréhension, et accepte de courir le risque, elle peut venir.

Marie-Lou s'absenta une bonne heure, tandis que les autres restaient assis à fumer et à deviser. Quand elle revint elle dit :

— Tout est réglé. J'ai donné à Philippa un aperçu aussi clair que possible de ce que nous avons à affronter, et elle a lu tant de livres sur la tradition et la théosophie qu'elle est déjà parvenue à rassembler, de sa propre initiative, une sorte de version confuse de l'Ancienne Sagesse. Elle est manifestement prête à recevoir la connaissance, et je pense que c'est pour cette raison qu'elle nous a été envoyée. En tout cas, tout ce que je lui ai dit l'a rendue plus désireuse que jamais de venir, et elle a promis loyalement d'obéir, sans discuter, à tous les ordres, aussi bizarres qu'ils puissent lui paraître.

Le matin suivant, ils se rendirent en voiture à l'aéroport, situé à l'intérieur des terres, où Rex fit un rapide essai sur l'avion loué, et à neuf heures et demie ils étaient partis.

Il n'avait pas volé depuis qu'il avait été blessé et contraint de sauter en parachute, mais il s'aperçut bientôt que, si sa jambe blessée n'était pas capable de réactions immédiates sur le palonnier, essentielles pour un pilote de chasse, elle suffisait parfaitement pour un vol ordinaire.

Après avoir survolé au départ les récifs coralliens de Floride, ils volèrent pendant une heure au-dessus de la plus occidentale des mille îles parsemant la mer bleue des tropiques qui composent les Bahamas, laissant derrière eux, à onze heures vingt, la pointe la plus méridionale d'Andros, la plus grande île de cet archipel extrêmement dispersé. Pendant l'heure et demie qui suivit ils ne virent aucune terre, jusqu'à ce qu'apparaisse à l'horizon la pointe la plus orientale de Cuba. La traversant, ils poursuivirent leur vol et, à une heure, ils approchaient d'Haïti, à mi-distance entre les deux caps qui enserrent la grande baie de Gonave, dont l'échancrure la plus profonde abrite Port-au-Prince.

Regardant en bas, de Richleau et Marie-Lou reconnurent l'étrange configuration en forme de pince de homard de la côte, celle qu'ils avaient vue dans leur corps astral la nuit où ils avaient harcelé le magicien noir jusque chez lui.

Aucun d'eux, au cours de leur long voyage depuis l'Angleterre, n'avait senti, une seule fois, la présence du Mal, et ils étaient certains que leur ennemi ne pouvait avoir connaissance du fait qu'ils étaient sur le point de porter la guerre dans son camp. Pourtant, à cet instant, alors qu'ils volaient au-dessus du milieu de la vaste baie, dont les deux caps étaient semblables à des points perdus dans le lointain, de Richleau éprouva le brusque pressentiment d'ennuis prochains.

A peine s'était-il tourné pour en parler à Rex, à côté de qui il était assis, que l'avion entrait dans un trou d'air et tombait comme une pierre pendant plusieurs centaines de mètres. Rex poussa un cri de surprise. Nul pilote ne s'attend à rencontrer des trous d'air au-dessus de la pleine mer, par temps calme, puisqu'ils sont provoqués par les inégalités de la surface du sol. A l'instant où ils en sortaient brutalement, l'avion fut déporté sur le côté par un vent violent et Rex, stupéfait, eut de grandes difficultés à l'empêcher de se retourner. Audessous d'eux la mer bleue étincelait, tranquille, sous le soleil. Il n'y avait pas la moindre trace d'orage, pourtant on aurait dit qu'ils avaient été pris dans un ouragan...

De Richleau savait, et tous le supposaient, que ce n'était pas là un phénomène naturel. Leur ennemi avait appris qu'ils approchaient et mettait en œuvre tous ses étranges pouvoirs pour détruire l'avion qui était ballotté d'un bord à l'autre, redressé à la verticale, puis précipité vers la mer comme si la main d'un géant invisible le frappait. Criant, le souffle coupé, ils furent cahotés jusqu'à en être contusionnés, ébranlés et privés de respiration.

C'est en vain que Rex se battit avec les commandes. Nulle intelligence, nul courage n'auraient pu parer cette horrible attaque surnaturelle. L'avion perdit rapidement de l'altitude, se mit à tomber en feuille morte et se précipita en piquant du nez vers les eaux. Au prix d'un effort surhumain, Rex l'arracha à sa trajectoire, mais l'effort demandé à l'avion se révéla trop brutal. Une des ailes se déchira, battit et se mit en accordéon. L'avion se remit à choir, latéralement cette fois. Pendant un effroyable instant ils foncèrent vers le bas. On aurait dit que l'eau se précipitait à leur rencontre.

L'avion disloqué heurta les vagues avec un claquement assourdissant et plongea. Un des hublots avant éclata sous le choc et, avec un grondement strident, les eaux houleuses pénétrèrent dans la cabine. Le seul sentiment qu'éprouva de Richleau fut celui d'une amère fureur. L'ennemi l'avait circonvenu dès le début en les endormant dans une trompeuse impression de sécurité, et maintenant ils allaient être noyés comme des rats dans une nasse.

CHAPITRE XIV

En danger de mort

L'avion était debout, le nez vers le bas, ses occupants se débattant dans le cockpit, amas de bras et de jambes agité de contorsions. Rex et le duc étaient dessous, Richard et Marie-Lou étant tombés vers l'avant par-dessus eux. Quant à Simon et Philippa, qui étaient assis à l'arrière de l'avion, ils se trouvaient au sommet de cet amas.

L'avion s'enfonçait de plus en plus et, dans leur terreur, il leur semblait qu'il ne s'arrêterait pas avant que son moteur ne s'enfouisse dans le fond de l'océan. Par le hublot brisé, à l'avant du cockpit, l'eau écumante montait en bouillonnant entre les membres enchevêtrés des six passagers pris au piège et, tandis que l'avion continuait son horrible plongée, la force qui les avait tous protégés à l'avant les mettait progressivement dans l'incapacité de bouger.

La mer avait la transparence du cristal et Marie-Lou, dont le visage se pressait contre l'un des hublots latéraux, pouvait voir le paysage sous-marin qui défilait devant eux aussi nettement que si elle eût regardé derrière la vitre plate d'un aquarium.

Au cours de leurs croisières de vacances, en temps de paix, elle était souvent montée à bord des bateaux à fond de verre spécialement conçus pour que les passagers puissent contempler les magnifiques jardins sous-marins qui s'étendent au large des côtes de nombreuses îles des tropiques. Elle avait aussi passé des heures à nager dans les mers chaudes, poussant devant elle un baquet à fond vitré, à travers lequel elle pouvait examiner les beaux massifs de corail qui ondulaient, les innombrables variétés d'anémones de mer, les crevettes, les bouquets, les algues, les homards et la multitude de poissons aux couleurs de l'arc-en-ciel qui, tels des flèches, jouaient à cache-cache dans la végétation sous-marine agitée de douces ondulations.

Mais, maintenant, c'est avec des sentiments très différents qu'elle voyait quelques-uns de ces habitants des hauts-fonds aux couleurs vives. Un banc de minuscules poissons orange passa comme une ombre, un long barracuda, ouvrant lentement ses méchantes mâchoires, la fixa un moment, un couple d'anges de mer rayés de jaune et de bleu passa si près que, s'il n'y avait pas eu le hublot, elle aurait pu les toucher en tendant la main. Pourtant leur beauté la laissa indifférente. Une horrible pensée envahit son esprit. Dans quelques instants, ces poissons se fraieraient un passage à l'intérieur de l'avion englouti gisant sur le fond et ils la dévoreraient, mordillant la chair sur les os de son corps de noyée.

Après un moment qui parut interminable mais qui, en réalité, ne fut qu'une affaire de secondes, la vitesse de plongée de l'avion diminua. Simon agrippa le dossier d'un siège et, au prix d'un dur effort, se dégagea des autres. Saisissant le bras de Philippa, il la tira vers lui. Richard et Marie-Lou parvinrent alors à les suivre vers l'arrière de l'appareil qui s'enfonçait toujours. Maintenant libérés du poids des autres, Rex et le duc purent eux aussi se relever à demi. Tous deux étaient à moitié submergés par l'eau qui continuait à pénétrer en bouillonnant par le hublot brisé. Avec une extraordinaire présence d'esprit, au lieu d'essayer de se frayer un chemin vers le haut, Rex s'assit sur le trou béant, l'obstruant en partie, bien que dans cette position, l'eau lui arrivât jusqu'à la poitrine et jaillît encore comme une fontaine entre ses jambes.

Malgré cela, lentement, presque imperceptiblement, l'avion s'immobilisa, puis fit marche arrière, la légèreté de l'air retenu à l'intérieur commençant à le ramener vers le haut à une vitesse qui augmenta jusqu'à ce que, un instant plus tard, la queue émerge de l'eau avec un grand plouf.

— Allez à l'arrière, tous, allez à l'arrière ! hurla Rex. Votre poids le redressera.

S'écorchant les genoux et les tibias aux dossiers des sièges, ils grimpèrent au milieu de ceux-ci jusque dans la queue de l'avion qui, leur poids ayant équilibré celui du moteur, s'inclina et se mit sur le ventre. L'eau, qui était montée jusqu'au niveau du cou de Rex, reflua sur toute la longueur de la cabine, les submergeant momentanément, avant de heurter les parois de la queue avec un bruit retentissant.

De Richleau gagna en trébuchant le milieu de la cabine, maintenant inondée jusqu'à hauteur du genou. Tendant la main vers le haut, il tira la commande de l'issue de secours dans le toit de l'avion et, posant un pied sur le dossier d'un siège, il se hissa. Richard s'avança en titubant et, empoignant Marie-Lou, il souleva son petit corps dans ses bras et la poussa vers le duc qui, agenouillé, était prêt à les hisser l'un après l'autre. Ils aidèrent ensuite Philippa à monter, puis Richard, Simon et Rex suivirent. Cinq minutes — minutes qui avaient paru des heures — après que l'avions eut percuté l'eau, tous les six étaient blottis, dans une situation précaire, sur la carlingue.

— Il s'en est fallu de peu ! murmura Richard.

— Et comment ! haleta Rex. Que diantre nous est-il arrivé ?

— Une tornade astrale, dit le duc. Ça ne pouvait être une tornade terrestre : la mer est restée calme tout le temps. L'ennemi a dû savoir que nous approchions d'Haïti et a mis tous ses pouvoirs en œuvre pour nous détruire. Mais l'effort a dû se révéler très épuisant pour lui, aussi est-il peu probable que nous soyons soumis à d'autres attaques pour l'instant.

Rex haussa les épaules.

— Ma foi, voilà qui est *quelque peu* réconfortant, mais il nous a placé dans une satanée situation. Dieu sait comment nous allons atteindre le rivage !

Quand la tempête astrale avait commencé à les frapper, ils se trouvaient en plein milieu de la grande baie en forme de pince de homard aux extrémités émoussées d'Haïti, mais les énormes pinces étaient distantes de cent trente kilomètres, aussi se trouvaient-ils aussi éloignés de l'une que de l'autre que s'ils s'étaient trouvés en Mer du Nord, à mi-chemin entre Margate et Lowestoft. Ils avaient cependant parcouru un chemin considérable à l'intérieur des mâchoires des pinces, car Rex, à ce moment, était sur le point de passer au nord de l'île de la Gonave, qui protège l'approche de Port-au-Prince, et ils savaient qu'ils se trouvaient quelque part dans le canal de Saint-Marc, large d'une trentaine de kilomètres, situé entre l'île et la partie sud de la pince.

Tout d'abord ils n'aperçurent aucune terre mais, en se mettant debout, Rex, qui était de loin le plus grand, dit que, chaque fois que la houle soulevait l'avion, il pouvait distinguer une tache noire, en direction du sud, qui devait être l'île de la Gonave ; cependant, calcula-t-il, ils devaient en être au moins à douze ou treize kilomètres. Il scruta l'horizon de tous les côtés. Bien qu'il y ait peu de trafic maritime entre Port-au-Prince et le monde extérieur, leur meilleur espoir de sauvetage résidait en quelque bateau de pêche indigène, mais la mer était absolument déserte.

Le duc commença à défaire le petit canot pneumatique pliable qui était attaché au plafond de l'avion.

— Au moins la mer est calme, dit-il avec une gaieté qu'il était loin de ressentir, et ceci peut emmener deux d'entre nous. En pagayant dur pendant environ trois heures, ils devraient parvenir au rivage et nous envoyer de l'aide.

Aucun d'eux ne voulut exprimer ce qu'ils avaient en tête. Qui envoyer ? Et combien de temps l'avion surnagerait-il ? Il était à peu près certain qu'il finirait par se remplir totalement d'eau et coulerait, bien avant que le canot pneumatique ait pu atteindre le rivage, et que ceux, quels qu'ils soient, qui s'y trouveraient, reviennent à leur secours dans un des bateaux de l'île.

Finalement de Richleau dit :

— Il n'est pas pensable d'envoyer les deux femmes : elles n'auraient pas assez de forces pour pagayer seules sur une telle distance, et le canot ne peut transporter plus de deux personnes.

— Philippa doit y aller, dit aussitôt Marie-Lou. Elle est la plus jeune, et c'est entièrement notre faute si elle est ici.

La jeune muette ne put discuter, mais elle secoua la tête et désigna du doigt Marie-Lou et Richard.

— Oui, dit le duc. Marie-Lou a raison. C'est nous qui vous avons entraînée là-dedans, aussi est-ce à nous de vous en sortir. En outre, vous comprenez la langue des insulaires et, grâce à vous, celui qui vous accompagnera pourra obtenir de l'aide aussi vite que possible. La question est de savoir qui va partir avec vous ? Il vaudrait mieux que ce soit Rex, car c'est le plus fort de nous tous.

— Jamais de la vie ! s'exclama Rex. Je n'ai besoin d'aucun bateau pour atteindre le rivage. Sous ce climat chaud, je pourrais nager sur cette distance avec une main attachée derrière le dos.

Ils connaissaient ses exploits de nageur et sa force colossale, et comprirent que si n'importe qui d'autre risquait de périr noyé là, dans cette belle mer tropicale, Rex, lui, serait presque certainement capable de s'en tirer.

Aussi Marie-Lou dit-elle :

— Il vaut mieux que Zyeuxgris y aille. Nous ne devons absolument pas oublier la raison pour laquelle nous sommes ici, et il est infiniment plus important qu'il soit sauvé qu'aucun de nous.

Il lui sourit.

— Théoriquement vous avez peut-être raison, princesse, mais, en tant que chef du groupe, je me considère comme le capitaine de ce vaisseau. Rien de ce que vous pourrez dire ou faire ne me décidera à le quitter le premier.

— C'est simple, alors, dit Simon. Richard est plus fort que moi, et la vitesse est importante. Il doit partir.

Mais Richard secoua la tête.

— Me voyez-vous abandonnant Marie-Lou ? Ne dites pas de bêtises, Simon. C'est votre affaire, et vous êtes bien assez costaud pour pagayer sur cette distance par mer calme.

— Na, commença à protester Simon, mais de Richleau lui coupa la parole.

— Je suis d'accord avec Richard. Ne perdez pas de temps à discuter, je vous en prie. Ça va devenir joliment infernal ici, exposés comme nous le sommes à ce soleil torride, et chaque instant compte si vous voulez obtenir de l'aide avant que l'avion ne s'enfonce sous nos pieds. Allons, maintenant, partez.

Pendant qu'ils parlaient, Rex avait gonflé le canot pneumatique. Comprenant l'urgence de la situation, Simon ne discuta pas davantage, il aida Philippa à monter dans la frêle embarcation et la suivit. Après une bonne poussée, ils commencèrent à diriger le petit bateau en forme de canoë vers la terre qu'ils ne pouvaient encore voir.

Un concert d'adieux et de cris de bonne chance les accompagna cependant que, à peu près tous les dix mètres, Simon se retournait pour regarder en arrière. Ses mauvais yeux étaient emplis de larmes retenues, et il éprouvait une douleur physique, juste au-dessous du creux de l'estomac, se demandant avec désespoir s'il reverrait jamais ces amis qui lui étaient si chers. Simon se souvenait qu'ils s'étaient tirés de bien des mauvais pas mais, d'une certaine manière la situation était, cette fois, différente, car la puissante force de Rex, le bon sens de Richard, la sagesse féminine de Marie-Lou et même l'esprit fin et subtil du duc leur étaient totalement inutiles dans ces circonstances critiques. Leur seul espoir était de s'accrocher à l'épave de l'avion en perdition aussi longtemps que possible, puis de se sauver à la nage, tout en priant pour qu'il puisse leur ramener de l'aide à temps.

Eux aussi réalisaient pleinement la terrible situation dans laquelle ils se trouvaient, et ils se demandaient si, un jour, ils entendraient encore Simon rire sous cape ou reverraient son aimable sourire bon enfant. Tristement, ils suivirent des yeux le bateau pneumatique dansant sur l'eau, jusqu'à ce que la faible agitation de la houle le leur dissimule.

De Richleau se leva et consulta sa montre. Il était à peine un peu plus d'une heure quand ils s'étaient abîmés, et il n'était maintenant qu'une heure et quart, mais déjà ils commençaient à ressentir les brûlures du soleil tropical. C'était une boule d'airain en feu, presque au zénith au-dessus de leur tête, dans un ciel bleu sans nuage. Accroupis sur le dos de l'épave de l'avion, ils ne disposaient pas du moindre coin d'ombre pour se protéger de ses rayons brûlants qui avaient déjà séché leurs vêtements détrempés. Ils avaient tous abandonné leur coiffure dans l'avion et, instinctivement, ils avaient noué un mouchoir autour de leur tête, à la manière des pirates, mais ce n'était qu'une dérisoire protection. De Richleau craignait qu'ils n'attrapent une insolation s'ils ne parvenaient pas à improviser une sorte d'abri en utilisant les objets qui se trouvaient à l'intérieur de l'avion. Il était aussi extrêmement désireux de récupérer les bagages.

Il en parla à Rex qui tira la commande de l'issue de secours qu'ils avaient refermée derrière eux pour emprisonner le plus d'air possible à l'intérieur de l'avion. Un courant d'air s'échappa au moment où ils y entraient à quatre pattes. Ils découvrirent que, dans la cabine, l'eau leur montait maintenant jusqu'à la taille, mais ils se hâtèrent en direction du placard, situé dans la queue, où étaient rangés leurs bagages. A sa grande fureur, de Richleau dut convenir que la pression de l'eau était si grande qu'en dépit de leurs efforts conjugués ils ne pourraient ouvrir la porte du placard, or il n'y avait pas d'autre solution pour atteindre leurs bagages.

Chaque instant passé à l'intérieur leur faisait courir un risque, car il était toujours possible que le moteur et le poids de l'eau deviennent trop lourds pour le fuselage et que l'avion coule brusquement, les entraînant avec lui. Malgré tout, ils entreprirent d'explorer méthodiquement la cabine, tâtant du pied autour d'eux, puis se baissant et plongeant leurs mains sous l'eau pour ramasser tout ce qu'ils pourraient trouver et le passer à Richard par l'issue de secours.

Ils mirent ainsi en lieu sûr une petite sacoche appartenant à Richard, qui contenait son pistolet, son passeport et de l'argent, ainsi qu'un flacon de cognac, du chocolat et une boîte métallique de cigarettes, puis ils repêchèrent une paire de couvertures détrempées, le mackintosh de Rex et — prise la plus intéressante de toutes — la trousse de voyage de Marie-Lou. Maintenant que l'air pouvait s'échapper, l'eau montait de nouveau rapidement dans l'avion. Ils abandonnèrent donc toute nouvelle tentative de récupération et ressortirent en refermant l'issue de secours.

Les cigarettes et de nombreux objets contenus dans la trousse de voyage étaient imbibés d'eau, aussi, pressentant que certains pourraient se révéler utiles plus tard, ils les étalèrent sur le dos brûlant de l'avion pour les faire sécher. En attendant, les pots de crème de beauté de Marie-Lou se révélèrent un don du ciel, car leur front, leur nez, leurs oreilles, leur cou et le dos de leurs mains devenaient déjà rouges sous l'effet du soleil, et tous avaient si souvent pris des bains de soleil dans les endroits les plus agréables du monde qu'ils savaient que la douce première sensation de chaleur peut se transformer plus tard en un véritable supplice. Sans perdre un instant, ils entreprirent de recouvrir d'une crème agréablement parfumée, qu'elle leur recommanda comme la plus efficace, toutes les parties exposées de leur peau.

La radio de l'avion était maintenant sous l'eau, inutile, mais son antenne s'étendait de la queue de l'appareil, à quelques mètres au-dessus du fuselage, jusqu'à un court mât près du cockpit. En y disposant les couvertures mouillées, ils constituèrent une tente grossière sous laquelle ils pourraient s'abriter un peu du soleil de feu.

Presque aussitôt, les couvertures commencèrent à fumer sous l'action des rayons brûlants qui en chassaient l'humidité, mais ils se glissèrent dessous et s'étendirent, Rex à un bout et de Richleau à l'autre, pour guetter toute voile qui pourrait leur apporter un espoir de secours.

Le temps qu'ils aient terminé ces aménagements, il était près de deux heures. Pendant le quart d'heure qui suivit ils demeurèrent blottis, tristement silencieux, sous le piètre abri de la tente qui suffisait à peine à les protéger et où le manque d'air devint bientôt intolérable.

Il était à peu près deux heures vingt quand Rex poussa un cri et se leva pour agiter les bras frénétiquement. Dans le lointain, il avait repéré une grosse vedette à moteur qui se dirigeait vers eux. Les autres sortirent tous à quatre pattes de leur abri et se mirent comme lui à crier et à agiter les bras. Il leur semblait impossible que les gens du bateau puissent ne pas les voir : ils étaient pour ainsi dire déjà sauvés.

Leur déception fut d'autant plus amère quand ceux du bateau non seulement ne répondirent pas à leurs signaux mais, après s'être approchée à moins d'un demi-kilomètre, firent demi-tour et s'éloignèrent.

Pleins d'irritation et de dépit, ils se rassirent mais, après ce soudain regain d'espoir, ils ne tenaient positivement plus en place. A tout instant l'un ou l'autre se levait pour regarder dans la direction où le bateau était parti. Ces incessantes sorties hors de leur abri les exposaient au soleil bien qu'ils sussent que les crèmes de beauté de Marie-Lou ne constituaient qu'une maigre protection. Ils étaient en train de prendre un sérieux coup de soleil, mais ne se préoccupaient guère de ce désagrément qui leur paraissait mineur, quand c'était leur vie à tous qui était en danger. Bien qu'aucun n'en ait fait la remarque, tous se rendaient compte que l'avion s'enfonçait peu à peu : centimètre après centimètre l'eau montait le long de ses flancs.

Ce fut de Richleau qui dit soudain :

— Notre seule chance de pouvoir continuer à utiliser l'avion comme radeau jusqu'au retour de Simon, c'est de le soulager de notre poids.

Richard émit un rire peu enthousiaste.

— Un peu de nage, hein ? Ma foi, ce n'est pas une mauvaise idée, au moins ça nous rafraîchira un peu.

En conséquence, les deux hommes tournèrent le dos à Marie-Lou et tous se dévêtirent puis, un à un, ils se laissèrent glisser sur le flanc de l'avion. La fraîcheur de l'eau, après le dos brûlant de l'avion, leur fut d'un soulagement béni, car elle assouplit leur peau durcie et desséchée et leur donna une vitalité nouvelle. En se suspendant au flanc de l'épave ils pouvaient, aussi, tirer parti d'une petite zone d'ombre et chacun à son tour, se reposait de cette manière, pendant que les autres nageaient autour pour soulager de leur poids l'appareil empli d'eau.

Après qu'ils eurent séjourné dans l'eau une vingtaine de minutes, Richard proposa que l'un d'entre eux grimpe sur l'avion pour voir s'il n'y avait pas trace d'une quelconque embarcation à proximité. Rex, d'une poussée, l'aida à se hisser. Plaçant sa main en visière au-dessus de ses yeux il scruta les alentours et s'écria soudain qu'il voyait de nouveau le même bateau qui se trouvait à un kilomètre environ, sur leur flanc, et se dirigeait vers eux.

Il agita les bras et cria jusqu'à en être enroué, mais apparemment personne ne le vit, aussi abandonna-t-il, étant arrivé à la conclusion que les occupants du bateau étaient absorbés par la pêche, à l'exclusion de toute autre chose.

— Descends, chéri ! cria Marie-Lou, ou tu vas être complètement rôti, et Richard réalisa soudain que son caleçon de soie avait complètement séché sur lui, aussi plongea-t-il et Rex grimpa prendre sa place. Ce faisant, il s'écorcha la main à une traverse déchiquetée, là où l'aile de l'avion avait été arrachée au cours de la tempête astrale qui l'avait fait s'écraser. Il n'y attacha pas d'importance sur le moment et resta une dizaine de minutes à héler, exaspéré, les gens apparemment aveugles de la vedette, jusqu'à ce que de Richleau vienne le relever.

Le duc, à son tour, fit des signaux, sans aucun résultat, mais il se rendit compte qu'il leur était beaucoup plus facile de voir le canot automobile qu'aux gens qui s'y trouvaient de les voir eux. En effet, le bateau avec sa grande cabine se trouvait au moins à trois mètres au-dessus de l'eau, alors que l'avion, lui, était juste au ras. Aussi, à supposer qu'ils le voient, il n'apparaîtrait que comme un petit objet flottant et, de plus, entièrement caché, par moment, par la crête des vagues qui les séparaient.

Là, debout, il comprit que si jamais on les secourait, ils seraient hors course pour un bon bout de temps pour cause d'insolation. Le bain de soleil est une bonne chose pourvu qu'on s'y adonne régulièrement et progressivement à chaque fois, or aucun d'eux n'avait pris de bain de soleil depuis le début de la guerre. En conséquence leurs corps étaient blancs comme des cachets d'aspirine, sans le moindre vestige du bronzage laissé jadis par des vacances à la mer. Tous, au cours de l'heure précédente, étaient devenus d'un rouge terne et rosâtre, et ils commençaient déjà à ressentir les élancements de brûlures.

Il en était là de ses réflexions, quand une menace plus grave changea brusquement le cours de ses pensées. Rex nageait à quelque distance de l'avion et un sinistre aileron triangulaire fendant les vaguelettes apparaissait à moins de cinq à six mètres de lui !

— Un requin ! hurla le duc. Un requin !

Un instant, Rex parut ne pas entendre, tandis que le menaçant aileron, pareil à une voile, fendait l'eau comme l'éclair dans sa direction, mais il se retourna soudain et se mit à foncer en direction de l'avion immergé, la tête sous l'eau, les bras se soulevant comme des fléaux et les pieds battant l'eau dans un crawl puissant.

Richard était monté à bord et hissait Marie-Lou. Tandis que Rex se rapprochait à toute vitesse, brassant l'eau, le duc vit l'aileron, qui n'était maintenant qu'à quelques mètres des pieds de Rex, disparaître soudain, et il comprit que le requin avait plongé pour se retourner sur le dos et attaquer sa victime. Avec désespoir il chercha autour de lui une arme qui lui permettrait de tenir la bête en respect pendant que Rex sortirait de l'eau, mais il n'y avait pas même une perche, rien dont il pût se servir : seulement les couvertures, leurs vêtements et les quelques objets qu'ils avaient récupérés à l'intérieur de l'avion.

Rex fit surface dans une gerbe d'écume à moins de trente centimètres du fuselage et l'avion était si bas sur l'eau que Rex n'avait plus qu'à se lancer sur lui en remontant aussitôt ses jambes. Mais, à la seconde même où il saisissait l'extrémité de la queue de l'avion, de Richleau vit que le requin était juste au-dessous de lui. La bête, qui avait au moins trois mètres cinquante de long, s'était retournée sur le dos et son ventre blanc était si net dans l'eau transparente que le duc pouvait y voir les poux de mer. Son énorme gueule, avec ses sept rangées de dents luisantes pareilles à des scies, s'ouvrait, béante, et le pied gauche de Rex pendait presque à l'intérieur.

Heureusement, Richard, qui était juste derrière de Richleau, avait ouvert sa sacoche d'une main fébrile. Il avait saisi son automatique et fait feu par-dessous le bras du duc, envoyant trois balles dans le ventre du requin.

Avec un bruit sourd, la queue de la bête battit le flanc de l'épave, l'ébranlant au point que Richard perdit l'équilibre et tomba sur les genoux. Les énormes mâchoires claquèrent, tandis que le requin se débattait dans les convulsions de l'agonie, ses dents frôlèrent le talon de Rex, mais celui-ci avait remonté sa jambe juste à temps et gisait, maintenant, haletant, étendu de tout son long sur la queue de l'avion.

Durant trente secondes, ils demeurèrent tous là, le souffle coupé, puis de Richleau cria soudain : « regardez », en tendant le doigt. Trois autres ailerons en forme de voile étaient apparus, se dirigeant rapidement vers eux et, un instant plus tard, les trois nouveaux venus se livraient un terrible combat autour du corps de leur congénère agonisant.

L'eau n'était plus limpide : le sang du requin mis en pièces par ses cannibales congénères l'avait rendue opaque et trouble. Marie-Lou frissonna et se détourna, prise de nausée, aussi ne vit-elle pas la fin de l'orgie, ni l'arrivée au bout de quelques minutes, d'une douzaine d'autres requins venus se joindre à la mêlée pour les quelques derniers morceaux de chair tourbillonnant dans l'eau pourpre.

— C'est le sang qui les attire, dit le duc en frissonnant, ils ont une sorte d'instinct qui leur permet de le flairer à plus d'un kilomètre.

Rex regarda la petite blessure de sa main qui saignait encore un peu.

— C'est ça, dit-il. J'aurais du m'en rendre compte. Je me suis coupé en sortant de l'eau tout à l'heure et c'est sans doute mon sang que la première bête a flairé.

Il se mit à rire, mais c'était d'un rire sans joie, en ajoutant :

« Mes talents de nageur ne me vaudront jamais de médaille maintenant que le vieux tacot s'enfonce. Ces démons ne laisseraient pas le meilleur nageur faire dix mètres avant de l'envoyer au fond. »

Les autres ne répondirent pas. Ils fixaient l'eau. Elle était redevenue tout à fait limpide et il ne restait aucune trace du premier requin. Mais, une fois leur festin terminé, les autres n'étaient pas partis ; ils se chauffaient là au soleil, bien patiemment, les ailerons de quinze d'entre eux émergeant de l'eau.

Les quatre amis avaient effectué des milliers de kilomètres de traversée sur les océans et ils avaient vu des requins suivre un navire durant des semaines, attendant qu'on jette quelque déchet par-dessus bord. De nuit ou de jour, peu importait à ces bêtes voraces. Elles n'avaient aucun sens du temps, une fois qu'elles avaient flairé leur proie. Elles n'abandonneraient pas avant d'avoir pris possession de leurs victimes, qu'elles pouvaient voir assises là, à demi nues, sur l'épave de l'avion.

Il n'était que trois heures et Simon n'avait pu encore atteindre la côte, mais l'avion était maintenant immergé sur toute sa longueur et pouvait à tout moment couler sous eux, les laissant à la merci des bêtes impitoyables qui les attendaient pour les déchiqueter, membre après membre.

CHAPITRE XV

D'étranges dieux

Pendant un temps qui leur parut long, ils demeurèrent assis, à observer leurs patients ennemis qui nageaient lentement de long en large, ou restaient à se chauffer, dans une apparente léthargie. Mais, poussé à se relever par la chaleur brûlante du soleil, Rex gronda :

— Nous ferions mieux de mettre nos vêtements, autrement nous allons rôtir.

Ils avaient tous terriblement soif mais n'avaient rien à boire, sinon le flacon de cognac de Richard dont le duc leur dit qu'en avaler ne ferait qu'aggraver leur soif.

Péniblement, ils enfilèrent leurs habits raidis sur leurs membres à vif, puis ils se dispersèrent à la surface de l'épave dans l'espoir qu'en répartissant leurs poids plus également elle les supporterait un peu plus longtemps. Rex se glissa jusqu'à la queue, qui était un peu relevée mais s'enfonça sous son poids presque jusqu'au niveau de la mer ; de Richleau demeura au milieu du fuselage, tandis que Richard et Marie-Lou s'asseyaient de chaque côté du cockpit, là où les ailes se raccordent à la carlingue.

Tout en se déplaçant, ils surveillaient attentivement leurs plus proches ennemis, car un faux pas aurait pu se révéler fatal, et, une fois installés, ils s'accrochèrent à leurs précaires points d'appui, sachant que s'ils les perdaient rien ne pourrait les empêcher d'être mis en pièces. La mer clapotait doucement contre les flancs de l'avion avec un petit gloussement, mais c'était un gloussement de méchanceté, et la beauté de l'estival panorama marin leur échappait totalement. Ils ne pouvaient penser qu'à leur cou en train de cuire, à leur soif dévorante et à la mort rouge qui les attendait dans les eaux bleues.

Pendant plus d'une demi-heure, ils avaient été si occupés par les requins qu'ils n'avaient pas regardé ailleurs. Le duc se secoua donc afin de se concentrer suffisamment pour ignorer son corps et chercher à découvrir comment se passait le voyage de Simon. A son grand soulagement, il vit que le bateau pneumatique avait été tiré à sec sur un rivage de galets, et que Simon et Philippa se hâtaient le long de la plage à environ un kilomètre de là. Mais, comme il n'y avait aucune habitation en vue, des heures pouvaient encore passer avant qu'ils puissent trouver un bateau et une équipe de sauvetage. Une soudaine agitation attira son attention.

Sans que les naufragés le voient, un bateau de pêche indigène avait fait son apparition sur les lieux et était maintenant en train de virer dans leur direction à seulement deux cents mètres. Quand, derrière eux, ils entendirent un faible et lointain appel, ce fut comme un choc auquel se mêlait un soulagement positivement phénoménal.

S'étant retournés, ils virent le bateau, et leur émotion fut si vive qu'ils manquèrent perdre l'équilibre en se levant pour répondre par des cris et des signaux. Le bateau de pêche était tout petit, avec un équipage de trois nègres, dont un se tenait debout à l'avant et leur faisait signe.

A peine avaient-ils réalisé leur bonne fortune qu'ils remarquèrent que le canot automobile se trouvait à quelque distance derrière le bateau de pêche ; il avait maintenant fait demi-tour et se dirigeait aussi vers eux. Visiblement ses occupants venaient tout juste d'apercevoir les naufragés, les cris des pêcheurs nègres ayant attiré leur attention.

Il s'ensuivit cinq minutes de vive anxiété, de Richleau et ses amis se demandant si l'avion, maintenant complètement submergé, supporterait leur poids un seul instant de plus avant de s'enfoncer dans la mer ; mais le duc en profita pour réconforter ses amis en leur annonçant que Simon et Philippa avaient atteint la côte sains et saufs. Comme le canot automobile se rapprochait, ils virent que c'était une puissante chaloupe à moteur. Dépassant le bateau des pêcheurs, il décrivit un cercle, chassant les requins ; puis, coupant son moteur afin de ne pas faire chavirer l'avion par son remous, il accosta.

A son bord se trouvaient un mulâtre très grand, portant lunettes, aux traits nettement négroïdes, mais à la peau claire, et un équipage de quatre nègres. Le mulâtre était coiffé d'un panama et vêtu d'un complet de toile d'une blancheur immaculée, ce qui semblait dénoter un certain rang social.

Lorsqu'on les eut aidés à gagner le bord, le pauvre vieil avion remonta de trente centimètres au-dessus de la ligne de flottaison. Maintenant soulagé de leurs poids, il avait encore une demi-heure ou plus devant lui, alors qu'il courait le danger imminent de sombrer quand ils se trouvaient dessus.

Exprimant d'une voix hachée leurs remerciements à leur sauveteur, ils pénétrèrent en titubant dans l'ombre bénie de la cabine du canot. Ils avaient parlé anglais et le mulâtre leur répondit en baragouinant dans la même langue.

— Moi très heureux avoir sauvé vous, dit-il avec courtoisie. Vous très mauvaise posture. Eux requins pas très bons. Dévorer vous vite. Moi docteur Saturday votre service. Très heureux de faire votre connaissance.

— Merci mille fois, murmura de Richleau d'une voix rauque. *Parlez-vous français, monsieur le docteur* ?

— *Ah, oui, certainement*[1].

Le grand mulâtre eut un rapide sourire qui découvrit deux rangées de dents très blanches, pareilles à des pierres tombales, et à partir de cet instant la conversation se poursuivit en bon français.

Réalisant qu'ils seraient bientôt en Haïti, le duc prit la précaution de se présenter, ainsi que ses amis, sous des noms d'emprunt, puis ils dirent au docteur qu'ils avaient vu son canot et lui faisaient des signaux depuis près de deux heures. En entendant cela, ce dernier manifesta un embarras évident et se confondit en excuses, expliquant que lui et son équipage étaient absorbés par la pêche à la sériole. Ils ne s'étaient rendu compte pour la première fois de la présence de l'épave de l'avion qu'en entendant le cri du nègre sur le bateau de pêche, lequel d'ailleurs les avait maintenant rejoints. Le docteur Saturday jeta aux trois nègres grimaçants qui se trouvaient à bord une poignée de petite monnaie, à laquelle Richard ajouta trois billets de vingt dollars qu'il tira de son portefeuille, car il considérait que lui et ses amis devaient véritablement la vie à ces pêcheurs, même si ce n'était évidemment pas la faute du docteur s'il n'était pas arrivé le premier.

Pendant que le canot s'éloignait sur l'ordre du docteur, les pêcheurs, confondus par ce cadeau qui représentait plus qu'ils ne pourraient gagner en deux mois, baragouinèrent des remerciements en créole aussi longtemps qu'ils purent rester à portée de voix, un grand sourire éclairant leur visage noir et luisant.

Pour les quatre naufragés, la joie profonde de pouvoir s'abriter du soleil l'emporta presque sur le soulagement d'être sauvés. Aussi, s'asseyant sur les confortables divans de la cabine, ils commencèrent

1. En français dans le texte

délicatement à examiner leurs membres brûlés et couverts de cloques.

Le docteur Saturday les regarda avec gravité et dit dans son excellent français :

« Vous avez subi une terrible épreuve sous notre ardent soleil haïtien, et je crains que vos brûlures ne vous fassent souffrir pendant quelques jours, mais je peux au moins vous apporter un soulagement.

Ce disant, il se dirigea vers un placard et en sortit du coton hydrophile et un grand flacon d'un liquide à l'aspect laiteux qui, lorsqu'ils en tamponnèrent les endroits enflammés, calma instantanément la douleur.

— Et maintenant, ajouta l'hospitalier docteur, je pense que vous aimeriez boire quelque chose.

Cette suggestion fut accueillie par un tel concert d'approbation, qu'il ouvrit aussitôt une petite glacière et en tira du whisky, du rhum, de la limonade, du jus de citron et quelques bouteilles d'eau gazeuse de fabrication locale, puis il alla leur chercher des verres. Les boissons glacées avaient un goût parfaitement divin et ils purent enfin se détendre après leur terrible épreuve.

— Vers où vous dirigiez-vous dans votre aéroplane ? demanda le docteur, Porto Rico ou la Guadeloupe ?

— Ni l'un ni l'autre, répondit Rex. Nous sommes entrés en plein dans une perturbation électrique alors que nous n'étions pas à plus de vingt minutes de vol de notre destination — nous nous dirigions vers Port-au-Prince.

— Vraiment !

Le docteur Saturday leva ses sourcils blancs qui contrastaient si fortement avec sa peau jaune.

« Vous me surprenez. Nous avons peu de visiteurs européens en Haïti. Connaissez-vous un peu l'île ? »

De Richleau répondit promptement, de façon à donner sa propre version avant que les autres ne parlent.

— Non. Mais je suis un savant dont la spécialité est l'étude des coutumes indigènes, et je souhaitais depuis longtemps faire une visite en Haïti pour voir quelle sorte de pays ont bâti les gens de couleur, seuls, sous un gouvernement qu'ils ont eux-mêmes choisi.

Le mulâtre secoua tristement la tête.

— J'ai peur que nous ne vous décevions. Je ne crois pas que les nègres soient une race naturellement paresseuse, car ils travaillent bien sous des climats plus frais, comme ceux du Nord des Etats-Unis ou de l'Afrique du Sud. Mais, pour leur malheur, ils vivent principalement dans des pays où la chaleur n'est pas propice au travail, et où l'on peut vivre aisément de récoltes poussant vite et d'une abondance de fruits qu'il suffit de cueillir sur les arbres. Les gens d'ici sont donc incurablement paresseux — peut-être du fait de leur environnement. En tout cas, loin de faire des progrès, ils ont eu tendance à régresser au cours des cent quarante et quelques années qui se sont écoulées depuis que les esclaves se sont révoltés et sont devenus leurs propres maîtres. Port-au-Prince est une piètre capitale à montrer aux visiteurs.

— Vous y habitez, docteur ? demanda Marie-Lou.

— Oui, madame, aussi aurai-je au moins le bonheur de pouvoir vous conduire à destination. Dès que je vous eus recueillis, j'ai demandé au propriétaire du canot de rentrer aussi vite que possible, mais nous n'arriverons pourtant pas avant quelques heures. Votre avion s'est écrasé à une bonne centaine de kilomètres de Port-au-Prince.

— Cela vous fait loin pour venir pêcher, fit remarquer le duc.

Le docteur Saturday haussa les épaules.

— La pêche est bien meilleure ici, au large. L'abondance des fruits de mer est une autre bénédiction que Dieu a accordée à nos insulaires : un grand nombre d'entre eux, dans les villes côtières, vivent presque exclusivement de poisson, aussi certaines des meilleures espèces ne fréquentent-elles plus les eaux du littoral.

— Pouvez-vous nous recommander un hôtel convenable à Port-au-Prince ? demanda Richard après un moment de silence.

— Il n'y en a qu'un. Le docteur Saturday découvrit ses dents blanches en un nouveau sourire amical. « Et je n'aimerais pas prendre la responsabilité de le recommander à des gens de qualité comme vous. Le bar est excellent et constitue un important lieu de rencontre de la bonne société. Beaucoup de nos principaux hommes politiques y passent la plus grande partie de leur temps, mais la chère du restaurant est quelconque et, comme ses fenêtres sont au niveau de la rue, si vous n'y prenez pas garde, un affamé peut tendre la main à l'intérieur et vous enlever la nourriture de votre assiette. C'est arrivé souvent.

— Mon Dieu, dit le duc. Dans ce cas je pense que nous ferions mieux de louer une maison.

— J'espérais, dit le docteur, que vous me feriez l'honneur d'être mes hôtes durant votre séjour. Les visiteurs cultivés sont très rares en Haïti, et ce serait un réel plaisir de vous avoir dans ma maison, qui est spacieuse, et même vous, je pense, la trouveriez tout à fait confortable.

— C'est très aimable, dit le duc en s'inclinant légèrement. Je suis sûr que nous serions tous ravis d'accepter pour une nuit ou deux, le temps que nous prenions certaines dispositions par nous-mêmes, mais nous ne voudrions pas vous importuner plus longtemps.

— J'espère que vous reconsidérerez votre décision quand vous aurez passé quelques jours sous mon toit, dit le grand mulâtre en souriant. Laissez-moi vous faire visiter les curiosités du pays. Bien que nos villes soient sans intérêt, nos paysages sont très beaux.

— Je me demande s'il nous serait possible d'assister à quelques cérémonies vaudou ? fit remarquer le duc, avec l'espoir qu'en orientant ainsi la conversation il apprendrait peut-être les noms des principaux pratiquants du vaudou dans l'île, dont l'un était sans nul doute l'ennemi pour la destruction duquel ils avaient effectué ce voyage de plusieurs milliers de kilomètres.

Le docteur leva ses sourcils blancs.

— Ainsi vous vous intéressez au vaudou, hein ? Mais naturellement, bien sûr, puisque vous étudiez les coutumes indigènes. Bien des gens instruits, en Haïti, vous diraient que le vaudou n'est plus pratiqué ici. Les Haïtiens sont les plus grands songe-creux du monde. Ils vous diront qu'ils sont pauvres uniquement parce que les Américains leur ont volé tout leur argent, et si vous leur dites : « Mais n'aviez-vous pas déjà fait banqueroute avant que les Américains arrivent, et ne deviez-vous pas de fortes sommes à l'Allemagne et à la France ? », ils vous répondront : « Ce n'est pas vrai. La France et l'Allemagne disent que nous leur devons de l'argent, mais ils ne nous l'ont jamais donné — ils nous ont trompés en nous faisant signer des documents que nous ne comprenions pas. » En fait, ils vous raconteront n'importe quelle histoire qui leur passe par la tête pour vous faire croire qu'on les traite avec une sévérité excessive et qu'ils sont un peuple ayant plus de principes qu'il n'en a en réalité et, au moment où ils parlent, ils le croient eux-mêmes très honnêtement. Pour ce qui est de la pratique du vaudou, ils éprouvent une grande honte, car ils savent que les Européens considèrent ce culte comme barbare, aussi nieraient-ils absolument pratiquer encore le sacrifice des poulets ou des chèvres aux anciens dieux africains. Mais je suis suffisamment un homme de science pour me rendre compte qu'il serait stupide de nier une chose qui existe réellement. La vérité est qu'aujourd'hui le vaudou est positivement partout en Haïti.

— Parlez-nous-en, docteur, le pria Marie-Lou.

Tandis que le bateau filait sous l'éclatant soleil de l'après-midi, le docteur leur servit un autre verre, leur offrit des cigarettes et alluma lui-même un long cigare.

— Le vaudou, dit-il, a été amené d'Afrique par les indigènes mandingues, quand on les a introduits ici pour la première fois comme esclaves, il y a près de quatre cents ans. C'est une des formes du culte du serpent, mais dans le vaudou il y a deux panthéons de loas — comme on appelle les dieux — le Rada et le Petro.

« Quand je dis deux panthéons, je doix expliquer qu'il y a presque autant de loas vaudou que de galets sur les plages. Mis à part les grands dieux, chaque village d'Haïti a une douzaine, ou plus, de divinités locales qui lui sont propres et résident dans les rochers, les cascades, les rivières et les grands arbres. Mais, parmi les grands dieux que reconnaissent tous les adorateurs du vaudou, ceux de la famille Rada, qui viennent du Dahomey, sont bons, et ceux de la famille Petro, qui viennent du Congo, sont mauvais. Le chef des dieux Rada est Dambala, le dieu des dieux, et partout où un autel lui est consacré vous trouverez un serpent vert, qui est son symbole. Ses principaux aides sont Papa Legba, qui est le dieu de la Porte et dont il faut toujours s'attirer les faveurs avant de pouvoir approcher Dambala, et Papa Loco, le dieu de la Sagesse et de la Médecine. Le chef des dieux Petro est le redouté Baron Cimeterre.

— Le Seigneur du Cimetière ? hasarda de Richleau.

Le docteur approuva de la tête et poursuivit :

— Beaucoup de rites en son honneur sont en rapport avec les morts, et ses prêtres violent souvent les tombes nouvellement creusées dans les cimetières pour se procurer ce qu'ils utilisent au cours de leurs horribles rites. En revanche, il n'y a rien de mauvais dans l'adoration des dieux Rada ; ils représentent le plus vieux de tous les mystères : celui de la source de la vie représentée par le sexe.

« Pour les Européens certaines cérémonies — telle la danse des six voiles, qui est analogue au vol nuptial de la reine des abeilles et au cours de laquelle la mambo, ou prêtresse, expose ses organes sexuels à l'adoration de ses fidèles — sont grossières mais, considérés honnêtement et sans fausse hypocrisie, ces rites ne font qu'exprimer la joie d'une saine passion. »

— C'est, après tout, concéda le duc, la seule chose que le Créateur de la Vie ait donnée sans discrimination à toutes les races, depuis les tropiques jusqu'aux neiges arctiques, et de façon égale pour chacun, quelque pauvre, ignorant ou humble qu'il puisse être, aussi n'est-il guère étonnant qu'un peuple dont les possessions terrestres peuvent, d'une manière générale, être contenues dans une seule couverture considère comme un sujet d'adoration cet unique plaisir qui est à la portée d'eux tous.

— Exactement.

Leur nouvel ami inclina la tête, visiblement satisfait de la sympathique compréhension de de Richleau.

« Les dieux Rada, en tant que divinités de la Santé, de la Fertilité et de la Virilité sexuelle, reçoivent de ce fait en offrande de leurs adorateurs toutes les petites choses superflues qu'ils peuvent économiser sur leurs maigres provisions : parfums, farine de maïs, œufs, fruits, fleurs, liqueurs, gâteaux et huile d'olive. Pour Dambala, chaque offrande doit se faire sur une assiette blanche et l'on sacrifie en son honneur un couple de poulets blancs — une poule et un coq. »

« Au contraire, on recherche les faveurs des dieux Petro par crainte, ou parce que l'on veut du mal à son voisin. Le houngan, ou prêtre, est un personnage redouté dans chaque village, et il fait chanter tout le monde. Qu'il y ait, par exemple, une querelle, et une des parties ira trouver le prêtre pour faire célébrer une cérémonie qui provoquera la maladie ou la mort de son ennemi. Quand, sans raison apparente, l'autre partie tombe malade, ses parents comprennent ce qui s'est passé, aussi vont-ils chez le prêtre et offrent-ils de l'argent pour faire célébrer une autre cérémonie qui lèvera l'envoûtement. La première en est informée et offre une somme supérieure pour que l'envoûtement continue ; et ainsi de suite, le sorcier mangeant aux deux râteliers jusqu'à ce que l'un l'emporte finalement sur l'autre, et que le pauvre diable qui a été envoûté guérisse ou meure. »

— Ont-ils réellement le pouvoir de tuer par leur seule volonté ? demanda Richard.

— Oh, oui. Il n'y a pas le moindre doute là-dessus, mais ils ont aussi une grande connaissance des plantes vénéneuses, et ils les utilisent souvent pour leur cruel dessein, si la personne envoûtée a demandé la protection d'un houngan rival.

— Les gens sont de confession catholiques ici, n'est-ce pas ? dit de Richleau. Comment les prêtres voient-ils tout ça ?

Le docteur Saturday étendit sa longue main fine.

— En Haïti il est impossible au non-initié de dire où finit le catholicisme et où commence le vaudou.

— Voilà une bien grave accusation contre l'Eglise, fit remarquer Rex.

— Non, non, protesta le docteur. Je ne l'entends pas de cette façon. Les bons pères abominent naturellement ces pratiques et les combattent depuis des siècles mais, quand vous visiterez nos villes et nos villages, vous aurez l'impression que toute la population — même dans les lointains hameaux — est constituée de très fervents catholiques, alors qu'en fait ce n'est pas ça du tout.

Marie-Lou fronça les sourcils.

— J'ai peur de ne pas comprendre.

— Voici ce qu'il en est. Les Haïtiens sont encore très primitifs. Relativement rares sont ceux qui savent lire et écrire. Ils n'ont pas la moindre littérature écrite, mais seulement des contes populaires maintes fois répétés et de vieilles plaisanteries qu'ils racontent au coin du feu, et ils n'ont pas d'artistes. En conséquence, ils n'ont jamais produit quelqu'un qui soit capable de dessiner des images originales des dieux vaudou, des images susceptibles d'être acceptées comme leur représentation type. Aussi, il y a bien longtemps, ils ont imaginé un expédient : utiliser les images des saints catholiques pour figurer les loas vaudou. Pour Dambala, ils ont adopté saint Patrick, tout simplement parce qu'il y a toujours un serpent sur les images qui le représentent. Pour Papa Legba, ils utilisent une image de saint Jean-Baptiste, pour Papa Loco une image de saint Joseph, etc. Le résultat, c'est que sur toute l'île vous verrez des autels apparemment consacrés au culte des saints catholiques, mais en réalité utilisés dans un but très différent.

— Y a-t-il, dans le vaudou, seulement des dieux, ou bien y a-t-il aussi des déesses ? demanda Marie-Lou.

— Je crains, madame, que les femmes n'occupent encore chez la plupart des peuplades nègres qu'un rang très bas, répondit le docteur sur le ton de l'excuse. Elles sont la propriété des hommes qui considèrent que leur finalité dans la vie est d'être possédées selon leur bon plaisir à eux quand elles sont jeunes, et d'être utilisées comme bêtes de somme quand elles sont vieilles, aussi ne serait-il pas naturel que les Haïtiens se prosternent devant des divinités féminines. Pourtant, si tous les dieux ont une femme en tant qu'attribut naturel de prospérité et de puissance, ces femmes sont à peine plus que des servantes pour les loas. Il n'existe qu'une unique et extraordinaire exception. C'est une dame appelée Erzulie Frieda, qui est une déesse de plein droit et qui a probablement plus le pouvoir d'affecter le destin des hommes que toute autre divinité féminine adorée de nos jours dans le monde.

— C'est terriblement intéressant, murmura Marie-Lou, et le docteur poursuivit :

— Elle est souvent représentée sous les traits de la Vierge Marie, mais elle n'a absolument rien de commun avec la mère de Jésus-Christ. Pour vous en donner une idée plus précise, imaginez une vivante Vénus ayant le pouvoir de se transformer en mortelle et d'entrer dans le lit de milliers de ses adorateurs chaque nuit du jeudi au samedi. Ses amants la décrivent toujours comme une jeune mulâtresse d'une extrême beauté, d'une scrupuleuse propreté, dégageant un parfum enivrant, avec un corps mince et pourtant mûr, inspirant un désir insatiable, et qui détient à la fois la technique et l'art de l'amour de toutes les femmes ayant jamais vécu.

Le docteur s'arrêta un instant pour attirer leur attention sur un banc de poissons volants qui allaient d'une crête de vague à une autre, à moins de dix mètres des hublots de la cabine, puis il continua :

— Le culte d'Erzulie est, je pense, la chose la plus remarquable qui soit liée au vaudou, parce qu'il n'est pas l'objet d'une cérémonie occasionnelle ou d'une dévotion à laquelle on puisse se livrer pour l'abandonner ensuite à volonté. Chaque année, en Haïti, des milliers de jeunes hommes reçoivent son appel et doivent y répondre, qu'ils le veuillent ou non. Au début, ils ne réalisent pas ce qu'il leur arrive : ils tombent malades et leurs rêves sont troublés. Un jeune homme entrevoit dans son sommeil de magnifiques vêtements féminins et respire de délicieux parfums, mais rien de tangible, rien qu'il puisse identifier. Ensuite, la déesse apparaît plus ouvertement et excite son désir. Et s'il consulte un prêtre en lui décrivant les symptômes de sa maladie, celui-ci lui apprend qu'Erzulie lui a fait l'honneur de le choisir pour amant.

« Quelquefois, le jeune homme est extrêmement affligé, car il est amoureux d'une mortelle ou simplement heureux en mariage, mais il n'a aucune échappatoire si Erzulie a jeté sur lui le regard du désir. Toutes sortes de maladies l'assaillent, jusqu'à ce qu'il se rende, ce qu'il fait alors, dans la plupart des cas, très volontiers. Pour recevoir la déesse, il lui réserve dans sa maison une chambre avec un lit d'un blanc immaculé, et des offrandes de sucreries, de vins et de fleurs. Sous peine de châtiments d'une incroyable horreur, nulle autre femme ne peut entrer dans cette pièce. Il célèbrera ensuite une cérémonie spéciale au cours de laquelle il se consacrera à la déesse et deviendra son serviteur pour le restant de sa vie. »

— S'il a une femme, cela doit être très dur pour elle, fit remarquer Marie-Lou.

— Oui, en effet, madame, convint le docteur, car Erzulie est l'ennemie de toutes les femmes. Elle est capable d'attirer les plus cruels malheurs — même la mort — sur toute personne qui chercherait à éloigner d'elle un de ses amants. La jalousie d'Erzulie Frieda est quelque chose de terrible, et il n'est pas une femme en Haïti, quelque offensée qu'elle puisse être par la perte de son amant ou de son mari, qui oserait contrecarrer la déesse.

Pendant un long moment, ils continuèrent à parler des coutumes, des croyances étranges et des superstitions des Haïtiens soumis à la tyrannie du vaudou, puis de bien d'autres choses, tandis que le soleil descendait graduellement dans le ciel, et que le canot poursuivait sa course vers Port-au-Prince. Le docteur Saturday se révéla être une remarquable mine de renseignements sur l'île, ses habitants, sa flore, sa faune et même ses poissons. Ses grandes dents d'une extraordinaire blancheur luisaient à chacun de ses fréquents sourires et il était manifestement très désireux de plaire. Richard cependant n'aimait pas la façon dont l'équipage indigène courbait l'échine à chaque ordre du docteur, puis bondissait pour obéir sans dire un mot, mais il supposa que, probablement, même les plus aimables des mulâtres traitaient leurs serviteurs nègres à peine mieux que des esclaves. Quant à Marie-Lou, elle aurait souhaité que leur nouvel ami ne fît pas un aussi fréquent usage du crachoir placé juste devant la porte de la cabine. Mais tous se considéraient comme extrêmement chanceux d'avoir été recueillis par un homme de sa qualité et estimaient que s'il représentait un échantillon typique des classes supérieures haïtiennes ce peuple avait été fort calomnié.

La nuit tombait quand le canot entra enfin dans le port et se faufila au milieu d'un conglomérat de bateaux délabrés. La grande chaleur de la journée était maintenant passée depuis longtemps, mais la fraîcheur du soir ne soulagea que peu la douleur des membres chez le duc et ses amis. De fréquentes applications du liniment du docteur avaient fait disparaître le plus aigu de l'élancement cuisant de leurs brûlures au cours des trois heures et demie de traversée dans le bateau, mais maintenant c'était comme si on était en train de les faire rôtir lentement devant un feu ardent.

Comme ils avaient tous attrapé auparavant des coups de soleil, à différentes occasions, ils savaient les tortures qui les attendaient durant la nuit à venir, et peut-être même, étant donné la gravité de leurs brûlures, au cours des jours suivants, aussi s'efforçaient-ils de prendre leur souffrance avec philosophie et de se consoler à l'idée qu'ils étaient bien vivants. Mais il leur était pourtant difficile de détacher totalement leur esprit de la brûlante rougeur qui s'étendait sur leur peau desséchée.

Au bord du débarcadère, le docteur ordonna au conducteur d'une Ford délabrée de suivre sa propre voiture qui l'attendait. Entassés dans les deux véhicules, ils passèrent devant les rares et prétentieux immeubles de brique du centre de la ville, traversèrent les banlieues marécageuses qui l'entouraient, où les seules habitations étaient des cabanes croulantes et des masures de terre sordides, puis, pendant trois ou quatre kilomètres, ils gravirent des collines jusqu'à ce qu'ils eussent atteint une longue maison basse devant laquelle s'étendait une large véranda. S'excusant de les précéder, le docteur Saturday les conduisit à l'intérieur et leur souhaita la bienvenue, tandis que ses boys noirs couraient dehors chercher le poisson qu'il avait pris quelques heures plus tôt.

Au centre de la bâtisse se trouvait une immense pièce, haute de plafond et ouverte aux deux extrémités, de sorte que l'air pouvait circuler librement sur toute sa longueur durant les heures de grande chaleur de la mi-journée. Elle était meublée convenablement, mais de façon quelque peu disparate, dans le style français surchargé des années 1890, mais les livres et le combiné radio-phono, ainsi que l'ordre immaculé, montraient que le docteur vivait à la manière d'un Européen cultivé.

Ne s'arrêtant que pour ôter son panama, qui révéla une belle toison bouclée d'un blanc de neige, il les conduisit dehors, le long de la véranda, jusqu'à une suite de chambres ; toutes étaient meublées de façon parcimonieuse mais soignée ; les fenêtres étaient munies de stores et de cadres de fin grillage pour empêcher les moustiques d'entrer. Il leur montra aussi une douche derrière la maison et un lavabo équipé d'un chauffe-eau. Sortant une pile de serviettes d'un placard, il leur dit penser qu'ils aimeraient faire un brin de toilette, pendant qu'il préviendrait son personnel qu'il avait des invités pour quelque temps, afin que des couverts soient ajoutés pour le dîner, et que toutes dispositions soient prises.

Dès qu'ils furent seuls, de Richleau les convoqua tous dans sa chambre. Son visage était d'une exceptionnelle gravité quand il dit :

— Dieu sait que je n'ai jamais imaginé une seconde que nous allions nous mettre dans un aussi fichu pétrin.

— Pétrin ? répéta Rex. J'estime que nous avons eu une chance énorme. Ce vieux doc a l'air d'un chic type. Il n'aurait pu être plus aimable ; et cet endroit est le Ritz, comparé à tout ce que nous trouverions dans cette ville pouilleuse. Sacrébleu, nous avons déjà eu pas mal de chance d'être recueillis, mais l'avoir été par un vieux type civilisé, qui veut que nous restions avec lui à demeure, me semble une chance exceptionnelle.

— Idiot ! lança le duc. N'avez-vous pas réalisé que tout mon attirail destiné à notre protection a coulé avec l'avion ? Nous sommes en Haïti et notre ennemi doit le savoir à cette heure. A l'instant où nous nous endormirons, ce soir, nous serons complètement à la merci de l'entité maléfique que nous sommes venus combattre ici.

CHAPITRE XVI

L'île maléfique

— Sacré nom de nom ! s'exclama Richard. Et dire que l'idée que vous aviez perdu tout votre matériel de protection ne m'a pas effleuré un instant !

— Moi, si, dit Marie-Lou. Je m'en suis inquiétée à différentes reprises tout au long de l'après-midi.

Rex fit la grimace.

— Il semble alors que nous soyons dans un satané pétrin.

De Richleau reprit la parole avec une incroyable amertume.

— Sans les objets nécessaires à la confection d'un pentacle convenable, nous sommes aussi vulnérables que si nous étions à découvert face à une batterie de mitrailleuses.

— J'espérais que vous pourriez remplacer, à Port-au-Prince, la plupart des objets perdus.

Le duc secoua la tête.

— Quelques-uns peut-être, mais quand nous l'avons traversé en voiture, il y a un quart d'heure, vous avez vu quel endroit perdu c'est. Seul un herboriste ou un pharmacien de première classe pourraient me fournir ce qu'il me faut, et je doute qu'on trouve l'un ou l'autre plus près que Kingston.

— La Jamaïque n'est qu'à trois cents kilomètres, murmura Rex.

— A vol d'oiseau, par mer cela doit faire près de cinq cents.

Richard calculait rapidement.

— Si nous pouvions trouver une goélette à moteur ou une vedette de haute mer qui file quinze nœuds nous pourrions le faire en vingt heures.

— Pour sûr, approuva Rex. Et nous trouverons un bateau sans problème. Dieu merci, j'avais mon portefeuille sur moi au moment de l'accident ! De bons dollars américains achèteront n'importe quoi ici.

— Ils achèteront aussi un avion à la Jamaïque, ajouta le duc.

— Un avion ? reprit Marie-Lou. Pour quoi faire ?

— Le voyage de retour, répondit-il avec calme. J'ai l'intention de rester ici et de braver l'orage pendant que vous autres irez à Kingston chercher ce dont nous avons besoin ; mais il vous faut revenir le plut tôt possible, car je n'oserai pas dormir un instant jusqu'à votre retour.

— Zyeuxgris, ce n'est pas possible ! protesta Marie-Lou. Ce serait pure folie. Même si nous réussissons à atteindre Kingston en vingt heures, nous aurons besoin d'au moins quatre ou cinq heures pour y faire nos achats et trouver un avion. Ensuite, il faut compter deux heures de vol pour le retour. Il n'est guère pensable que nous soyons revenus en moins de trente heures, et vous n'avez déjà pas dormi depuis environ douze heures. Non. Nous devons tous partir d'ici aussi vite que possible et nous empêcher l'un l'autre de nous endormir jusqu'à ce que nous puissions dresser un pentacle à Kingston.

De Richleau eut un pâle sourire.

— Je pense que vous devriez pouvoir aller plus vite que ça. Il doit y avoir ici des bateaux qui filent dix-huit nœuds. Dans ce cas, vous pourriez être à Kingston demain avant une heure. Quatre heures devraient vous suffire pour vous procurer ce dont nous avons besoin et deux heures sont effectivement nécessaires pour votre vol de retour. En vous accordant une heure de plus en cas de difficulté vous pourriez encore être de retour ici en moins de vingt-quatre heures. Je suis désolé, princesse, je sais le risque que je cours en pariant à quelques heures près, mais je dois absolument rester.

— Au nom du ciel, *pourquoi* ? gronda Rex.

— Parce que notre ennemi ne peut être en deux endroits à la fois, même sur le plan astral. Comme je suis de loin le plus fort d'entre vous, il est certain qu'il va concentrer toute sa force contre moi. Si je reste ici, vous pourrez aller librement à la Jamaïque et en revenir, et vous pourrez dormir en route ; mais, si j'allais avec vous, nous devrions tous rester éveillés et soutenir une autre attaque de sa part la nuit prochaine. Comme il s'est révélé assez puissant pour détruire notre avion ce matin, quel moyen aurions-nous de l'empêcher d'exécuter un nouveau tour de magie pour soulever les eaux et provoquer le naufrage de n'importe quel bateau à bord duquel nous tenterions tous quatre de faire le voyage ?

— Vous avez raison, admit Richard. Si nous partons tous, il y a un grand risque que nous soyons envoyés par le fond tous à la fois, tandis que, vous sachant la cheville ouvrière de tout le groupe, si vous restez ici, il ne voudra certainement pas perdre de temps avec nous. Mais, Dieu tout-puissant, nous ne pouvons pas vous laisser ici seul — c'est impossible !

De Richleau posa la main sur son bras.

— Il le faut, Richard, et je m'arrangerai pour m'en sortir d'une manière ou d'une autre.

Les autres se joignirent à Richard pour insister afin que le duc permette à l'un d'eux de rester avec lui, mais il fut inflexible dans son refus et coupa court à leurs arguments, faisant remarquer que plus tôt ils partiraient, meilleures seraient leurs chances de revenir avant qu'il ne s'endorme debout de simple épuisement.

— Ne perdez plus une minute à discuter, les pressa-t-il, partez tout de suite. J'inventerai quelque excuse pour expliquer votre soudaine disparition au docteur Saturday.

Ils n'avaient aucun bagage à faire, rien à emporter, sinon ce qu'ils avaient sur eux, le nécessaire de toilette de Marie-Lou et la sacoche de Richard et tous se rendaient désormais compte de l'impérieuse nécessité de ne pas perdre un seul instant. Le duc établit donc rapidement la liste des onze objets dont il avait besoin et la remit à Richard. Puis, dissimulant autant qu'ils le pouvaient leurs appréhensions pour leur chef bien-aimé, ils lui dirent au revoir et, quittant la chambre par la porte-fenêtre à moustiquaire qui donnait sur la véranda, ils entreprirent la marche d'un quart d'heure qui les séparait de la ville.

Il était exactement huit heures. La nuit était tombée et de Richleau demeura là, les regardant s'éloigner dans les ténèbres tropicales d'une douceur de velours. Les grenouilles d'arbre avaient commencé leur concert nocturne dans les branches d'un grand banian qui se dressait devant la maison et les lucioles voletaient à travers les arbustes. Il n'y avait pas le moindre souffle de vent et les feuilles de palmier, immobiles, pendaient avec grâce, se découpant en noir sur le ciel pourpre. Le tiède crépuscule était embaumé du parfum des ipomées bonne-nuit qui s'ouvraient dans le jardin, et les étoiles apparaissaient dans le ciel de la baie.

Au-dessous de lui, dans le lointain, clignotaient les lumières de Port-au-Prince, transformant ce dépotoir sordide et nauséabond en cité féerique. Le paysage nocturne était d'une calme et paisible beauté, mais de Richleau savait qu'il portait en lui un maléfice mortel. Au loin un tambour battait sur un rythme rapide, invoquant un des cruels et lubriques dieux vaudou au cours d'une cérémonie aussi ancienne que le Temps. L'île semblait en paix, mais la sensibilité du duc aux atmosphères immatérielles lui disait que la sombre perspective tout entière était empoisonnée d'émanations maléfiques et de pulsions primitives et sensuelles.

Un léger frisson parcourut son corps et, se ressaisissant, il se détourna, sentant qu'il aurait besoin de toute sa résolution farouche pour l'épreuve qu'il était appelé à affronter. Il savait qu'aussi longtemps qu'il pourrait rester éveillé il serait à l'abri de tout, excepté d'une agression physique, et il ne croyait pas vraisemblable que son adversaire tente de l'assassiner, pour le moment en tout cas. Mais tant d'heures à rester, non seulement éveillé, mais vigilant, cela fait beaucoup. Il avait déjà eu une journée exceptionnellement fatigante, et pourtant elle avait représenté moins du tiers du temps qui restait. Il devrait demeurer, sur le plan physique, conscient et prêt à faire face à n'importe quelle circonstance critique, jusqu'à huit heures le soir suivant. Et encore : il avait spécieusement annoncé à Rex qu'il serait facile de louer un avion à Kingston pour le voyage de retour, mais en serait-il ainsi ?

La capitale de la Jamaïque est reliée par des lignes aériennes aux autres principales îles des Antilles et aux Etats-Unis, mais tous les dollars de Rex ne lui permettraient d'acheter ou de louer aucun des appareils actuellement en service. Or, Kingston n'est pas de ces grandes villes où il suffit de se rendre à l'aéroport pour affréter un avion privé en l'espace d'une demi-heure. Il leur faudrait probablement trouver un propriétaire privé qui consente à louer ou à vendre. Cela représenterait du temps passé à dénicher le personnage d'abord, puis à le persuader de conclure l'affaire.

S'ils n'y parvenaient pas au plus tard à six heures, ils ne pourraient pas rentrer en Haïti avant la nuit et, comme le terrain de Port-au-Prince n'est pas équipé pour les atterrissages de nuit, ils devraient différer leur retour jusqu'au petit matin. Pour le duc, cela signifierait presque quarante-huit heures consécutives sans dormir. Il connaissait ce risque lorsqu'il les avait envoyés là-bas, mais c'était une sombre pensée à ruminer maintenant qu'il était seul.

En outre, il n'était plus tout à fait certain que l'ennemi permettrait aux autres d'accomplir leur voyage sans intervenir. Le duc avait senti qu'il valait mieux prendre ce risque, plutôt que de rester tous sans défense en Haïti et être écrasés. Il était raisonnablement sûr que l'ennemi continuerait à se tenir à l'affût, heure après heure, prêt à fondre sur lui à la seconde où il s'endormirait, mais il n'avait aucune garantie absolue qu'il en serait ainsi, et ce qui pourrait arriver à ses amis, là-bas sur les eaux obscures, s'il se trompait, lui causait encore plus de souci que sa périlleuse situation personnelle.

Cependant une des plus évidentes qualités de de Richleau était le courage face à l'adversité, aussi essaya-t-il de se réconforter à la pensée que, quelque horribles puissent être les épreuves qui les attendaient, lui et ses amis, les Puissances de Lumière sont plus grandes que les Puissances des Ténèbres et que, de ce fait, si seulement ils supportaient sans vaciller tout ce qui leur était envoyé, même s'ils perdaient leur vie terrestre dans cette sombre bataille sans armes, leurs efforts et leur défi au Mal leur seraient comptés dans ces vraies vies qu'ils ne pouvaient perdre — parce qu'elles sont éternelles.

Il aurait donné cher pour pouvoir prendre une douche chaude, à la fois pour se débarrasser de la saleté et de la poussière de la journée et pour se rafraîchir mentalement, mais ses brûlures étaient trop mauvaises pour qu'il s'y risquât ; il savait d'expérience qu'il n'y avait rien de plus propre à aggraver la douleur d'un violent coup de soleil, aussi, en se rendant à la salle de bains, dut-il se contenter de se laver les mains et de tamponner doucement son visage rougi.

Quand il revint dans sa chambre, il s'arrêta sur le seuil, stupéfait et consterné. Marie-Lou était assise sur le bord de son lit.

Ses yeux gris sondèrent les siens et il la rabroua sur un ton qu'elle ne lui avait jamais connu, s'adressant à elle.

— Pourquoi êtes-vous revenue ?

Elle secoua la tête, quelque peu désemparée.

— Ne soyez pas en colère contre moi, cher Zyeuxgris, il le fallait.

— Pourquoi êtes-vous revenue ? répéta-t-il.

Elle étendit ses petites mains.

— Quand on est déjà éveillé depuis treize heures, vingt-quatre heures supplémentaires cela fait très long, et nous savons tous les deux qu'il faudra peut-être beaucoup plus pour cet aller-retour. Une personne seule serait presque certaine de s'endormir, mais deux pourraient s'arranger pour se tenir éveillées l'une l'autre. Avant demain après-midi vous vous sentirez à bout, et avant le soir vous seriez resté assis tout seul, heure après heure, dans cette chambre, avec la douloureuse envie de fermer les yeux ; aussi... aussi ai-je décidé de revenir pour vous tenir compagnie.

— Qu'en a dit Richard ? demanda-t-il sévèrement.

— Naturellement il n'a pas du tout aimé l'idée que nous soyons séparés en un pareil moment, mais il a convenu que j'avais raison — et j'*ai* raison — vous le savez, Zyeuxgris. Nous avons toujours travaillé en équipe, et continuer dans cette voie est notre seule chance de nous tirer d'affaire. Je ne pouvais être du moindre secours aux autres, mais je puis vous être très utile à vous, et il est trop tard de toute façon pour essayer de me renvoyer avec eux, parce que, en ce moment, ils doivent se préparer à quitter le port. Dieu sait ce qui nous arrivera, mais, quoi que nous ayons à affronter, nous mènerons la chose à bien ensemble.

L'expression de de Richleau se modifia soudain et sa voix se fit très douce tandis qu'il lui prenait la main et la baisait.

— Dieu vous bénisse, princesse, pour votre magnifique courage. Et j'aurai aussi une grande dette envers Richard pour la merveilleuse générosité dont il a fait preuve en vous laissant partir. Vous avez raison, bien sûr, nous pourrons nous aider l'un l'autre à rester éveillés, et le fait même de vous avoir près de moi va décupler ma détermination à ne pas céder.

Elle se leva et l'embrassa sur la joue avant de dire :

— Je me demande ce que sont devenus Simon et Philippa ? J'ai été terriblement inquiète à leur sujet tout l'après-midi.

— Je ne pense pas que nous ayons à nous inquiéter outre mesure, répondit le duc. Comme je vous l'ai dit juste avant que le docteur Saturday ne nous recueille, je sais qu'ils ont atteint le rivage sains et saufs. Je supose que cette grande île n'est pas très peuplée, et ils ont probablement dû marcher quelques kilomètres avant d'arriver à un village où trouver un bateau de pêche pour partir à notre recherche. Si c'est le cas, il leur aurait été extrêmement difficile de retrouver l'avion, à supposer qu'il ait été encore à flot le temps qu'ils y parviennent. En conséquence, ils ont beaucoup plus de raisons de s'inquiéter pour nous, et à l'heure actuelle ils pensent probablement que nous sommes tous les quatre noyés.

— Croyez-vous cependant vraisemblable que l'ennemi les attaque cette nuit ?

— Non. D'une part il ne sait probablement pas encore qu'ils ne sont plus avec nous et il ne lui sera guère facile de les localiser, d'autre part il reste à peu près certain qu'il va concentrer ses efforts sur nous. Il est heureux que Philippa comprenne le créole car, elle écrivant ce que Simon doit dire, ils doivent être capables, ensemble, de s'assurer le vivre et le couvert sans trop de difficultés. Il peut se passer quelques jours avant qu'ils apprennent que nous avons été sauvés, mais il est sûr qu'ils le sauront et qu'ils s'arrangeront le moment venu pour nous rejoindre.

Il se retint d'ajouter :

« Si nous sommes encore là », mais Marie-Lou était aussi parfaitement consciente que lui de ce risque, aussi changea-t-elle promptement de sujet :

— Qu'allons-nous faire avec le docteur Saturday ? Il va bientôt venir prendre de nos nouvelles. Comment allons-nous lui expliquer la disparition de Richard et de Rex ?

— J'y pensais à l'instant, tout en faisant toilette — ce qui me fait penser de vous dire que vous ne devez pas prendre de bain, quelle que soit l'envie que vous en ayez, car cela rendrait presque insupportable la douleur causée par vos brûlures. Saturday a l'air d'être un chic type et, comme c'est quelqu'un d'instruit, il est peu vraisemblable qu'il s'adonne au vaudou, mais il y a de grandes chances pour que la plupart de ses boys en soient des adeptes.

« De l'un d'entre eux, notre ennemi peut déjà avoir appris notre arrivée ici, et il est important que nous l'empêchions de savoir — du moins de source humaine — que Richard et Rex ont quitté l'île. Heureusement, nous n'avons pas donné au docteur nos véritables noms, ni de détails sur nous-mêmes, aussi, le fait que Richard et vous êtes mariés n'est-il pas connu. Voici donc ce que je propose de lui dire : »

« Nous ne voyageons tous les quatre ensemble que par commodité. En réalité nous formons deux groupes distincts. Nous adopterons ce que Philippa nous a raconté à propos de son oncle et d'elle-même. Je suis un savant s'intéressant aux coutumes indigènes et vous êtes ma nièce. Des deux autres nous ne savons pas grand-chose, sauf que leurs activités ont quelque chose à voir avec la guerre — il s'agit, *pensons-nous*, d'empêcher les sous-marins allemands d'occuper des bases dans les îles des Antilles. En tout cas ils nous ont demandé de les excuser auprès du docteur, car il était important qu'ils voient le consul britannique ici dans les plus brefs délais, aussi sont-ils descendus en ville pour le trouver. »

« Quand on ne les verra pas revenir, on supposera qu'ils passent la nuit auprès du consul, et le docteur ne pourra vérifier car il n'a pas le téléphone. Plus tard, quand ils n'auront toujours pas donné de leurs nouvelles, cela sera considéré comme un manque de savoir-vivre, mais le docteur n'y pourra rien, et, quand ils reviendront effectivement, nous devrons les inviter à donner des explications et à faire les excuses qui s'imposent.

— Dans la mesure où il est important que notre ennemi n'apprenne pas, par les boys, qu'ils sont partis en bateau, afin qu'il ne tente pas de les trouver et de les détruire, je pense que c'est une excellente histoire, déclara Marie-Lou.

— Bon. Le duc eut un sourire. « Alors ma belle nièce ferait bien de s'apprêter, puis nous irons dire à notre hôte que le nombre de ses invités s'est, de manière inattendue, réduit de moitié. »

Dans le nécessaire de toilette de Marie-Lou nombre de produits avaient été abîmés par l'eau salée, mais d'autres avaient repris leur consistance en séchant au soleil. Elle put ainsi se refaire une beauté. Pourtant elle était très préoccupée de la rougeur de son large front et de son petit nez. Elle avait fait de son mieux pour les protéger, mais ils avaient pris un tel coup de soleil qu'elle savait qu'ils allaient peler et qu'elle aurait l'air d'un épouvantail pendant au moins une quinzaine de jours ; elle se ressaisit pourtant et eut un triste petit sourire pour son reflet dans le miroir. Si son moi véritable était encore dans son corps actuel d'ici une quinzaine, il était virtuellement certain qu'ils auraient réussi dans leur mission et seraient sur le chemin du retour vers l'Angleterre. Mais, pour l'instant, il semblait y avoir toutes les probabilités pour que la prochaine fois qu'elle quitterait son corps elle ne puisse jamais y revenir, et que dans moins de quarante-huit heures celui-ci soit un déchet en voie de décomposition.

Une telle possiblité ne l'effrayait pas du tout, car elle n'avait pas peur de la mort. C'était seulement, elle le savait, l'éveil à une existence beaucoup plus pleine et vivante, mais la pensée que sa présente incarnation était peut-être à moins de quelques heures de son terme l'attrista beaucoup. Au cours de celle-ci, il lui était échu en partage nettement plus de bienfaits du sort et de bonheur qu'à la plupart des jeunes femmes. Elle avait retiré une grande joie de son joli petit corps et répugnait excessivement à s'en séparer. Mais, au-delà de tout, il y avait Fleur, qui resterait orpheline en Angleterre, et son Richard adoré, dont le destin décréterait peut-être qu'il devait continuer à vivre, seul et séparé d'elle, sauf lors de très occasionnelles rencontres sur le plan astral — puisqu'il est écrit que celui qui part ne doit pas chercher à occuper l'esprit de ceux qui restent et que les affligés ne doivent pas s'efforcer de rappeler ceux qui s'en sont allés.

Dix minutes plus tard, elle rejoignait de Richleau, et tous deux se dirigèrent vers la vaste salle de séjour. Le docteur Saturday les y attendait et il s'avança aussitôt pour annoncer que le dîner serait prêt d'un instant à l'autre. En attendant, il espérait qu'ils aimeraient le cocktail qu'il venait juste de préparer.

Tandis qu'ils le dégustaient, le duc expliqua l'absence des deux autres. C'était un magnifique menteur et son histoire fut dite avec tant d'art que le docteur ne parut pas douter un instant. De Richleau ajouta doucement qu'ils se seraient rendus au consulat britannique dès leur arrivée en ville, vu la nature urgente de leur travail, s'ils n'avaient pas été aussi épuisés et à demi hébétés à la suite de leur terrible mésaventure où ils avaient de justesse échappé à la mort. C'est seulement après avoir un peu récupéré qu'ils avaient réalisé la gravité de leurs responsabilités.

« Et, conclut-il impudemment, ils vous ont cherché partout pour s'excuser, mais n'ont pas réussi à vous trouver. »

Le docteur Saturday exprima une surprise modérée, disant qu'il devait être dans son bain à ce moment-là. Toutefois, si leurs compagnons revenaient, ils seraient toujours les bienvenus. Mais, étant donné l'heure et le fait qu'ils avaient perdu tous leurs bagages, il croyait probable que le consul britannique insisterait pour les héberger pour la nuit.

Quelques instants plus tard, le premier boy apparut. Il n'annonça pas le dîner, se bornant à s'incliner sur le seuil et à les précéder dans la salle à manger, située du côté le plus éloigné de la vaste entrée. Tandis que le docteur Saturday les priait de s'asseoir, il signala en passant que tous ses domestiques étaient des muets qu'il avait engagés et formés par compassion. Il s'excusa ensuite pour la chère qu'on allait leur offrir : s'il avait eu plus de temps il se serait procuré quelque chose de plus convenable mais, pour le dîner de ce soir, il espérait que cela ne les dérangerait pas de manger des plats du pays.

Le repas fut principalement constitué de fruits et de légumes, avec un seul plat de ragoût de viande, qu'à son fumet prononcé de Richleau reconnut être de la chèvre ; mais elle était si tendre, et les fruits de l'île si délicieux que Marie-Lou et lui qui, n'ayant pas déjeuné, se trouvaient tous deux avoir une faim de loup, apprécièrent pleinement le repas.

Après quoi ils s'assirent dans la demi-obscurité sur la large véranda, devant le vaste salon, et le duc, souhaitant occuper autant que possible l'esprit de Marie-Lou avant qu'ils se retirent pour veiller tout au long de la nuit, encouragea le docteur à leur parler encore de l'île.

— Haïti n'as pas d'équivalent au monde, dit le docteur et, bien que son histoire ne remonte guère à plus de quatre cents ans, je doute qu'aucun autre pays puisse rivaliser avec notre île en nombre d'effusions de sang, de trahisons et de massacres. Je pourrais vous en parler durant des heures, mais je crains de vous ennuyer.

— Non, non, dit Marie-Lou, je vous en prie, parlez-nous des révolutions et autres événements passionnants qui se sont produits ici.

— Très bien, alors.

Les dents du docteur brillèrent le temps d'un sourire et il commença :

« C'est presque comme si, dès l'origine même, une malédiction avait pesé sur l'île. A l'époque où Christophe Colomb la découvrit, les cinq différentes tribus d'Indiens Caraïbes qui l'habitaient étaient déjà perpétuellement en guerre entre elles. Les Espagnols les convertirent au christianisme à la pointe de l'épée et s'efforcèrent de les réduire en esclavage, mais le Caraïbe est un être étrange, très différent du nègre. Il est primitif mais fortement indépendant et, dans la plupart des cas, les aborigènes préférèrent mourir plutôt que travailler sous les ordres de maîtres étrangers. En conséquence, les Européens furent contraints d'importer un grand nombre d'esclaves africains pour les faire travailler dans leurs plantations. »

« Haïti était le nom indigène de l'île — il signifie pays montagneux — mais Christophe Colomb la rebaptisa Hispaniola, et plus tard, sous l'occupation française, son nom fut de nouveau changé en Saint-Domingue. D'ailleurs la partie occidentale de l'île, la plus vaste, est, comme vous le savez sans doute, une république indépendante appelée encore aujourd'hui Santo Domingo. Au milieu du dix-septième siècle, elle était devenue un des repaires favoris des pirates qui sillonnaient la mer des Antilles, particulièrement la petite île de Tortuga, qui s'étend au large de la pointe nord, du fait qu'elle possède de nombreuses plages de sable qui leur étaient très utiles pour mettre leurs bateaux en rade et les caréner. »

« Pendant près de deux cents ans, les Français furent les maîtres ici. Sous les règnes, en France, de Louis XV et de Louis XVI beaucoup de nobles et riches familles avaient de grands domaines dans l'île, mais la Révolution Française mit fin à cela. Louverture, Christophe, Dessalines et Pétion, que nous considérons comme des héros nationaux, menèrent une série de révoltes et, en 1804, les Européens furent finalement chassés. »

« Malheureusement, le fait d'avoir acquis son indépendance n'apporta pas grand-chose de bon à Haïti. Une nouvelle guerre civile éclata entre les nègres et les mulâtres, lesquels, étant plus riches et beaucoup plus intelligents, furent capables de maintenir leur position contre les nègres pourtant beaucoup plus nombreux. Hélas, la haine entre les deux parties de la population dure encore et ces luttes intestines ont été la ruine de notre peuple. C'est à cause d'elles qu'au lieu de travailler ensemble en bonne intelligence, de façon à jouir du bel héritage que les Français nous avaient laissé, nous nous sommes querellés et battus. Les neuf dixièmes des terres cultivées sont ainsi revenues à l'état de forêt vierge. Même les belles demeures des riches colons français sont devenues des maisons de rapport surpeuplées que personne n'avait la responsabilité d'entretenir, de sorte que, peu à peu elles sont tombées en ruine. »

« Mais la pire malédiction a encore été l'absence d'honnêteté chez nos dirigeants élus. Pas un d'entre eux n'a jamais accordé la moindre pensée au bonheur de notre peuple. Ils ont intrigué et assassiné pour conquérir le pouvoir dans l'unique but de mettre la main sur le trésor public. Comme tous ceux qui y sont parvenus ont trouvé la caisse vide, ils ont, pendant quelques mois, à chaque fois, tenu leurs rivaux en échec, en les tuant ou les emprisonnant, jusqu'à ce que les maigres impôts arrachés au peuple constituent une somme suffisamment rondelette. Et ils ont tous, ensuite, filé de nuit à la Jamaïque, puis à Paris dont les boulevards, avec leurs brillantes lumières et leurs femmes blanches, sont La Mecque de tous les Haïtiens.

— Il est surprenant qu'aucun d'entre eux n'ait essayé de tirer parti des ressources naturelles du pays, fit remarquer le duc. Le sol est si riche qu'il pourrait être la source d'énormes bénéfices avec très peu de travail. On m'a toujours laissé entendre qu'il y a de grandes richesses minières dans cette île, qui ne demandent qu'à être convenablement exploitées.

— C'est exact, admit le docteur. En particulier, or, argent, cuivre, fer, antimoine, étain, soufre, charbon, nickel sont ici à qui veut les prendre, mais de telles entreprises audacieuses exigent des capitaux. Or, chaque fois qu'un gouvernement haïtien a emprunté dans ce but de l'argent à une puissance européenne, notre président du moment a promptement décampé avec le magot, laissant notre malheureux peuple dans une situation pire que la veille à cause de la dette contractée.

— Vos gouvernements auraient sûrement pu vendre une concession à une des grandes sociétés minières européennes ou américaines ? suggéra le duc.

Le docteur secoua la tête.

— Non. Cela, ils ont refusé de le faire. Accorder n'importe quelle concession de ce genre aurait signifié donner un statut permanent à des ingénieurs et à des hommes d'affaires blancs dans l'île, ce qui aurait mis fin depuis longtemps aux abus de nos politiciens, car les Blancs auraient officiellement rapporté à leurs gouvernements que le meurtre, la corruption et toutes les formes d'abus sévissaient ici, et les puissances concernées auraient pu trouver là une bonne occasion pour occuper notre île. Nègres et mulâtres, riches et pauvres sont tous résolus, quoi qu'il puissse arriver, à ne pas subir cela, au point que pendant de nombreuses années, il fut catégoriquement interdit aux Blancs de débarquer dans l'île.

— Pourtant, à la fin, les Américains en ont pris possession, fit oberver le duc. Comment en est-on arrivé là ?

— C'était sous la présidence de Jean Vilbrun Guillaume Sam. Le général Bobo se souleva, en cet été 1915, contre lui, dans le nord, et marcha sur la capitale. Conformément à la tradition, Sam aurait dû vider les caisses de l'Etat et se retirer poliment à la Jamaïque. Personne n'aurait tenté de l'arrêter, car on admettait que c'était devenu là l'objectif de tous les présidents capables d'échapper à l'assassinat. Peut-être les caisses n'étaient-elles pas suffisamment pleines pour satisfaire sa cupidité — je l'ignore — en tout cas, il refusa de s'enfuir. Quand son armée de cacos — comme on appelle les porteurs de machettes — passa à l'ennemi, il envoya son général en chef, Charles Oscar Etienne, avec la garde du palais, assassiner tous ceux de ses rivaux politiques qu'au cours de sa présidence il avait pu faire arrêter et jeter en prison. Ce fut la plus révoltante boucherie que vous puissiez imaginer, pire que les fameux massacres de Septembre dont on parle tant dans l'histoire de la Révolution Française. Les prisonniers furent abattus, puis étripés au couteau, tandis qu'ils étaient entassés, enchaînés contre les murs, jusqu'à ce que la rue devant la prison soit littéralement transformée en un fleuve de sang. Seuls trois, sur près de deux cents, en réchappèrent.

— Comme c'est horrible ! murmura Marie-Lou. Qu'arriva-t-il ensuite ?

— La ville tout entière se souleva contre le président Sam et il chercha refuge au Consulat de France, mais la foule l'en arracha, lui coupa les mains et le mit en pièces. Ce fut la nouvelle de ce terrible massacre qui incita le gouvernement des Etats-Unis à envoyer l'amiral Caperton et ses marines américains prendre le contrôle de l'île.

— Un autre de vos présidents fit sauter le palais avec lui et tous les gens qui s'y trouvaient, n'est-ce pas ? dit le duc.

Le docteur Saturday inclina sa tête d'un blanc de neige.

— Oui. C'était quelques années plus tôt, en 1912. C'est du président Lecomte que vous voulez parler, et on suppose qu'il périt dans l'explosion, mais je ne le crois pas. Il existe nombre de preuves que son futur successeur, Tancred Auguste, l'attira hors du palais par un message fallacieux et qu'il fut assassiné dans son carrosse pendant qu'il traversait de nuit le Champ-de-Mars. Mais le général Lecomte était populaire et les conspirateurs craignaient la vengeance de son ami intime, le ministre de l'Intérieur, Sansarique. C'est pourquoi, plus tard, cette même nuit, ils contraignirent, sous la menace du pistolet, un jeune ingénieur à faire sauter le vaste stock de munitions entreposé dans les caves du palais, car aucun président d'Haïti ne confierait à l'armée — à l'exception de sa garde personnelle — des munitions pour tir réel. L'explosion ébranla toute la ville et les gens furent jetés à bas de leur lit dans un rayon de dix kilomètres. Trois cents soldats et fonctionnaires furent atteints par cette terrible explosion et très peu survécurent.

Ils demeurèrent un instant silencieux, puis le docteur Saturday poursuivit :

— Mais le moment le plus fantastique de notre histoire est certainement celui où, en plein vingtième siècle, nous avons été gouvernés par un bouc.

— Comment diantre cela est-il arrivé ? dit le duc en riant.

— En 1908, le général François Antoine Simon devint président. C'était un militaire rustre et grossier, et il n'accéda à cette fonction que grâce aux intrigues de politiciens véreux qui souhaitaient gouverner à travers lui. Il y eut, naturellement, l'habituelle guerre civile avant qu'il n'hérite de la présidence, mais il était si stupide que je doute qu'il aurait pu battre son adversaire sans sa fille Célesta et son bouc, Simalo. C'était une mambo, c'est-à-dire une prêtresse vaudou, possédant des pouvoirs exceptionnels, et le bouc était son familier. Elle avait en fait été mariée à l'animal au cours d'une cérémonie Petro solennelle. Mais Célesta, en dépit de ses noires actions, était une femme d'un grand courage et d'une grande capacité. Le peuple la surnomma « Notre Jeanne d'Arc noire », car ce fut elle qui mena la campagne pour sa brute de père, et les cacos de l'ennemi s'enfuirent, terrorisés, devant Célesta et son bouc.

« Simon, Célesta et Simalo s'installèrent donc au palais, et les politiciens découvrirent vite qu'ils leur donneraient du fil à retordre, car le général Simon ne voulait jamais faire ce qu'ils attendaient de lui sans avoir consulté Simalo dont le point de vue s'avérait la plupart du temps différent du leur.

« Ce régime aboutit fréquemment à des situations extraordinaires et des plus horribles. A l'étage, dans les vastes salles du palais, les grandes familles de l'île et les Européens des consulats devaient assister à des réceptions officielles où ils étaient les hôtes d'un président qui mangeait avec ses doigts et se saoulait de façon répugnante, tandis qu'en bas, ils le savaient très bien, se pratiquaient dans les appartements de Simon les plus révoltantes cérémonies vaudou. Lors des banquets, ils devaient faire semblant de manger les riches nourritures qu'on plaçait devant eux, tout en ne sachant jamais quelles choses dégoûtantes pouvaient se dissimuler dans les sauces épaisses. Et, de fait, il semble bien qu'on leur fît parfois consommer du sang humain. »

— C'est écœurant ! s'exclama Marie-Lou.

— Oui. Ce n'est pas une jolie histoire. Mais laissez-moi vous dire comment leur ambition causa la ruine du père et de la fille. Une fois devenu président, l'idée vint au général qu'il pourrait marier Célesta à quelqu'un de riche. Aussi allèrent-ils jusqu'à arranger le divorce légal de Célesta et du bouc. Puis on annonça la mort du bouc. La version officielle de l'histoire fut que Simalo, le cœur brisé par la perte de son épouse, mourut de chagrin, mais il est probable que l'animal fut tué sur l'ordre du général Simon. En tout cas, il fut enterré avec des honneurs quasi royaux et, grâce à une ignoble supercherie, ils réussirent même à obtenir qu'un prêtre catholique lût l'office des morts sur son cercueil, dans la cathédrale. Ils avaient prétendu que celui-ci contenait le corps d'un homme. Mais, après cela, même le plus méprisable des riches d'Haïti refusa de prendre Célesta pour épouse. Avec la mort du bouc, la chance de Simon tourna et les gens dirent que c'est parce qu'elle avait rompu son serment devant le loa vaudou que le pouvoir de Célesta l'avait abandonnée. Peu après, le général Lecomte prit la tête d'une révolte contre le président Simon qui s'enfuit à la Jamaïque. Mais Célesta vit encore aujourd'hui dans l'île : c'est une vieille femme que personne ne craint plus et dont on ne se soucie pas.

Pendant plus d'une heure encore, le docteur Saturday, pour distraire ses hôtes, leur raconta d'autres étranges épisodes de la longue série de rapines et de meurtres qui compose l'histoire troublée d'Haïti. Mais il leur dit aussi qu'ils ne devaient pas en retirer l'impression que tous les hommes politiques haïtiens étaient des escrocs sanguinaires, ou que le gros de la population était constitué de sauvages ignorants et superstitieux. Depuis l'occupation américaine, des Haïtiens honnêtes et éclairés avaient eu l'occasion d'améliorer le sort de leurs compatriotes et, bien qu'on en soit au début, on était maintenant en train de faire du bon travail. La santé, l'agriculture, l'éducation, la salubrité publique, les dispensaires, tout cela absorbait l'énergie d'enthousiastes jeunes gens de couleur, dont la plupart avaient été à l'université aux Etats-Unis. Il fit remarquer modestement que, du fait qu'il était lui-même absorbé par l'étude scientifique de la flore de l'île, il était dans l'incapacité de consacrer autant de temps qu'il l'aurait aimé à prêter son concours à l'œuvre de progrès, mais qu'au titre d'une modeste contribution il formait de nombreux indigènes muets, leur trouvait une occupation et avait même réussi à rendre la parole à certains.

Peu après minuit, sentant qu'ils ne pouvaient raisonnablement le retenir plus longtemps, le duc suggéra qu'il était temps de se retirer, sur quoi le docteur les conduisit à leurs chambres où avaient été disposés à leur intention des pyjamas propres en coton blanc et deux peignoirs de bain en guise de robes de chambre.

Quand le docteur les eut quittés, ils se dévêtirent, éprouvant un grand soulagement à ôter leurs vêtements. En dépit de leur intérêt pour les histoires de leur hôte, leurs brûlures leur avaient causé une telle souffrance durant toute la soirée qu'ils avaient éprouvé de la difficulté à se concentrer ; mais dès qu'ils eurent pu appliquer de nouveau le liniment qu'il leur avait donné, leur constante et cuisante douleur fut quelque peu soulagée.

Après avoir revêtu son pyjama et sa robe de chambre, Marie-Lou se glissa hors de sa chambre et, par la véranda, se dirigea vers celle du duc, puisque c'était là qu'ils étaient convenus de passer la nuit ensemble.

Elle vit qu'il avait déjà poussé le mobilier contre les murs et était en train de balayer les lames de plancher nues avec l'extrémité d'une des nattes en paille tissée qu'il avait roulée en faisceau.

— Vous allez donc tenter de faire une sorte de pentacle ? dit-elle en un murmure.

— Oui. Cela vaut mieux que rien, fit-il remarquer en levant une carafe d'eau fraîche qu'il venait juste de tirer au robinet de la salle de bains. Je vais magnétiser cette eau et, pourvu que nous restions éveillés, cela devrait se révéler suffisant pour éloigner de nous toute manifestation.

Ils n'avaient pas de craie, mais Marie-Lou sortit de son nécessaire de toilette un porte-mine en or et, utilisant un des côtés de la taie d'oreiller comme instrument de mesure, elle fit de petites marques sur le sol jusqu'à ce qu'elle ait tracé une étoile à cinq branches dont tous les côtés avaient exactement la même longueur.

Pendant ce temps, de Richleau était assis, la carafe d'eau devant lui, l'index et le médius de la main tendus vers elle à hauteur des yeux, en train de transférer dans celle-ci la force invisible qui s'écoulait de son esprit par ses yeux et le long de ses doigts. Au bout de quelques instants, il la souleva et, y plongeant les doigts, traça avec l'eau un large trait joignant les petites croix que Marie-Lou avait dessinées sur le sol.

Comme ils plaçaient leurs oreillers et leur literie propre au milieu du pentacle, il dit :

— Il vaudrait mieux que nous ne discutions pas de cette affaire et ne fassions pas allusion à nos amis, ainsi, quand l'ennemi arrivera — ce qu'il ne manquera certainement pas de faire dès qu'il nous pensera endormis — il ne tirera aucun renseignement de notre conversation. Jamais je ne me suis trouvé dans une situation si délicate, mais je crois que notre meilleure défense sera de nous efforcer absolument d'ignorer autant que possible ce qui risque d'arriver. Nous parlerons du bon vieux temps de l'avant-guerre, nous nous raconterons toutes les anecdotes amusantes que nous pourrons nous rappeler et nous ferons des concours, tels que des tests de mémoire, pour occuper notre esprit. Le mieux sera de continuer à parler comme si nous étions complètement inconscients du fait que l'ennemi essaie de parvenir jusqu'à nous.

Ils s'assirent en tailleur l'un en face de l'autre sur la literie, juste au-dessous de la lampe à huile suspendue au plafond qui éclairait la pièce. La maison était maintenant devenue silencieuse et le seul bruit qui troublait le calme était le coassement des rainettes. La première phrase sérieuse de la longue épreuve qu'ils étaient appelés à subir avait commencé.

CHAPITRE XVII

Lutte contre le sommeil

— Tout d'abord, dit le duc, pendant que nous avons l'esprit dispos, je pense que nous ferions bien d'établir l'emploi du temps de notre nuit, en prévoyant heure par heure de quels sujets nous allons parler et à quels divertissements verbaux variés nous allons nous livrer. Ainsi, à chaque heure, nous aurons quelque chose de nouveau pour occuper nos pensées et nous ne nous trouverons pas soudain en panne d'idées quand notre vitalité sera au plus bas.

Ils établirent donc une courte liste. Au cours de la première heure, ils devaient parler de leurs souvenirs d'enfance. Au cours de la deuxième, ils se livreraient à un jeu de finesse d'esprit pendant lequel chacun inscrirait un sujet sur un morceau de papier et, sans révéler effectivement ce qu'il avait écrit, essaierait d'amener l'autre à parler le premier du sujet choisi. Au cours de la troisième, ils se raconteraient leur première histoire d'amour, et ainsi de suite jusqu'à six heures car, peu après, l'aube arriverait qui leur permettrait de quitter le pentacle.

Durant les trois premiers quarts d'heure, il ne se passa absolument rien, mais cela procurait une bizarre sensation d'être assis là, sachant qu'une troisième personne, invisible, était peut-être assise dans la chambre à les guetter avec une tranquille malveillance et à échafauder différents plans qui pourraient conduire à leur perte.

Peu après une heure, la lampe à huile suspendue au-dessus de leur tête commença à faiblir. Le duc se leva et monta la mèche, mais cela ne changea rien, la flamme baissa de plus en plus, crépita un peu et s'éteignit.

L'obscurité parut chargée de sinistres vibrations et, dans les premiers instants qui suivirent l'extinction de la flamme, elle sembla très noire mais, au fur et à mesure que leurs yeux s'y accoutumaient, la brillante clarté des étoiles éclaira la pièce, juste assez pour qu'ils pussent discerner leurs visages et les meubles qu'on avait poussés contre le mur. Ils remarquèrent alors que les endroits où le plancher avait été mouillé avec l'eau magnétisée apparaissaient maintenant sous forme de lignes émettant une lueur phosphorescente, ce qui fut pour eux un grand réconfort.

Leurs expériences antérieures étaient telles qu'ils s'étaient attendus à être presque certainement privés de lumière, aussi continuèrent-ils à parler, comme si de rien n'était, mais chacun gardait les yeux fixés sur le visage de l'autre, tous deux sombrement déterminés à ne pas être amenés à regarder derrière eux.

Au bout d'un instant, Marie-Lou vit les ténèbres s'épaissir au-dessus de l'épaule du duc, juste à l'extérieur du pentacle. Cela prit la forme d'un petit corps astral noir, pareil à un nabot, avec une très grosse tête, mais elle savait que ce n'était qu'un *petit* « noir » et n'y fit pas attention.

De Richleau, pendant ce temps, pouvait voir, par-dessus la tête de Marie-Lou, que derrière celle-ci aussi les ténèbres bougeaient. Il les regarda se tortiller et se tordre jusqu'à former une fumeuse main géante dont les doigts vacillaient d'avant en arrière en un mouvement de préhension, comme si elle voulait arracher la personne de Marie-Lou à sa barrière protectrice.

N'importe qui de moins savant que le duc aurait eu peur au point de pousser un cri pour l'avertir, mais il savait que leur seule chance de s'en sortir sains et saufs résidait en une complète passivité et il s'efforça au contraire d'amener dans la conversation une plaisanterie qui la fit rire, sur quoi l'énorme main vola en éclats et s'évanouit.

Après cela, maintes choses étranges apparurent et disparurent hors des limites du pentacle, manifestement destinées à les terrifier assez pour qu'ils le quittent. Mais, loin d'être inquiet, le duc se sentait maintenant l'esprit beaucoup plus tranquille, car il était évident que l'eau chargée d'énergie dont il avait fait leur défense astrale était suffisante, en l'absence des nombreux autres objets qu'ils avaient utilisés à Cardinals Folly, pour tenir en échec les manifestations mauvaises — du moins aussi longtemps que Marie-Lou et lui pourraient rester éveillés. Afin de lui garder sa force, ignorant tout ce qui pouvait se tramer contre eux au-delà de la barrière, il parcourait environ toutes les heures, sur les mains et les genoux, le pourtour de l'étoile, réhumectant au passage le tracé à l'aide de l'eau restant dans la carafe.

Vers deux heures et demie, l'ennemi parut avoir compris qu'on ne pouvait les effrayer et les manifestations cessèrent brusquement. Pendant près de deux heures, rien ne se passa et ils continuèrent de parler d'une multitude de sujets. De Richleau en effet en avait conclu que, si l'on avait retiré les forces du mal, c'était parce que celui qui les produisait espérait, en cessant de les importuner, qu'ils se fatigueraient de parler et s'endormiraient.

En fait, ni l'un ni l'autre n'éprouvait le moins du monde l'envie de dormir, car tous deux avaient conscience d'un allié sur lequel ils n'avaient pas compté : le soleil. Toutes les parties de leur corps qui avaient été exposées en plein soleil étaient rouges et brûlantes, au point qu'ils étaient tentés d'arracher des morceaux de peau desséchée dans l'espoir d'un soulagement, même momentané. La douleur avait été assez vive pendant qu'ils étaient assis, immobiles, sur la véranda à parler avec le docteur Saturday, puis elle s'était un peu calmée pendant qu'ils allaient et venaient après être montés dans leurs chambres. Mais, après qu'ils se furent installés pour la nuit, elle avait semblé devenir infiniment plus vive, aussi doutaient-ils qu'ils seraient parvenus à dormir dans le lit le plus confortable, même si aucun danger ne les avait menacés.

Peu avant quatre heures et demie, soit que la patience de l'ennemi fût à bout, soit qu'il ait soudain réalisé qu'ils n'avaient pas l'intention de s'endormir, en tout cas il changea de tactique.

Un parfum étrange et entêtant commença à se répandre dans la pièce jusqu'à en saturer l'atmosphère. Il n'y avait rien qu'ils pussent faire, rien de tangible contre quoi ils pussent mobiliser leurs volontés intraitables et, pour cette raison précisément, cette nouvelle manifestation était d'autant plus effrayante. La puissante odeur parut engourdir leurs sens à la façon d'une drogue, leurs membres se firent plus lourds et il leur devint difficile de tenir la tête droite. Ils éprouvèrent un terrible désir de relâcher leur volonté et de laisser les grandes vagues du sommeil les submerger.

De Richleau tendit la main et prit celle de Marie-Lou. Ils parlaient maintenant beaucoup plus lentement et il leur fallait faire un grand effort pour continuer à évoquer de vieux souvenirs et des événements futiles, mais chaque fois qu'un silence se produisait, l'un enfonçait ses ongles dans la paume de l'autre, jusqu'à ce que la douleur le fasse réagir et qu'il prononce une réplique quelconque.

Combien cela dura, ni l'un ni l'autre ne put le dire, mais ils eurent l'impression de lutter durant un temps infini contre l'horrible et immatérielle chose qui pesait sur eux. Pourtant l'odeur s'atténua enfin et ils comprirent qu'ils étaient sortis victorieux de cette épreuve.

Il y eut une nouvelle accalmie, durant laquelle ils purent quelque peu rassembler leurs forces. Puis survint l'attaque suivante : une tentative pour les plonger, grâce à un son, dans un sommeil hypnotique.

Très doucement d'abord, ils entendirent le battement des tambours vaudou. Celui-ci continua, encore et encore, sur un rythme monotone terrible qui leur mit les nerfs à vif. Et cela augmenta progressivement de volume jusqu'à résonner si fort à leurs oreilles qu'ils pouvaient à peine entendre ce qu'ils disaient.

Au fur et à mesure que le bruit augmentait, ils haussaient la voix et, bientôt, ils furent en train de crier à tue-tête. Tous deux sentaient qu'ils allaient fatalement succomber ou devenir fous.

C'est en vain qu'ils s'enfoncèrent les doigts dans les oreilles. Cela ne changeait rien. Bien que le terrifiant rythme primitif semblât les étourdir par son volume, ils continuèrent de lutter. Pour riposter, le duc entonna un chant et Marie-Lou suivit son exemple. De manière folle et désordonnée, ils chantèrent des fragments de refrains de vieilles comédies musicales, des chants patriotiques, des chansons de route — tout ce qui leur passait par la tête — parfois à l'unisson, mais souvent à contretemps. Ils firent un terrible tapage nocturne dont le vacarme discordant leur permit de garder leurs pensées concentrées sur leurs efforts et les mit à l'abri des effets soporifiques du rythme insistant et monotone.

Soudain, le bruit des tambours se tut et, en comparaison, le silence parut accablant. Heureusement, ce n'était pas un silence absolu : dans le lointain on entendait faiblement un coq chanter, et le chant du coq a le pouvoir de rompre les maléfices nocturnes.

De Richleau respira profondément en regardant la fenêtre. Les étoiles avaient pâli, une lumière grise commençait à entrer dans la pièce. L'aube était venue.

Ils se mirent debout et s'étirèrent, libres maintenant de sortir du pentacle de fortune qui leur avait été si utile. En même temps que le soulagement, une lassitude nouvelle s'était emparée d'eux, mais c'était une réaction normale qu'ils savaient pouvoir combattre dans les heures à venir. De Richleau ralluma la lampe et ils se sourirent.

— Bon travail, princesse, dit-il. C'était joliment effrayant, mais nous nous en sommes bien sortis. Toutefois, je doute que j'aurais pu y arriver seul. J'aurais pu supporter les tambours, mais pas cet horrible parfum, si je n'avais eu quelqu'un près de moi pour m'empêcher d'y succomber.

— Je me demande, dit-elle lentement, si j'ai aussi mauvaise mine que vous.

Tous deux se retournèrent pour se regarder dans le miroir de la coiffeuse. L'horrible nuit les avait tous deux épuisés. Le visage de de Richleau était blême et ridé, tandis que Marie-Lou semblait avoir vieilli de dix ans.

Il lui passa un bras autour des épaules et la secoua doucement.

— Ne vous inquiétez pas de ça maintenant, ce n'est que temporaire, d'ici quelques heures vous aurez recouvré toute votre beauté.

Comme c'est toujours le cas sous les tropiques, le soleil se leva très rapidement. Moins d'un quart d'heure après la fin de leur épreuve, le jour était venu, aussi décidèrent-ils de sortir faire un tour pour se ragaillardir. Leurs brûlures étaient encore trop enflammées pour qu'ils puissent prendre un bain mais, après avoir fait leur toilette et s'être habillés, ils sortirent dans le jardin et marchèrent un peu sur la route qui descendait. Ils n'allèrent cependant pas très loin, car le pied blessé du duc n'était pas complètement guéri et le faisait encore légèrement souffir. Au retour, ils entrèrent dans la salle de séjour et y trouvèrent quelques revues. Elles dataient toutes de plusieurs mois mais ils purent ainsi s'occuper jusqu'à huit heures. Alors, ils pensèrent pouvoir décemment partir à la recherche du petit déjeuner.

Quand ils eurent trouvé un boy, de Richleau se livra à la pantomime de verser et de boire, sur quoi le nègre muet désigna du doigt la salle à manger où, dix minutes plus tard, ils accordaient toute leur attention à un café brûlant, accompagné d'œufs brouillés au beurre et d'un choix de délicieux fruits tropicaux de l'île.

Ils finissaient juste quand le docteur Saturday les rejoignit. Après leur avoir souhaité le bonjour, il fit remarquer :

— Vous êtes bien matinaux pour des désœuvrés. J'espère que vous n'avez pas mal dormi ?

— Au contraire, mentit le duc avec bonne humeur. Nous avons trouvé vos lits très confortables, mais ma nièce et moi avons coutume de nous lever tôt et votre beau jardin nous a incités à faire une petite promenade.

— Je crains que mon jardin ne soit peu de chose en comparaison des jardins européens, dit le docteur en souriant. Nous ne pouvons faire pousser ici vos belles pelouses, et nos jardiniers sont incurablement paresseux : il est difficile d'obtenir d'eux plus qu'un simple entretien. Mais je suis quand même parvenu à rassembler bon nombre de plantes et de fleurs intéressantes. Disposer de spécimens d'autant de variétés que possible m'aide dans mon travail, vous savez. Maintenant, dites-moi, qu'aimeriez-vous faire aujourd'hui ? Considérez, je vous prie, que je suis à votre entière disposition.

— C'est très aimable, dit de Richleau en s'inclinant légèrement. Nous serions enchantés de nous en remettre à vous.

— Très bien, alors. Ce matin nous pourrions jeter un coup d'œil à la ville et, puisque vous brûlez d'en savoir davantage sur le vaudou, cet après-midi je vous amènerai à un hounfort.

— Qu'est-ce que c'est ? demanda Marie-Lou.

— Un hounfort, madame, est un temple vaudou, ou, peut-être, pourrait-on plus exactement le définir comme un endroit où un houngan vit avec sa famille et ses serviteurs, et célèbre ses cérémonies vaudou.

— Ce serait vraiment très intéressant, dit le duc.

Quand le docteur eut terminé son petit déjeuner, on avança sa voiture qui les conduisit à Port-au-Prince. Le soir précédent, ils étaient trop absorbés par d'autres problèmes pour prêter attention au peu de la ville qu'ils avaient pu voir, et ils se rendaient compte maintenant qu'elle était beaucoup plus vaste qu'ils ne l'avaient tout d'abord supposé. Le docteur leur dit qu'elle comptait cent vingt mille habitants, et que c'était de loin la plus grande et, en fait, la seule ville vraiment importante d'Haïti, aucune autre ne dépassant vingt mille habitants.

Les rues principales étaient larges, mais mal entretenues. Rares étaient les maisons de plus de deux étages, mais presque toutes avaient des vérandas aux étages supérieurs — balcons bien aérés supportés par des piliers — où l'on pouvait faire la sieste pendant la chaleur de la mi-journée.

A part quelques tramways et, çà et là, un camion ou une voiture cabossée cahotant sur la chaussée inégale, le peu de circulation consistait en un certain nombre de chars à bœufs et de pauvres petits ânes galeux chargés de paniers de bât bourrés jusqu'au bord de provisions.

Ils visitèrent la cathédrale, une monstruosité architecturale flanquée de deux tours datant de l'époque victorienne, et le Sénat, où ceux qui étaient censés représenter le peuple se réunissaient pour apprendre les décisions du président, à qui était dévolu tout le pouvoir. Nombreux étaient les marchés. Ils en virent deux : le plus grand était installé sur un large espace couvert en face de la cathédrale. L'autre était un marché couvert dans lequel on pénétrait par une voûte à quatres tours — une des plus hideuses constructions sur laquelle les yeux de de Richleau se soient jamais posés. Elle avait été érigée, dit le docteur Saturday, à la mémoire du général Hippolite, qui avait été président durant sept ans, de 1889 à 1896, durée record dans toute l'histoire de l'île pour un règne continu et pacifique.

Quiconque ayant l'estomac délicat n'aurait pas eu intérêt à examiner de trop près les morceaux de viandes exposés ici, mais les nombreuses variétés de poissons locaux étaient intéressantes, et la richesse en fruits et en légumes était positivement stupéfiante. En effet, les espèces tropicales prospéraient dans les basses plaines et celles, pourtant mieux adaptées au climat plus tempéré d'Europe, introduites à l'origine par les Français, étaient encore cultivées sur les hauteurs de l'intérieur.

Les citoyens d'Haïti étaient diversement vêtus. La plupart portaient, pour se protéger de l'ardent soleil, des chapeaux de paille à large bord, de fabrication artisanale,et le docteur en acheta deux à l'intention de ses compagnons. Mais, pour tout le reste de leur habillement, les Haïtiens faisaient montre des goûts les plus variés, en particulier les femmes, dont les foulards, sur la tête ou autour du cou, rayés, tachetés ou unis, étaient de toutes les couleurs de l'arc-en-ciel. Bien qu'il ne fût que dix heures, il faisait déjà très chaud, et rares étaient les hommes, dans les rues, qui portaient une veste. La plupart n'avaient qu'une chemise blanche, au col ouvert, et, généralement, sale.

Quand le docteur les conduisit à l'unique hôtel de la ville, ils découvrirent que les Haïtiens des classes supérieures témoignaient d'un goût très différent en matière de vêtements. Les seules femmes présentes étaient les serveuses, ce qui provoqua un peu d'embarras chez Marie-Lou. Mais elle vit qu'on saluait le docteur avec respect partout où ils allaient et cela la rassura. Ils s'assirent à une petite table proche de l'entrée du vaste bar. Dans la salle, installés aux tables voisines, il y avait au moins une centaine d'hommes, tous vêtus, en dépit de la chaleur, de redingotes noires ou d'uniformes.

Les hommes en redingote, dont les larges chapeaux de paille avaient été vernis d'un noir brillant, étaient, leur dit le docteur, des hommes politiques haïtiens, et les autres, bien que leurs uniformes fussent, presque sans exception, différents, étaient des généraux. Le docteur leur expliqua que, jusqu'à l'occupation américaine, il y avait dans l'armée haïtienne exactement autant de généraux que de simples soldats — pour être exact six mille cinq cents de chaque. Avant d'évacuer l'île, les officiers américains avaient réorganisé ses forces de défense selon des principes plus orthodoxes, mais il restait encore d'innombrables généraux qui, ayant obtenu leur grade alors qu'ils étaient tout jeunes, s'y étaient cramponnés avec beaucoup de détermination.

Ils n'avaient pas tant l'air de généraux que de laquais noirs engoncés dans des livrées mal conçues et défraîchies car, dans presque tous les cas, les uniformes avaient servi durant de nombreuses années, et souvent même avaient été transmis de père en fils comme un précieux trésor. Les tuniques, les pantalons et les capotes, de toutes les couleurs, étaient singulièrement disparates, l'unique chose qu'ils eussent en commun étant des galons dorés partout où on pouvait en coudre et une désinvolte cocarde en plumage coloré fixée à chaque shako ou képi cabossé. Quelques-uns de ces généraux portaient des revolvers passés dans des ceintures égayées de glands, tandis que d'autres faisaient cliqueter des rapières et des sabres, dont certains avaient commencé à servir à l'époque de la Révolution Française, ou même, plus tôt, entre les mains des pirates de la mer des Antilles.

Tous parlaient et gesticulaient sans arrêt, et il parut clair aux visiteurs que c'était là la vraie « Chambre des Représentants », là où les véritables affaires de l'île étaient traitées, chaque matin, d'un bout à l'autre de l'année, que le Sénat soit supposé siéger ou non. Tout en se reposant, le docteur et ses hôtes apprécièrent un excellent « punch du planteur », à base de rhum glacé, de jus de citron frais, de sucre et de divers autres ingrédients, mais tant de regards curieux se portaient sur eux que Marie-Lou fut sincèrement heureuse quand ils s'en allèrent.

A onze heures, la ville commença à se vider car le soleil brûlant était déjà haut dans le ciel et les gens rentraient chez eux pour le repas de midi, après quoi ils se livreraient à la sieste jusqu'à trois heures, divisant ainsi virtuellement leur journée de travail en deux périodes séparées par un long intervalle, l'une très tôt le matin, l'autre tard dans l'après-midi.

De retour chez le docteur, ils déjeunèrent et, aussitôt après, celui-ci leur dit qu'il était certain qu'ils aimeraient se reposer pendant la grande chaleur, aussi le remercièrent-ils et se rendirent-ils dans la partie de la maison où s'alignaient les chambres d'amis.

— Eh bien, demanda le duc, aussitôt qu'ils furent seuls, comment vous sentez-vous ?

— Pas trop mal, dit Marie-Lou d'une voix qui démentait ses paroles.

Cela faisait maintenant vingt-sept heures qu'ils s'étaient réveillés dans leurs confortables chambres du Pancoast Hotel, à Miami, et, durant cette période, ils étaient passés par plus de tensions que la plupart des gens ne sont appelés à en subir au cours d'une semaine anormalement agitée et ils savaient qu'ils avaient encore de nombreuses heures de veille à supporter avant de pouvoir espérer le secours que Richard et Rex apporteraient.

— Ne pensez-vous pas, dit-elle au bout d'un moment, que ce serait une bonne chose que nous dormions un peu, maintenant que c'est le milieu de la journée ? Comme notre adversaire nous a harcelés toute la nuit dernière, il doit lui-même être éveillé, autrement il ne pourra pas dormir pour nous attaquer de nouveau cette nuit.

De Richleau secoua la tête.

— Je suis désolé, princesse, mais il est probable que, comme chacun dans l'île, il est sur le point de faire sa sieste, aussi ne pouvons-nous prendre ce risque. Cependant, si vous voulez vous étendre et faire un somme, je ne pense pas qu'il y aurait du mal à ça. Je devrai vous secouer doucement toutes les cinq minutes pour vous empêcher de vous endormir profondément, mais vous étendre et sommeiller serait mieux que rien.

Sachant ce qui les attendait, et qu'elle devait préserver sa résistance autant que possible, Marie-Lou acquiesça à cette suggestion et s'étendit sur le lit du duc. A peine s'était-elle détendue qu'elle s'endormit, mais il la réveilla et, au bout d'un quart d'heure environ, elle dut renoncer à l'expérience, car le constant retour à son corps, juste au moment où elle était sur le point de le quitter se révélait plus fatigant que reposant.

Les deux heures suivantes passèrent, puis le premier boy vint frapper à leurs portes. Après s'être rafraîchis, ils rejoignirent donc le docteur dans le vaste séjour.

Ils avaient la bouche sèche, les yeux enfoncés dans les orbites, alors que leur hôte avait l'air frais et pimpant dans un complet propre de toile blanche. Tous deux pensèrent qu'il ne pourrait manquer de remarquer leur mauvaise mine, mais il ne parut pas du tout s'en rendre compte, ce qu'ils attribuèrent au fait que leur visage à tous deux était autant défiguré par les cloques dues au soleil que par leur intense fatigue.

En effet, en dépit des applications du liniment du docteur et des cataplasmes calmants qu'il leur avait envoyés par l'un des boys, leur front, leur nez, leurs oreilles et leur cou étaient maintenant devenus d'un rouge mat et présentaient un amas de petites pustules douloureuses. Marie-Lou avait fait de son mieux pour en dissimuler les effets disgracieux, mais le duc lui avait recommandé de ne mettre sous aucun prétexte de sa poudre parfumée aux endroits à vif, de crainte de les envenimer, aussi n'avait-elle pu faire grand-chose, sinon cacher son front brûlé sous un mouchoir blanc et propre qu'elle avait noué à la manière des pirates.

Le docteur les emmena en voiture en direction, cette fois, du sommet de la colline et, à environ deux kilomètres, ils entrèrent dans un gros village qu'ils traversèrent pour arriver au hounfort. C'était un vaste enclos contenant plusieurs bâtiments d'un étage et un certain nombre d'abris ouverts, en feuilles de bananier disposées les unes pardessus les autres en un enchevêtrement soutenu par quelques douzaines de perches de toutes tailles et inclinées sous tous les angles.

Le houngan, un nègre chauve à l'air intelligent et portant lunettes, habillé d'un long vêtement de coton blanc, souhaita la bienvenue au docteur et à ses compagnons. Il parlait un peu un très mauvais français, suffisamment toutefois pour que le duc et Marie-Lou pussent converser avec lui à l'aide de phrases simples.

En ville, ce matin-là, les deux visiteurs avaient essuyé de vilains regards, et certains hommes qui flânaient sur le marché les avaient traités de « *Blancs* »[1], car les Blancs sont mal vus à Port-au-Prince. Mais ici la réception était très différente et semblait emplie de cette amabilité qui s'accorde si bien avec le véritable caractère du Noir. Hommes, femmes et enfants de la famille du houngan — qui étaient près d'une centaine — se rassemblèrent tous autour d'eux, souriant de toutes leurs dents, et Marie-Lou aurait aimé caresser certains des petits négrillons s'ils n'avaient été d'une aussi abominable saleté.

Peu après leur arrivée, les gens du village commencèrent à affluer, car c'était mercredi après-midi et le culte hebdomadaire à Dambala allait justement commencer.

Tandis qu'ils restaient à l'écart, afin que le prêtre puisse procéder à sa cérémonie, le docteur Saturday leur expliqua que Dambala, le

1. En français dans le texte.

chef des dieux bénéfiques Rada, était assimilé par bien des gens à Moïse. Pourquoi le grand prophète juif aurait-il été déifié par les nègres de la côte d'Afrique Occidentale, nul spécialiste du folklore n'a jamais pu l'expliquer, mais l'un et l'autre avaient effectivement beaucoup en commun. Par exemple, le serpent vert qui était le symbole de Dambala avait été aussi celui de Moïse. Il est reconnu que certains sorciers africains ont le pouvoir d'hypnotiser un serpent jusqu'à le rendre rigide, de sorte qu'ils peuvent l'utiliser comme canne, mais, quand ils veulent, il se réveille et reprend vie dans leur main. Il est plus que probable que la verge de Moïse était un serpent hypnotisé, de cette espèce particulière qui a coutume d'attaquer et de dévorer une autre espèce de serpent, de sorte que, quand il jeta sa verge devant le pharaon, il savait qu'elle prendrait vie et dévorerait les serpents-verges des prêtres égyptiens qui étaient de la seconde espèce. Le serpent qu'ils voyaient à côté de la mare, près de l'autel vaudou, était, dit le docteur, considéré non comme le vrai dieu, mais seulement comme son serviteur ou sa servante.

De fait, il y avait plusieurs autels, dédiés chacun à un des principaux dieux vaudou, à la fois Rada et Petro. Sur tous les autels, empilés pêle-mêle, se trouvait une collection d'objets d'une extraordinaire hétérogénéité : images et statuettes de plâtre bon marché des saints catholiques associés aux différents dieux, bouteilles de rhum, petites cloches et innombrables plats de poterie brute contenant des offrandes de nourriture et de perles. Chaque autel était surmonté d'un dais constitué par un assemblage compliqué de feuilles de palmier dont les folioles avaient été lacérées à la main jusqu'à les faire ressembler à d'énormes plumes vertes, et, au milieu de celles-ci, à l'intérieur comme à l'extérieur, étaient entrelacées des centaines de banderoles de papier coloré. L'effet d'ensemble était loin d'être impressionnant, car tout cela ressemblait plus à un alignement de boutiques de bric-à-brac qu'à autre chose.

Le houngan se mit au centre de l'estrade, s'asseyant dans un fauteuil bas, et la mambo, ou prêtresse, une énorme vieille négresse, se tint debout derrière lui, tandis que, de chaque côté, sur des chaises cannées, étaient assis les hounci, adeptes du vaudou qui avaient franchi le premier degré d'initiation, et les canzos, qui avaient franchi le second. Parmi eux, se trouvaient les joueurs de tambour, dont chacun des énormes instruments, qu'ils serraient entre leurs genoux, était dédié à un dieu particulier. Près du houngan se trouvaient aussi le *Sabreur*[1], ou porteur de sabre, et les *drapeaux*[1], qui tenaient au-dessus de leur tête deux fanions de soie de couleur vive, brodés et bordés d'argent. Mais il ne régnait qu'un ordre des plus rudimentaires, car les assistants du prêtre se disputaient les places, riaient, dis-

1. En français dans le texte.

cutaient et plaisantaient entre eux. Les membres de l'assistance, eux aussi, se déplaçaient librement à l'intérieur de la vaste enceinte qui ressemblait à l'aréopage d'un chef de tribu africain : à certains moments, ils paraissaient prêter attention à ce qui se faisait et, à d'autres, ils se disputaient entre eux ou allaient parler au houngan ou à son entourage.

— Il y aura quatre cérémonies, dit le docteur. La première, en l'honneur de Papa Legba, le dieu de la Porte, qui vit dans ce grand, grand fromager, là-bas devant la porte. On doit se le rendre favorable si l'on veut s'ouvrir la voie vers n'importe lequel des autres dieux. Ensuite, ils feront un sacrifice à Papa Loco, le dieu de la Sagesse, afin qu'il ne soit pas jaloux et ne les afflige pas de quelque maladie. Le troisième sacrifice sera offert à Mah-Lah-Sah, le Gardien du Seuil. Et, finalement, ce sera le sacrifice à Dambala en personne.

Assis devant l'autel dans son fauteuil bas, le houngan se couvrit la tête d'un mouchoir de cérémonie et entama une monotone litanie à laquelle l'assistance tout entière donnait les réponses. C'était plutôt long et les visiteurs auraient trouvé cela extrêmement ennuyeux, n'eût été le charme des chants nègres.

Au bout d'un moment, la mélopée cessa et tous se pressèrent dans une grande pièce où s'étalaient sur une vaste table toutes sortes de nourritures et de boissons qu'on allait offrir aux dieux. Le prêtre ressortit, traça sur le sol un dessin avec des grains de maïs et versa dessus un peu de chacune des boissons consacrées. Il prit ensuite un fragment de chacun des aliments offerts et les empila en un petit tas au milieu du dessin.

On lui tendit alors deux poulets tachetés. Il les éleva en direction de l'est, de l'ouest, du nord et du sud, invoquant le Grand Maître, tandis que ses assistants s'agenouillaient, et il les agita tandis qu'ils se tortillaient au-dessus de leur tête. Il présenta ensuite les volatiles devant l'autel dédié à Legba, prit les deux oiseaux dans une main et dans l'autre un tison avec lequel il enflamma trois tas de poudre à canon qui avaient été disposés autour du dessin en grains de maïs. S'agenouillant, il baisa la terre trois fois et toute l'assistance l'imita. Soudain les tambours se mirent à battre et certains adeptes commencèrent à danser. Le prêtre brisa les ailes de l'un des poulets, puis ses pattes, lui serrant le cou afin que l'oiseau ne puisse crier de douleur.

Marie-Lou détourna les yeux de ce spectacle écœurant. Quand elle regarda de nouveau, elle vit que le second volatile avait subi une mutilation semblable et que tous deux avaient été déposés sur l'autel où, en dépit de leurs membres brisés, les pauvres bêtes s'agitaient et se tortillaient.

Le prêtre baisa de nouveau le sol et tordit le cou aux deux volailles, mettant fin à leur agonie, après quoi la corpulente mambo les lui prit des mains et les mit à rôtir à petit feu. Quand ils furent à point, on les plaça dans un sac et, à grand renfort de battements de tambour, de psalmodies et de trépignements, on transporta le sac à l'extérieur pour l'attacher à l'arbre de Legba.

Aux yeux du visiteur non initié les cérémonies qui suivirent ne différèrent guère, sauf que des coqs gris furent sacrifiés à Papa Loco, et une poule et un coq blancs à Dambala, tandis que, dans tous les cas, à part le premier, on repliait en arrière la tête des volatiles et on leur tranchait la gorge de façon qu'en les tenant par les pattes on pût recueillir leur sang dans une cruche. Au grand dégoût de Marie-Lou, le houngan but chaque fois à longs traits le sang chaud, le fit goûter aux joueurs de tambour, puis jeta le récipient aussi loin de lui qu'il le put, sur quoi les membres de l'assistance coururent après l'objet et grouillèrent autour, comme dans une mêlée de rugby, luttant pour obtenir de quoi se lécher les doigts du sang miraculeux.

Au fur et à mesure que les cérémonies avançaient, les nègres étaient de plus en plus surexcités. De temps en temps, l'un d'eux semblait en proie à la possession et, la bouche écumante, dansait jusqu'à s'écrouler. Par intervalles, les principaux danseurs s'arrêtaient et réclamaient du rhum. Le houngan faisait semblant de le leur refuser mais, à chaque fois, il entrait chercher une bouteille. Après chaque verre de l'ardente eau-de-vie, la danse devenait encore plus frénétique ; pourtant il n'y avait rien de mystérieux ou d'effrayant dans le cérémonial, car tout se déroulait dans la violente lumière du soleil de l'après-midi.

Juste avant le sacrifice à Dambala, intervint un incident malencontreux. Deux femmes en noir s'étaient faufilées dans l'enceinte et se tenaient tout près des visiteurs. Un des hounci les repéra et avertit le prêtre, lequel se précipita vers elles et les chassa en proférant des menaces et des malédictions. Quand il se fut un peu calmé, ayant constaté que tout le monde lui parlait tout à fait librement au cours de la cérémonie, de Richleau lui demanda ce qu'avaient fait ces femmes. Il répondit dans son français approximatif qu'elles étaient en deuil et, par conséquent, n'avaient pas le droit d'assister à une cérémonie en l'honneur de Dambala qui était voué aux vivants. Leur association à une mort récente faisait que, partout où elles allaient, elles apportaient la présence du terrible Baron Samedi.

— Baron Samedi, murmura Marie-Lou au duc. Quel 'étrange nom pour un dieu !

Mais le docteur, ayant entendu ce qu'elle avait dit, se tourna vers elle avec un sourire.

— C'est un autre nom pour désigner le Baron Cimeterre. Voyez-vous, son jour sacré est le samedi. Et c'est en manière de plaisanterie, une plaisanterie dont les gens ne se lassent jamais, que mon nom à moi aussi est Samedi, Saturday.

Si la scène n'avait été aussi animée et la cérémonie aussi intéressante, en dépit de son côté cruel et répugnant, il aurait été presque impossible au duc et à Marie-Lou de ne pas s'endormir, assis comme ils l'étaient à l'ombre d'une haute palissade à laquelle s'appuyaient leurs dos. Mais le battement des tambours et la mélopée sauvage agissaient comme un tonique sur leurs nerfs fatigués.

Presque sans qu'ils s'en fussent aperçu, le crépuscule était tombé et, pour éclairer l'enceinte, les assistants du prêtre avaient allumé des torches en bois de pin fraîchement coupé. La scène, dès lors, tourna à l'orgie car, bien que le cérémonial se poursuivît, le prêtre baisant l'épée et les drapeaux et brandissant très haut son ascon — symbole vaudou du pouvoir — qui est une grande gourde sacrée, ornée de perles et de vertèbres de serpent, l'assistance tout entière s'était livrée aux plus folles extravagances.

Le rhum avait rendu la plupart des hounoi et des canzos aux trois quarts ivres, et les tambours avaient achevé de leur tourner la tête. Les femmes se convulsaient et se trémoussaient devant les danseurs déchaînés, jusqu'à tomber à terre, agitées de frissons. Mais on ne leur permettait pas d'y rester : les hommes les empoignaient pour les relever afin de continuer leur tournoiement insensé. De temps en temps un membre de l'assistance était possédé, se mettait à délirer, l'écume à la bouche, et tombait en convulsions, mais on lui arrosait le visage de rhum pour lui faire reprendre ses sens. Les vêtements étaient arrachés au point que beaucoup de danseurs étaient complètement nus. Les corps brûlants et en sueur se heurtaient et les membres s'enlaçaient dans une extase rythmique. Puis, la danse devenant de plus en plus lascive, le docteur murmura au duc que, « du fait de la présence de madame », il valait mieux s'en aller. Ils se dirigèrent donc vers la voiture et repartirent, dans la douce nuit de velours, par la piste en lacet qui menait au bas de la colline.

Il était exactement huit heures quand ils atteignirent la maison, et Marie-Lou et de Richleau espéraient ardemment trouver Richard et Rex les attendant dans la salle de séjour. Si l'avion était rentré au coucher du soleil, ils auraient largement eu le temps de monter à la maison. Mais ils n'étaient pas là. Avec un amer désappointement, le duc dut constater que ses prévisions les plus pessimistes s'étaient réalisées. Ils n'avaient pu se procurer un avion à temps pour quitter Kingston avant cinq heures, aussi n'y avait-il maintenant aucun espoir qu'ils arrivent avant l'aube. Marie-Lou et lui-même devraient supporter encore une nuit entière sans sommeil.

Le dîner fut servi presque dès leur retour, mais, au cours de celuici, c'est à peine si de Richleau et Marie-Lou purent se tenir suffisamment éveillés pour soutenir une conversation intelligente. Ils avaient passé près de cinq heures à observer les cérémonies vaudou et, bien que le spectacle les eût tenus éveillés durant une période difficile de l'après-midi, le bruit et les cris avaient aussi ajouté à leur épuisement.

Après le repas, tous deux sentirent qu'ils ne pourraient supporter plus longtemps de continuer à converser avec leur hôte aussi plein de cordialité soit-il. Ils firent donc valoir leur extrême fatigue après une longue journée sous une chaleur à laquelle ils n'étaient pas accoutumés, et s'excusèrent.

Dès qu'ils furent dans la chambre du duc, ils se regardèrent avec consternation. Cela faisait maintenant quelque trente-huit heures qu'ils n'avaient pas dormi, et pourtant il n'y avait pas la moindre perspective que de l'aide leur parvienne avant au moins dix heures. Ni l'un ni l'autre ne savait comment ils allaient affronter cette deuxième nuit.

Sombrement, le duc entreprit de magnétiser une autre carafe d'eau fraîche. A l'instant où il finissait, Marie-Lou lança en un murmure rauque :

— Je ne peux pas continuer — je ne peux pas — je ne peux pas !

— Vous le devez, fit fermement le duc. Encore quelques heures et nous toucherons au but.

— Je ne peux pas ! gémit-elle, et soudain elle se mit à sangloter à fendre l'âme.

Il la laissa faire pendant quelques instants, puis il posa ses mains sur sa tête et, faisant appel à tout ce qui lui restait de force, il commença à recharger son énergie. Dans l'état d'épuisement où il se trouvait, il lui était très difficile de capter la puissance, et c'est à peine s'il put faire plus que lui transmettre une parcelle de la résistance qui animait encore sa propre conscience. Pourtant cet antique rite de l'imposition des mains fut efficace. Les sanglots nerveux s'arrêtèrent. Marie-Lou se sentit apaisée et réconfortée. Elle était toujours indiciblement lasse, mais le danger d'un effondrement immédiat s'était éloigné.

— Je suis désolée, murmura-t-elle en tamponnant ses yeux rougis à demi clos. Ça va aller. Mais ce n'est pas la peine de nous installer tout de suite dans le pentacle, n'est-ce pas ? Il n'est que neuf heures passées, et moins longtemps nous aurons à rester assis à l'intérieur, moins fatiguant ce sera.

— C'est vrai, convint le duc. Nous sommes maintenant tous les deux si fatigués que tout relâchement se révélerait fatal, mais je ne pense pas que nous ayons effectivement besoin de barrières protectrices avant environ une heure.

— Alors, allons faire un tour, proposa Marie-Lou. C'est rester immobile heure après heure qui est si horriblement fatigant.

De Richleau lui avait donné une bonne part de ce qu'il lui restait de force. Il était assis, courbé et sans énergie, au pied du lit, et il secoua la tête.

— J'ai peur d'en être incapable pour l'instant, princesse. Il faut que je reste absolument immobile pendant un moment afin de conserver mon énergie pour l'épreuve qui approche et, si cela ne vous dérange pas, nous nous abstiendrons même de parler dans la demi-heure qui vient.

— Cela nous attirerait-il des ennuis si j'allais faire une promenade toute seule ? demanda-t-elle. Il faut que je m'occupe d'une façon ou d'une autre, et je suis trop fatiguée pour lire. Si je me dégourdis les jambes maintenant, je serai mieux à même de supporter notre longue séance quand nous nous y mettrons.

Il hésita un moment.

— Il n'est pas prudent de nous séparer, ne serait-ce qu'un instant, mais si vous ne vous éloignez pas...

Elle sourit.

— Je suis bien trop fatiguée pour avoir envie d'aller très loin. Je pensais seulement faire un tour dans le jardin.

— Très bien, marmonna le duc, du moment que vous restez à portée de voix. Il vaudrait mieux que vous fassiez votre promenade sur la véranda, qui est un peu éclairée par les fenêtres.

Elle lui toucha la joue du bout des doigts, l'espace d'une seconde, en disant :

— Je ne serai pas longue.

Puis elle sortit par la porte battante munie d'une moustiquaire et s'enfonça dans la tranquillité de la nuit tropicale.

D'abord elle fit lentement les cent pas devant l'alignement des chambres d'amis, puis elle poussa jusqu'à la vaste salle de séjour située au centre de la maison basse. Les portes en étaient ouvertes et les lumières encore allumées. Le docteur était assis, en train de lire, lui tournant le dos, à l'autre extrémité de la pièce. Il ne se retourna pas au bruit de son pas léger, imaginant probablement que c'était un des boys qui passait par là.

Elle poussa encore un peu plus loin. La pièce suivante était la salle à manger, puis venait la chambre du docteur. Plus loin, il y avait une autre grande pièce et enfin les communs qui occupaient l'extrémité de la maison la plus proche de la route de Port-au-Prince.

Une unique lumière brûlait dans la pièce contiguë à la chambre du docteur, et elle s'arrêta pour regarder par la fenêtre. Manifestement c'était son bureau. Il contenait de nombreux livres, une chaise longue en crin, quelques rangées de tubes à essai sur un support le long d'un des murs et un certain nombre d'instruments. Il n'y avait là absolument rien qui distinguât la pièce du laboratoire de n'importe quel chercheur en médecine ou en sciences — à une exception près : une immense carte qui recouvrait un mur entier. C'était une carte marine de l'amirauté représentant l'Atlantique Nord.

Marie-Lou la considéra, puis elle poussa doucement la porte battante à moustiquaire et entra dans la pièce sur la pointe des pieds. Son esprit travaillait activement. Elle se rappelait un certain nombre de choses qui s'étaient produites au cours des deux derniers jours et qui avaient paru alors tout à fait naturelles.

Le docteur s'était trouvé en mer dans son bateau, en train de pêcher, quand leur avion s'était abîmé. Pendant des heures, il n'était pas venu à leur secours, pourtant il avait *dû* voir l'avion s'écraser. Or, il ne leur avait porté secours qu'après qu'ils eurent d'abord été vus par un bateau de pêche indigène et quand celui-ci était sur le point de les recueillir. A bien y réfléchir après coup, il semblait inconcevable qu'il n'ait pas su qu'ils étaient là, à moins d'un kilomètre, en danger imminent de se noyer.

Et puis son nom — docteur Saturday. Lord Saturday ou Baron Samedi était un des noms du redouté Seigneur du Cimetière ou Baron Cimeterre, le chef des dieux maléfiques Petro. Pourquoi le docteur, lui aussi, s'appelait-il Saturday ? De nombreux indigènes et mulâtres de l'île avaient toute une kyrielle de noms qu'ils avaient reçus lors de leur baptême par l'église catholique, à laquelle ils prêtaient une allégeance de pure forme, mais d'autres ne portaient qu'un seul nom pour avoir été consacrés à la naissance à un des dieux vaudou. Peut-être l'appellation était-elle, à l'origine, un surnom qu'on lui avait donné, des années auparavant, quand les habitants de l'île s'étaient aperçus qu'il se livrait à d'étranges et horribles pratiques.

Et maintenant cette carte marine à grande échelle de l'Atlantique Nord. Le fait qu'elle portât un certain nombre de petits drapeaux épinglés à des endroits en plein océan régla l'affaire dans son esprit sans l'ombre d'un doute. Le docteur était sorti dans son bateau automobile pour s'assurer qu'ils étaient bien morts, mais son attaque ayant échoué, il les avait invités chez lui afin de ne pas les perdre physiquement de vue et d'être à même de saisir la première occasion pour les terrasser.

S'il n'avait pas fait de commentaires sur leur épuisement, c'est qu'il savait et attendait son heure. Leur hôte, si plein de cordialité, n'était autre que l'ennemi qu'ils étaient venus chercher de si loin, et il était maintenant assis tout près, deux pièces seulement le séparant d'elle, tel une araignée dans sa toile, attendant que le sommeil triomphât d'eux.

Avec une brutale bouffée de terreur, elle réalisa qu'il pouvait entrer à tout instant et la trouver là. Elle devait partir — tout de suite — et prévenir le duc. Au moment même où elle allait faire demi-tour, elle entendit des pas s'approcher et la porte moustiquaire s'ouvrit brusquement derrière elle.

CHAPITRE XVIII

Les morts qui reviennent

Marie-Lou demeura clouée sur place, tout souvenir de sa fatigue momentanément oublié. Elle était pétrifiée par la terreur à l'état pur. Elle sentait un picotement derrière son crâne et la paume de ses mains était moite.

Le docteur avait dû, malgré tout, l'entendre passer devant la salle de séjour et, comme elle n'était pas revenue, il était sorti voir où elle était allée. Maintenant qu'il l'avait trouvée ici, il comprendrait tout de suite qu'elle avait surpris son secret. On jouerait cartes sur table. Depuis le début il était parfaitement au courant des raisons de leur séjour en Haïti, aussi serait-il absolument inutile qu'elle prétende ne pas connaître la signification de la grande carte devant laquelle il l'avait surprise. Faisant toujours face à celle-ci, elle se demandait désespérément ce qu'il allait faire. Redoutant qu'il la frappe par-derrière, elle voulut se retourner, mais elle n'osa pas, de crainte qu'il n'en profite pour l'hypnotiser.

Elle voulut crier, mais sa langue se colla à son palais pendant ce qui lui parut un temps interminable. Puis, pareille à une douche froide lui tombant sur le dos, lui parvint la voix de Simon, naturelle, pleine de bonne humeur, joyeuse.

— Marie-Lou ! Dieu merci, nous vous avons trouvés !

La réaction fut si violente qu'elle manqua s'évanouir de soulagement. Sa gorge émit un étrange petit bruit. Elle vacilla, puis se retourna brusquement. Il était là, debout sur le seuil, Philippa juste derrière lui.

Soudain il reprit la parole, avec une vive anxiété cette fois. « Bon Dieu ! Que vous est-il arrivé ? Vous avez tout simplement une mine de déterrée. »

Elle resta un moment indécise, puis courut vers lui et agrippa les revers de son veston.

— Simon ! Oh, mon Dieu ! Vous ne savez pas. Mais il nous faut partir d'ici — vite ! — ne faites pas de bruit ! Je vais vous conduire à Zyeuxgris. Il nous faut partir — il nous faut partir !

Simon lui entoura les épaules de son bras et l'emmena sur la véranda. Lui saisissant la main, elle lui fit descendre l'escalier le plus proche qui menait au jardin et, suivis par Philippa, ils effectuèrent un long périple à travers les zones d'ombre avant de revenir à la maison et gagner la chambre du duc.

Il était assis dans l'exacte position où Marie-Lou l'avait laissé, accroupi, le menton sur les genoux, fixant d'un regard vide le mur d'en face. Au bruit de leurs pas, il se secoua et tourna la tête.

— Simon ! s'exclama-t-il en se levant. Mon appel au secours a été entendu.

Un sourire crispa la grande bouche de Simon, mais ses yeux demeurèrent inquiets.

— Que diantre vous est-il arrivé ? Vous avez une tête de mort. Et où sont les autres ?

De Richleau soupira.

— Tout mon matériel de protection a sombré avec l'avion, et nous n'osons pas dormir avant de pouvoir nous construire un pentacle convenable. Richard et Rex sont partis pour la Jamaïque hier au soir afin de se procurer ce qui me manque, mais ils ne seront pas de retour avant le matin. Marie-Lou et moi n'avons pas dormi depuis notre départ de Miami — ce qui va faire quarante heures.

Marie-Lou intervint avec brusquerie.

— Peu importe cela pour l'instant. Zyeuxgris, j'ai fait une horrible découverte. Notre ennemi, c'est le docteur Saturday.

— Quoi ! En êtes-vous certaine ?

De Richleau la regardait fixement.

— Oui, absolument.

En un torrent de mots, Marie-Lou leur parla de la carte dans le bureau du docteur et leur rappela la façon dont, bien qu'étant sur place, il s'était abstenu de venir à leur aide jusqu'à ce que les pêcheurs aient rendu leur sauvetage inévitable.

— Vous avez raison, dit le duc avec gravité. Il eût été, à la rigueur, possible que des gens absorbés par leur pêche n'aient pas prêté attention à l'accident d'avion, tout s'étant passé si vite, mais la carte marine de l'Atlantique Nord prouve, elle, que le docteur est bien l'Adversaire. Tout occultiste haïtien travaillant pour les nazis doit avoir une telle carte pour noter les résultats de ses voyages astraux s'il doit transmettre des informations exactes à un autre occultiste se trouvant en Allemagne, et il serait illusoire de penser qu'il puisse exister deux cartes de ce genre dans un endroit comme Haïti. N'importe qui pourrait avoir une carte de la guerre en Europe ou en Afrique épinglée à son mur, mais pas une grande carte marine des approches occidentales, avec des drapeaux piqués dessus.

— Il nous faut partir ! Tout de suite ! A la minute ! les pressa Marie-Lou. Nous serions fous de rester ici un instant de plus.

De Richleau secoua la tête.

— Non, princesse. Là vous vous trompez. En premier lieu, tant que nous ne pouvons construire un pentacle convenable, où que nous allions nous serons autant à sa merci si nous nous endormons. En second lieu, votre découverte nous donne un avantage. Il a toujours l'impression que nous le croyons un homme cultivé qui n'a rien à voir avec le vaudou. Si nous jouons convenablement nos cartes, nous devrions être capables d'utiliser le fait que nous avons découvert son secret, alors qu'il croit encore que nous l'ignorons. Si nous nous enfuyions, il en déduirait immédiatement que nous l'avons démasqué, alors qu'en restant nous pouvons peut-être le prendre au piège avant qu'il se décide à nous frapper.

Simon approuva vigoureusement du chef.

— Hum. Après tout nous avons fait des milliers de kilomètres pour le trouver, aussi, maintenant qu'il nous a reçus dans sa propre maison, ce serait idiot de filer.

— Peut-être avez-vous raison. Je ne sais pas. Je suis si fatiguée qu'il m'est difficile de réfléchir, mais, vous et Philippa avez l'air parfaitement reposés, mis à part vos coups de soleil. Vous avez dû dormir la nuit dernière.

— Hum. Simon hocha de nouveau la tête. Peux pas dire que j'ai passé une bonne nuit. J'étais trop inquiet au sujet de vous tous. Peur de ne jamais revoir aucun de vous. Mais après qu'il eut fait trop noir pour que nous continuions à vous chercher là-bas, dans la baie, nous avons sans difficulté trouvé des lits, chez un missionnaire catholique.

Le visage de de Richleau s'éclaira soudain et ses yeux gris retrouvèrent un instant leur ancien éclat.

— J'y suis ! s'écria-t-il. Vous pourrez nous donner plus tard les détails sur la façon dont vous nous avez retrouvés, car le fait que vous ayez dormi la nuit dernière est la seule chose qui importe pour l'instant. Je suis maintenant plus certain que jamais que vous nous avez été envoyés, dans la situation désespérée où nous nous trouvons, en réponse à mon appel. Marie-Lou et moi sommes recrus de fatigue. Je doute que nous aurions pu traîner jusqu'au matin, mais nous serons à même de nous tirer d'affaire si nous pouvons gagner ne serait-ce qu'un peu de temps. Voici ce que vous allez faire.

« Vous allez ressortir de la maison et y revenir par la porte de la grande salle de séjour. Si le docteur Saturday y est encore, c'est très bien, sinon vous appellerez jusqu'à ce qu'un des boys se manifeste et aille le prévenir. Vous vous présenterez au docteur en disant que vous voyagiez tous deux avec nous dans l'avion qui s'est abîmé, mais sans faire véritablement partie de notre groupe, et vous raconterez comment vous avez gagné la côte dans le bateau pneumatique. Vous direz ensuite qu'une fois arrivés à Port-au-Prince vous avez entendu dire que nous étions ici et qu'ainsi vous êtes venus tout droit nous féliciter d'être sains et saufs. Le docteur nous enverra naturellement chercher et nous aurons de jolies petites retrouvailles dans les formes. Vous donnerez à entendre que vous n'avez pris aucune disposition pour vous loger en ville et il vous offrira des lits. Peu après, Marie-Lou et moi nous excuserons de nouveau en raison de la longue journée que nous avons eue, ensuite ce sera à vous de faire veiller le docteur aussi longtemps que ça vous sera possible, pendant que nous prendrons quelques heures de sommeil. »

— Magnifique, soupira Marie-Lou, oh, magnifique !

— Interrogez le docteur sur Haïti et ses coutumes, poursuivit le duc. Amenez-le sur le vaudou. Posez-lui des questions sur le « *Cochon gris* »[1], le cannibalisme et les zombies. Il adore parler de son sujet favori. Vous devriez être capables de le faire veiller jusqu'à deux ou trois heures du matin, ce qui nous laissera un répit. Il vous faudra probablement nous tirer du lit pour nous réveiller quand vous viendrez vous-mêmes vous coucher, mais peu importe. Nous aurons entretemps recouvré une vitalité nouvelle et serons capables de tenir jusqu'au retour de Richard et de Rex. Soit dit en passant, je suis supposé être un savant qui s'intéresse aux coutumes indigènes, et Marie-Lou est ma nièce et m'aide pour mes notes. Rex et Richard sont deux agents britanniques qui, bien qu'ils soient arrivés ici avec nous, ont du partir presque tout de suite parce qu'ils avaient une affaire urgente à régler avec leur consulat. Le docteur croit qu'ils sont chez le consul. Est-ce que cela est bien clair ?

— Hum, dit Simon. Je tiendrai le salaud éveillé jusqu'à trois heures, d'une manière ou d'une autre.

Philippa n'avait pas participé à la rapide discussion, mais elle suivit Simon avec soumission, quand il quitta la pièce.

Marie-Lou regagna sa chambre, et de Richleau attendit dans la sienne, jusqu'à ce que, quelques minutes plus tard, le docteur Saturday vienne, par le corridor, leur annoncer que deux de leurs amis, qui se trouvaient avec eux dans l'avion accidenté, venaient juste d'arriver.

Dans l'intervalle, le duc s'était en partie dévêtu, comme s'il était sur le point d'aller au lit. Ouvrant sa porte, il passa la tête par l'entrebâillement et fit semblant de manifester de la joie, disant qu'ils arrivaient dans une minute. Marie-Lou le rejoignit et ils se hâtèrent vers la grande salle de séjour, où le docteur à la sinistre hospitalité avait installé Simon et Philippa dans de confortables fauteuils et était déjà en train de leur préparer des cocktails.

Chaque couple félicita l'autre de s'en être tiré et, après avoir dit leur joie de se retrouver, ils commencèrent à se raconter ce qui leur était arrivé depuis leur séparation.

Il s'était trouvé que la côte de la Gonave n'étant pas aussi éloignée que Rex l'avait imaginé, Philippa et Simon l'avaient atteinte en moins de deux heures, pour aborder sur un rivage désolé le long duquel ils avaient dû marcher péniblement sous un soleil de feu pendant une heure et demie avant de parvenir finalement à un village de pêcheurs. Là, avec l'aide de Philippa, Simon avait levé parmi les indigènes un

1. En français dans le texte.

certain nombre de volontaires serviables qui étaient partis dans trois bateaux de pêche à la recherche de l'épave mais, bien qu'ils eussent fouillé le détroit jusqu'à ce que l'obscurité les empêche de continuer à scruter anxieusement les flots, ils avaient été incapables de trouver la moindre trace de l'épave.

Le bateau à bord duquel se trouvaient Simon et Philippa avait regagné un petit port situé un peu plus loin sur la côte, appelé Anse-à-Galets qui se révéla être une des principales villes de l'île et les indigènes les avaient conduits jusqu'à la maison d'un prêtre catholique, qui était le seul Blanc résidant là-bas.

Le prêtre avait fait de son mieux pour les consoler de la perte tragique de leurs amis car, à ce moment-là, ils étaient parfaitement convaincus qu'ils s'étaient noyés. Malgré tout Simon avait insisté pour mener de nouvelles investigations dans le détroit le matin suivant et n'avait abandonné ses recherches que tard dans l'après-midi ; puis un autre bateau les avait déposés tous deux à Port-au-Prince. Sentant qu'il restait une petite chance pour que ses amis aient été recueillis et ramenés là, il était allé se renseiger dans quelques-uns des petits cafés situés sur le port. Dans le troisième, il avait appris, à sa grande joie, que ses quatre compagnons de voyage avaient tous débarqué avec le docteur Saturday, l'après-midi précédent, et l'avaient accompagné chez lui, aussi, après avoir obtenu l'adresse, lui et Philippa s'étaient mis en route vers le sommet de la colline pour les rejoindre.

— Alors vous n'avez pris aucune disposition pour vous loger en ville ? dit le docteur.

— Na, dit Simon en secouant la tête. Nous ne sommes descendus à terre qu'il y a une heure et nous sommes venus directement du port ici. J'espère que cela ne vous dérange pas que nous vous soyons tous tombés dessus de cette façon ?

— Pas le moins du monde, répondit le docteur avec affabilité. C'est un plaisir de vous recevoir, et j'espère que vous ne songez pas à redescendre en ville ce soir. Les deux chambres que vos autres amis devaient occuper sont libres, aussi, je vous en prie, utilisez-les et restez aussi longtemps qu'il vous plaira.

— Merci mille fois. C'est terriblement chic à vous.

La cordialité de Simon surpassait presque celle du docteur. Il vint alors à l'idée du docteur que ses deux nouveaux hôtes n'avaient peut-être pas encore mangé. Aussi, en dépit de leurs protestations, insista-t-il pour aller tirer du lit ses boys afin qu'ils leur servent un repas froid.

Pendant que le docteur s'absentait, de Richleau félicita à voix basse Simon pour la façon dont il avait pris la situation en main, et lui dit que Marie-Lou et lui s'eclipseraient dès qu'ils le pourraient, afin de dormir aussi longtemps que possible.

Quand le docteur revint, le duc se leva aussitôt et, comme Marie-Lou et lui avaient déjà invoqué leur fatigue, à peine une heure auparavant, leur hôte ne chercha pas à les retenir. Après avoir exprimé combien ils se réjouissaient d'avance à l'idée de retrouver leurs amis le lendemain matin, tous deux gagnèrent leurs chambres. A peine y étaient-ils arrivés qu'avec un soupir de soulagement ils se laissaient tomber tout vêtus sur leurs lits et sombraient dans le profond sommeil de l'épuisement.

Quand furent servies les viandes froides, accompagnées de plats de mangues, d'anones, de pamplemousses, d'ananas en tranches, de papayes, de bananes et d'avocats, Simon nota avec satisfaction que le solide appétit de Philippa ne paraissait pas souffrir d'une aussi sinistre compagnie, mais il ne put lui consacrer toute son attention car son cerveau fertile faisait déjà des heures supplémentaires.

Tout en mangeant, il soutint une conversation polie avec le docteur mais, intérieurement, il était aussi en train d'évaluer quelles pourraient être les réactions de ce dernier s'il éventait leur machination. Soupçonnait-il le tour qu'on était en train de lui jouer ? En tout cas il n'en montra rien, pas plus qu'il n'avait trahi le moindre signe de contrariété quand le duc et Marie-Lou avaient annoncé qu'ils allaient au lit. Pourtant, si Marie-Lou avait raison et si le docteur Saturday était effectivement l'ennemi, il devait en savoir plus long sur leurs espoirs et leurs craintes.

Il ne pouvait certainement pas avoir gobé l'histoire selon laquelle le duc serait l'oncle de Marie-Lou, Rex et Richard deux agents britanniques venus en Haïti pour une affaire urgente et les trois groupes ne se seraient pas connus avant ce voyage en avion de Miami à Port-au-Prince. Il devait parfaitement savoir que tous les six étaient partis ensemble d'Angleterre et que, à l'exception de Philippa, c'étaient eux qui avaient déjà commencé les opérations contre lui depuis Cardinal Folly.

Dans ces conditions, il ne pouvait ignorer que Richard et Rex avaient été envoyés par le duc en mission spéciale. Il fallait donc envisager la sinistre éventualité que le sataniste, sachant où ils étaient allés et pourquoi, s'efforcerait de provoquer leur mort en les attaquant avant qu'ils puissent regagner l'île. Si cela se produisait, le reste du groupe perdrait définitivement tout espoir d'être réapprovisionné en objets capables de leur fournir une protection astrale convenable.

Simon se demanda si ce n'était pas là le jeu du docteur : les laisser continuer à espérer une aide qui ne viendrait jamais, jusqu'à ce qu'ils s'endorment tous, complètement épuisés. Il se demanda aussi pourquoi, ayant eu dans sa maison le duc et Marie-Lou, tous deux dépourvus de soupçons, depuis plus de vingt-quatre heures, il n'avait pas saisi l'occasion pour les empoisonner en mélangeant quelque chose à leur nourriture, mais il pensait connaître la réponse à cette question.

Le docteur Saturday ne tuerait ses adversaires qu'en dernier recours. En effet, s'il pouvait, en les empoisonnant, couper court à leur présente incarnation, en attendant d'obtenir le meilleur d'eux sur le plan astral, il avait une chance de capturer leurs esprits et de les forcer à travailler pour son compte.

Méditant sur de telles éventualités entre les rapides et aimables échanges de paroles au cours desquels il donna de vagues et faux renseignements sur Philippa et lui-même, uniquement parce qu'il savait qu'on s'attendait à ce qu'il le fasse, Simon ne put tout d'abord trouver pour quelle raison le docteur n'avait pas drogué ses hôtes, afin de vaincre rapidement et efficacement leur résistance, mais, au bout d'un moment, il crut aussi connaître la réponse à cette question.

Presque tous les satanistes sont des sadiques qui prennent un vif plaisir à infliger des tortures à la fois physiques et mentales. Il était hautement probable que le docteur considérait avoir la situation bien en main. Dans ce cas, il prenait sans doute un plaisir diabolique à savoir Marie-Lou et le duc contraints d'endurer tant de tourments pour demeurer éveillés si longtemps et, durant la journée, il avait vraisemblablement savouré le spectacle de leur épuisement grandissant.

Mais, si tel était le cas, la présente ruse le mettrait-elle en échec ? Il n'en serait certainement rien si Rex et Richard ne réussissaient pas à revenir dans les prochaines vingt-quatre heures. Quatre heures de sommeil en soixante-quatre heures seraient en effet totalement insuffisantes pour soutenir de Richleau et Marie-Lou et, d'ici là, Philippa et Simon lui-même seraient aussi au bout de leurs forces.

C'était là, conclut sombrement Simon, le jeu du docteur. Il avait l'intention d'empêcher le retour de Rex et de Richard, puis de jouir tranquillement de la souffrance qu'eux quatre endureraient à s'efforcer de demeurer éveillés tout au long du jour suivant. S'il ne se trompait pas — et Simon en était maintenant convaincu — ils se trouvaient dans une situation plus désespérée que toutes celles qu'ils avaient jamais affrontées. Mais un cœur vaillant battait dans son corps frêle et il avait la conviction pleine de bon sens qu'il fallait prendre chaque situation telle qu'elle se présentait.

Son rôle, pour l'instant, était de tenir le docteur éveillé aussi longtemps que possible et, si le sataniste était au courant de ce qui se passait, il se révélerait peut-être encore plus facile de le faire parler jusqu'à deux ou trois heures, car il saurait parfaitement bien que, pour de Richleau et Marie-Lou, une heure ou deux de sommeil ne pourraient empêcher l'effondrement total de ses victimes le soir suivant.

Quand on eut desservi la table du souper, ils s'installèrent dans de confortables fauteuils et Simon, pour tâter le terrain, dit :

— Vous savez, je n'ai pas du tout sommeil, bien que je me sois levé peu après l'aube. En fait je vais rarement au lit avant une ou deux heures du matin, aussi, si vous n'êtes pas trop fatigué, docteur, je serais extrêmement intéressé à en apprendre davantage sur cette île étrange.

Le docteur Saturday y alla de sa courtoise petite inclinaison de tête.

— Je serais enchanté de converser pendant une heure ou deux. J'ai moi-même besoin de très peu de sommeil et, quand je suis seul, je travaille souvent dans mon bureau jusqu'aux petites heures du matin. Je vous en prie, ne songez donc pas à vous presser d'aller dormir à cause de moi avant que vous ne le souhaitiez.

Tandis que tous deux échangeaient des sourires, Simon fut certain de voir dans les yeux du mulâtre une lueur de cruel humour, ce qui le convainquit plus que jamais qu'il avait vu juste. Le docteur était si persuadé de sa victoire qu'il était parfaitement heureux de leur laisser croire qu'ils étaient en train de le berner, tout en se réjouissant intérieurement d'être le gros chat jouant avec quatre infortunées petites souris qu'il savait pouvoir dévorer dès qu'il en aurait envie.

Pendant un long moment ils parlèrent de bon nombre de choses : la grande fertilité d'Haïti, sa richesse cachée, ses récoltes, son climat, son histoire, son actuelle forme de gourvernement, ses hommes importants, et il était déjà une heure du matin passée quand Simon demanda :

— Est-il vrai qu'il y a encore du cannibalisme en Haïti et que certains indigènes mangent la chair humaine exactement comme le faisaient leurs ancêtres avant d'être amenés d'Afrique comme esclaves ?

Le docteur haussa ses épaules anguleuses.

— Vous ne devez pas penser trop de mal de nous. Il est exact que les nègres les plus pauvres, qui constituent la grande masse de notre population, sont encore à un stade très bas de développement, mais ils sont très loin d'être des sauvages. En Haïti, il y a aussi bon nombre d'hommes instruits qui s'efforcent d'éclairer les masses ignorantes et, au cours des vingt dernières années, ils ont grandement amélioré leurs conditions de vie. L'appui du gouvernement américain, qui a pris en charge le pays pendant une période de dix-neuf ans, a été leur première chance. Car, lorsque notre indépendance nous fut rendue, tout récemment d'ailleurs, le départ était pris et ces hommes de bien ont pu continuer leur œuvre. De sorte que, bien que le cannibalisme ait autrefois sévi ici, de telles pratiques sont aujourd'hui largement désapprouvées.

— Et le *Cochon gris ?*[1] demanda Simon.

Le docteur Saturday lui lança un rapide regard par-dessous la touffe de ses sourcils blancs et répondit par une autre question :

— Comment se fait-il que vous en ayez entendu parler ?

— Le prêtre qui nous a hébergés à Anse-à-galets m'en a touché un mot la nuit dernière.

Le docteur baissa les yeux et dit lentement :

— Le *Cochon gris*[1] est une chose dont nous ne parlons pas. C'est

1. En français dans le texte.

dangereux — sauf, naturellement, à un moment comme celui-ci, au milieu d'un groupe d'amis, quand il n'y a aucun domestique dans les parages. C'est, comme vous le savez évidemment, une société secrète, et je ne chercherai pas à vous cacher que ses membres pratiquent effectivement le cannibalisme. Mais vous devez comprendre que, pour ses membres, la question n'est pas de manger de la chair humaine pour la chose en soi. Cette pratique est liée à un ancien rite appartenant au culte des dieux mandingues, lequel a été importé du Congo. Tous les honnêtes gens, adorateurs du vaudou comme chrétiens, ont cette société en horreur et, il y a quelques années, les hommes les plus éclairés d'Haïti ont formé une ligue pour sa dissolution.

— Ils ne sont pas arrivés à grand-chose jusqu'à maintenant, d'après ce que m'a dit ce prêtre catholique.

— Voyez-vous, dit le docteur, il s'agit d'une entreprise ardue. Pendant la période de l'occupation française, tous les nègres étaient des esclaves, aussi ne pouvaient-ils perpétuer ces horribles rites qu'au prix de grandes difficultés, mais quand ils eurent recouvré leur liberté, à l'époque de Napoléon, il leur devint beaucoup plus facile de se déplacer pour assister à de telles cérémonies. En conséquence, le culte s'étendit et, dans les années 1860, il avait acquis un inquiétant pouvoir sur toute la population. Durant la Révolution, les prêtres catholiques avaient été tués ou expulsés avec les autres Blancs. Puis, pendant de nombreuses années, on ne permit à aucun Européen de seulement accoster dans l'île. Mais l'Eglise Catholique est très habile : dans les années 1880, elle recruta un certain nombre de pères de couleur dans les possessions françaises d'Afrique et les envoya ici. Ceux-ci et, plus tard, les pères blancs, quand on leur permit à nouveau de s'installer en Haïti, combattirent le *Cochon gris*[1] — ou la *Secte Rouge*[1], comme bien des gens l'appellent — avec une détermination extrême, de sorte qu'au début de ce siècle son pouvoir avait décliné et elle était entrée dans la clandestinité. Néanmoins, on admet généralement qu'elle existe toujours, et on murmure même que certaines des familles les plus riches d'Haïti en sont membres.

— La police ne peut-elle rien y faire ? suggéra Simon. Le cannibalisme implique sûrement le meurtre ?

— L'ennui, c'est que personne ne sait qui appartient à cette secte redoutée, et c'est la mort certaine pour tout membre qui abjure, ou même est soupçonné de tiédeur une fois qu'il a été initié au mystère. Un mot imprudent suffit pour que la secte décide l'exécution de quiconque pourrait devenir un délateur. C'est pourquoi tout le monde ici a tellement peur de seulement parler du *Cochon gris*[1] en public. Ces gens sont absolument sans scrupule et répugnent fort à toute allusion à leurs activités ou même à leur existence, aussi comprendrez-

1. En français dans le texte.

vous la prudence des gens qu nient savoir quoi que ce soit de cette société : ils savent que le châtiment d'un simple bavardage est d'être enlevé de chez soi une nuit pour être assassiné d'une façon particulièrement horrible.

— Comment ?

— Les relaps ou les suspects sont emmenés en mer dans un bateau. Un des initiés leur écrase l'oreille droite à l'aide d'une grosse pierre. On badigeonne de poison la chair sanglante et les victimes sont jetées par-dessus bord, de sorte que même si ces gens sont suffisamment bons nageurs pour atteindre le rivage, ils meurent environ une heure après sous l'effet du poison. Pourquoi utiliser cette méthode particulière de mise à mort, alors qu'ils pourraient très bien les poignarder ou les étrangler, je l'ignore, mais, si on en croit la rumeur, c'est une règle obligatoire conforme à une longue coutume.

— Avez-vous — euh — jamais assisté à une de leurs réunions — en tant que savant, je veux dire ? demanda Simon avec une impudence considérable.

— A moins d'être moi-même membre de la *Secte Rouge*[1], je n'aurais certainement pas vécu pour le raconter, répondit le docteur.

Et Simon nota que, si le ton et le sourire du docteur impliquaient qu'il n'en était évidemment pas membre, il avait en fait évité de se compromettre de façon assez habile, et il était probable que cela l'amusait de tourner ainsi adroitement sa réponse, au lieu de proférer ouvertement un mensonge.

« Cependant, poursuivit le docteur avec une franchise inattendue, j'ai des moyens que la police ne possède pas pour soutirer des informations aux indigènes et, en tant qu'homme de science, je m'intéresse à toutes leurs coutumes, aussi puis-je vous décrire ce qui se passe au cours d'une de ces réunions »

Dehors la nuit était calme. Même les cigales avaient cessé de chanter et, sur ce mystérieux pays, un silence pesant s'étendait dans lequel chaque mot du docteur résonna avec clarté tandis qu'il commençait à décrire ces antiques rites barbares qui, à cet instant même, atteignaient peut-être leur révoltant apogée en quelque endroit distant au plus de quelques kilomètres, là-bas dans les ténèbres.

« Les membres de la secte ont des facilités, que peu de gens comprennent, pour voyager très rapidement et ils viennent de toutes les parties de l'île. Chacun porte un *sac paille*[1] contenant ses vêtements de cérémonie. Ils se retrouvent au hounfort d'un bocor — c'est-à-dire d'un prêtre spécialisé dans le culte du diable. A vrai dire, en ce qui concerne tout un chacun, rien ne lui permet de dire si le houngan local est aussi un bocor. Aussi un houngan peut-il pratiquer les rites vaudou habituels pendant de nombreuses années sans qu'aucun de

1. En français dans le texte.

ses fidèles ne le soupçonne d'être un bocor. D'autre part, certains d'entre eux ont, bien établie, cette réputation sans qu'il soit possible de le prouver. »

« Un peu avant minuit ils se réunissent dans le hounfort, qui est une enceinte entourée d'un certain nombre de petites maisons à toit de chaume. A les voir alors, on pourrait imaginer que ce sont des gens ordinaires se préparant pour une cérémonie vaudou mais, quand on donne le signal, tous commencent à revêtir leur habit de cérémonie. Le bocor joue le rôle de l'empereur et sa mambo celui de la reine. D'autres, parmi les principaux adeptes, remplissent les rôles de président, ministre, cuisiniers, officiers et soldats de la bourresouse, ces derniers formant une garde spéciale composée d'hommes choisis pour leur rapidité et leur force.Les vêtements de cérémonie, très riches et très étranges, ont pour effet de donner à l'assemblée tout entière l'apparence de démons munis de queues et de cornes. Certains d'entre eux revêtent l'apparence de chiens, de boucs et de coqs, mais surtout de cochons gris — d'où le nom de la société secrète. »

— Cela ressemble un peu à un sabbat de sorcières en Europe, fit remarquer Simon, se rappelant, avec un frisson qu'il s'efforça de réprimer, une cérémonie de la Nuit de Walpurgis à laquelle il avait jadis participé à Salisbury Plain. [1]

Le docteur acquiesça de la tête.

— Si j'en crois les quelques livres que j'ai lus sur la sorcellerie, vous avez raison. Quand tout le monde a revêtu son habit de cérémonie, les tambours commencent à battre. Des tambours qui n'ont pas la sonorité profonde des tambours Rada mais une note aiguë, élevée. Au rythme des tambours, ils commencent à danser, s'échauffant jusqu'à la frénésie, puis chacun allume une chandelle et, psalmodiant une liturgie de l'Enfer, ils partent pour le carrefour le plus proche, portant un petit cercueil, surchargé d'un grand nombre de chandelles, ce qui est le symbole de leur ordre.

Au carrefour, ils déposent le cercueil et célèbrent une cérémonie en l'honneur du dieu Petro, le Baron Carrefour, lui demandant, en tant que Seigneur des Routes et des Voyages, de les favoriser en leur envoyant de nombreuses victimes. Bientôt un des adeptes est possédé : c'est le signe que le Baron Carrefour consent à exaucer leur requête.

Ensuite ils dansent et descendent, en se pavanant, le chemin qui mène au cimetière. Là, ils conjurent le Baron Cimeterre de leur apporter le succès dans leurs entreprises. Chacun ou chacune ayant une main posée sur la hanche de son vis-à-vis et une chandelle allumée dans l'autre main, ils franchissent les grilles. L'adepte le plus jeune est alors étendu sur une tombe et on place autour de lui toutes les chandelles allumées. Une coupe constituée par une demi-calebasse est déposée

1. Voir « Les Vierges de Satan », du même auteur (Coll. « Fantastique/SF/Aventure », Néo).

sur son nombril. Alors, plaçant l'une contre l'autre les paumes de leurs mains, tous dansent et chantent en tournant autour de la tombe jusqu'à ce que chacun soit revenu à la place où il a posé sa propre chandelle.

L'assistance se couvre les yeux tandis que la reine quitte le cimetière. Le plus jeune des adeptes se relève et la suit, après quoi les autres sortent en procession. Ensuite ils prennent position sur quelque portion solitaire de route entre deux villes, où il est certain que passeront des voyageurs allant de l'une à l'autre. La bourresouse est envoyée chasser dans différentes directions et chaque groupe couvre souvent de nombreux kilomètres, tandis que le bocor et ses assistants attendent sur la route pour prendre au piège ceux qui pourraient y passer. Les chasseurs portent des cordes faites de boyaux humains séchés. Ces morceaux d'intestins sont très solides, et c'est avec eux qu'ils ligotent, et finalement étranglent, les pauvres malheureux qu'ils réussissent à attraper. Aux petites lueurs du matin, les chasseurs reviennent avec deux, trois ou parfois une demi-douzaine de victimes. Celles-ci sont emmenées au hounfort, où le bocor célèbre la cérémonie pour les changer en vaches, cochons, chèvres, etc., après quoi elles sont tuées et leur chair est partagée entre les membres de la secte.

— Pouah ! lança Simon. Quelle bande ! Je n'irai certainement pas me promener seul sur les routes, la nuit, pendant que je suis en Haïti. Mais, avec tout ce bruit et toutes ces lumières, il serait sûrement facile à la police de repérer et de disperser ces réunions, si elle en avait réellement envie.

Le docteur secoua la tête.

— On peut penser qu'il serait facile pour la police de venir à bout des gangsters aux Etats-Unis, un pays hautement civilisé, mais, même là, les G-men éprouvent de grandes difficultés pour venir à bout de gangs puissants et bien organisés. D'après cela, vous pouvez juger combien il est infiniment plus difficile, pour des gens respectueux des lois, d'en faire de même en Haïti. Chacun craint d'attirer sur lui l'attention la plus indésirable de la *Secte Rouge*[1], et les policiers nègres eux-mêmes tout autant que les autres. Aussi, tous, sauf quelques très rares braves, évitent-ils d'avoir quoi que ce soit à voir avec cette horrible affaire.

Pendant plus d'une heure, la conversation porta sur les gangsters et les sociétés secrètes, non seulement aux Etats-Unis mais dans le monde entier. C'est avec une grande satisfaction que Simon nota qu'il était près de trois heures et que le docteur ne manifestait toujours aucun signe de fatigue. Se tournant légèrement, il regarda Philippa.

Il était maintenant habitué au perpétuel silence qu'elle était forcée d'observer, mais elle avait son sac à main avec elle quand elle était

1. En français dans le texte.

sortie de l'épave de l'avion, aussi était-elle toujours en possession de son ardoise, et il lui vint à l'esprit qu'elle n'avait rien écrit dessus de toute la soirée, se contentant de hocher la tête chaque fois qu'on s'était adressé à elle. Elle était assise, impassible, depuis plus de quatre heures, ses yeux ronds fixés sur leur sinistre hôte. Il se demanda si elle était très lasse, mais ne voulut pas lui poser la question devant le docteur, aussi mit-il doucement la main sur son bras en disant.

— Ça va bien ?

Ses grands yeux semblèrent comme vides quand elle se tourna vers lui, mais elle acquiesça deux fois de la tête et, détournant son regard, alluma une cigarette. Mais la préoccupation de Simon était d'empêcher le plus longtemps possible le docteur Saturday de se coucher, aussi chassa-t-il rapidement Philippa de son esprit et ramena-t-il la conversation sur Haïti.

— C'est un sort parfaitement horrible d'être pris par ces gens du Cochon Gris, mais être transformé en zombie est encore pire.

— Ainsi vous avez aussi entendu parler des zombies ? dit le docteur avec un regard quelque peu amusé.

— Hum, fit Simon en acquiesçant du chef. Pas beaucoup, mais le prêtre m'en a touché un mot. Ce sont des corps sans âme — des sortes de vampires, n'est-ce pas ?

— C'est presque ça. Mais c'est encore un sujet tabou en Haïti, car nous aurions honte de faire savoir au monde extérieur que d'aussi horribles choses continuent d'exister ici.

— Quelle est la différence ?

Les yeux de Simon parcoururent le visage du docteur :

« C'est-à-dire, si cela ne vous dérange pas de parler de ça en privé », ajouta-t-il.

— La seule ressemblance entre un vampire et un zombie est que tous deux sont morts, ont été enterrés, et ont quitté leur tombe après le départ de leur famille en deuil. Un vampire, dit-on, vit dans sa tombe, mais la quitte chaque nuit pour chercher une victime humaine, car il maintient son corps en vie en suçant le sang des vivants, tel une chauve-souris.

« Un zombie, en revanche, est quelqu'un qui est rappelé d'entre les morts et qui une fois qu'il a quitté sa tombe, n'y retourne jamais. Il devient l'esclave total du sorcier qui garde son âme captive. Un zombie possède la même force physique qu'avant sa maladie et sa mort et il maintient sa vitalité à l'aide de la même nourriture que toute créature humaine ordinaire, celle-ci lui étant apportée dans la cabane où il est emprisonné pendant le jour. Je parle de « prison », mais ce n'est pas vraiment le terme exact, parce qu'il n'est besoin ni de barreaux, ni de serrures pour garder un zombie en captivité. Il ne peut pas parler, il n'a aucun pouvoir de raisonnement et il ne peut même pas reconnaître les gens qui lui étaient les plus chers de son vivant.

Pour lui il n'y a aucun moyen de fuir, et il ne le cherche d'ailleurs pas ; il travaille nuit après nuit, année après année dans les bananeraies ou à n'importe quelle tâche qui lui est imposée, comme une pauvre bête aveugle.

— Comme... comme c'est effrayant ! murmura Simon.

Le docteur approuva d'un signe de sa tête blanche.

— Et c'est encore plus effrayant pour la famille qui soupçonne qu'un de ses membres a été transformé en zombie. Songez-y. Quelqu'un qui vous est très cher — votre femme ou votre sœur, peut-être — que vous avez toujours choyé et entouré de tout le confort, soudain, à votre grande affliction, tombe malade et meurt. Même si vous êtes pauvre, vous vous privez pour lui donner les meilleures funérailles possibles, et ensuite vous essayez d'apaiser votre douleur en songeant que cette personne dort paisiblement dans sa tombe, délivrée des soucis et des tracas terrestres. Puis, un an, ou même deux ans plus tard, la rumeur vous parvient qu'on a vu et reconnu celle que vous aimez, couverte de poux et vêtue d'immondes guenilles, courbée par la fatigue, sortir en titubant de quelque plantation, dans une lointaine partie de l'île, un matin à la lueur blême de l'aube.

« Tout votre être vous crie d'aller là-bas, de la secourir, même si vous savez que si vous arriviez à la retrouver elle vous regarderait avec des yeux vides, sans le moindre signe qu'elle vous reconnaît. Mais vous n'osez pas agir ainsi. Vous savez que, si vous tentez de la retrouver, le sorcier qui en a fait son esclave l'apprendra, et qu'avant longtemps vous aussi tomberez malade et mourrez, et qu'il fera de vous un zombie. »

Fasciné malgré lui par ce macabre sujet, Simon demanda :

— Comment sont choisies les victimes ? Je veux dire, y a-t-il des aptitudes spéciales que puisse rechercher le sorcier chez la personne qu'il décide de transformer en zombie ?

— Aucune, sinon que l'homme — ou la femme — concerné ne doit pas être trop vieux pour le travail qu'on exige de lui, habituellement le travail des champs. Il y a bon nombre de raisons pour fabriquer des zombies. Pour un homme sans scrupules, c'est une bonne façon de se procurer de la main-d'œuvre, car on n'a pas à payer les zombies, on n'a qu'à les nourrir, et n'importe quel détritus fera l'affaire, pourvu qu'il contienne assez d'éléments nutritifs pour entretenir sa force. Ou encore, si on déteste suffisamment quelqu'un, pourrait-il y avoir une forme de vengeance plus subtile et plus satisfaisante que d'aller trouver un bocor pour faire transformer son ennemi en zombie ? Très fréquemment aussi des gens sont transformés en zombies à la suite d'une cérémonie *ba Moun*.

— Qu'est-ce que c'est ?

— *Ba Moun* signifie « Donner homme » et cela correspond très précisément à la pratique médiévale européenne qui consiste à vendre son âme au diable. Un homme pauvre, qui est très ambitieux mais ne voit pas le moindre espoir d'améliorer sa situation par les moyens normaux, peut décider d'aller trouver un bocor pour demander l'aide des dieux du mal. Sous l'autel de tout hounfort, il y a des vases contenant l'esprit d'un ou plusieurs houngans morts depuis longtemps, et les plus puissants bocors possèdent quantité de vases de ce genre. On évoque ces esprits et, quand on leur a fait les offrandes convenables, ils commencent à gémir, alors le demandeur sait que les dieux du mal sont prêts à écouter sa supplique. Il signe un contrat de son propre sang et le place avec de l'argent dans un des vases. On lui donne ensuite une petite boîte. Le prêtre lui explique que celle-ci contient de petits animaux et qu'il doit veiller sur eux et les soigner chaque nuit comme s'ils étaient une partie de lui-même.

— Il y a là une ressemblance avec les crapauds, lézards, chats et chouettes que les sorciers d'Europe avaient coutume d'avoir comme animaux familiers, intervint Simon.

Avec un signe de tête approbateur, le docteur continua :

— Un marché est ainsi conclu, par lequel les dieux du mal feront prospérer les affaires de l'homme pendant un certain temps, en échange de quoi il accepte de se remettre entre leurs mains à l'issue de cette période. Et il est averti que, s'il ne le fait pas, la troisième nuit après l'expiration du pacte, les petites animaux deviendront d'énormes bêtes malignes qui le dévoreront. Or la seule façon, pour lui, d'éviter de payer, du moins pour un temps, c'est de livrer quelque autre membre de sa famille qui sera transformé en zombie à sa place. Le pacte est alors automatiquement reconduit pour une nouvelle période, mais la personne doit obligatoirement être quelqu'un qui lui est cher. Il s'agit donc d'un véritable sacrifice. On a connu des gens qui ont donné toute leur famille de cette façon : fils, filles, nièces, neveux, parents, jusqu'à ce qu'il ne leur reste personne, en espérant chaque fois mourir de mort naturelle avant la prochaine échéance. Finalement ils se suicident souvent plutôt que de faire face eux-mêmes au paiement de la dette.

— Voilà un tableau singulièrement sinistre, dit Simon en guise de commentaire, mais je suppose qu'il concerne seulement les plus ignorants et les plus superstitieux des nègres ?

— Pas du tout.

Les dents blanches du docteur Saturday étincelèrent en un sourire sardonique.

« Etre un jour transformé en zombie est la terreur de tout homme et de toute femme en Haïti, du nègre le plus noir au mulâtre à la peau claire. C'est une crainte qui est toujours présente, même dans l'esprit des plus riches, car on peut faire d'autres usages des zombies que les obliger à travailler dans les champs. Il n'y a pas très longtemps une des plus belles mulâtresses d'Haïti mourut soudain de façon mystérieuse. Dix-huit mois plus tard, on la trouva, une nuit, errant dans les rues de Port-au-Prince. Son esprit était vide et elle était muette, aussi ne put-elle raconter son histoire, mais, curieuse coïncidence, un nègre très riche, qui avait voulu l'épouser et à qui ses parents avaient refusé sa main avec mépris, était mort la veille du jour où on la trouva. J'ai de bonnes raisons de croire que, ne pouvant l'obtenir par le mariage, il avait payé, pour la faire transformer en zombie, un puissant bocor, lequel la lui avait remise après sa résurrection, et il avait pris depuis son plaisir avec elle chaque fois qu'il avait voulu, la gardant cachée dans sa maison. Mais, à sa mort, sa femme, voulant se débarrasser de la jeune fille, l'avait laissée partir, et elle s'était mise à errer.

— Que lui est-il arrivé ? demanda Simon.

— Naturellement, sa famille étant très désireuse d'étouffer l'affaire, des religieuses se chargèrent d'elle et la firent monter clandestinement, de nuit, à bord d'un bateau en partance pour la France où elle entra au couvent. Mais le bocor qui l'avait transformée en zombie aurait encore le pouvoir de la faire revenir en Haïti s'il le souhaitait et, si c'était un très puissant occultiste, il aurait aussi le pouvoir d'animer son cerveau et d'y placer telles pensées qu'il souhaiterait lui communiquer, même à une très grande distance. Pourtant il ne lui serait pas possible de la faire parler.

Soudain, les manières du docteur changèrent. Il se leva brusquement. De la moquerie voilée, son ton, se durcissant, passa à l'hostilité et au mépris déclarés, tandis qu'il disait :

« Je me suis amusé à vous parler suffisamment longtemps, M. Aron. Maintenant je vais me coucher et dormir. Quand vous réveillerez vos amis et qu'ils recommenceront à lutter pour éviter de me rencontrer sur le plan astral, peut-être obtiendront-ils un court répit grâce à l'intérêt que, j'en suis sûr, ils éprouveront si vous leur répétez ce que je vous ai dit à propos des zombies — particulièrement l'histoire de la belle et jeune Haïtienne qui fut envoyée en France. C'était moi le bocor dans cette affaire et, afin de vous surveiller tous par son truchement pendant votre voyage, cela m'a beaucoup arrangé de la faire revenir en Haïti. »

Durant un instant Simon ne comprit pas la pleine signification de ce que le docteur Saturday venait de dire, puis son cœur s'arrêta. Il se tourna lentement et regarda Philippa.

CHAPITRE XIX

Le cadavre vivant

La belle et jeune muette était assise, le visage dépourvu de toute expression. Si elle avait entendu les paroles du docteur, elle n'en laissait rien paraître, et il vint soudain à l'esprit de Simon qu'à part manger la nourriture qu'on avait disposée devant elle au souper, elle n'avait pas accompli une seule action de sa propre initiative depuis qu'elle était entrée dans la maison du docteur.

Alors même qu'il luttait contre la déroutante horreur de la situation, son cerveau alerte recommençait à travailler. Si, comme l'avait dit le mulâtre, elle était effectivement un zombie dont il avait le pouvoir d'animer et de diriger le cerveau, même à distance, il pouvait probablement aussi le vider et le laisser stérile à volonté. Chaque idée exprimée par Philippa et écrite sur son ardoise, depuis qu'ils l'avaient rencontrée pour la première fois à la gare de Waterloo, près d'une semaine auparavant, n'avait été, par conséquent, que pure mystification, une suite sans réalité de mots n'exprimant en rien la personnalité que son vrai moi avait abritée deux ans auparavant, rien que des phrases conventionnelles ayant juste assez de caractère pour faire croire à ses compagnons sans méfiance qu'elle était la complice idéale, ce que le docteur avait souhaité.

C'est d'elle seulement qu'ils tenaient qu'elle avait été commotionnée et rendue muette par une bombe tombée sur l'hôpital où elle était infirmière, et évidemment c'était tout à fait faux. Mais c'était exactement le genre d'histoire que leur rusé ennemi devait faire raconter à la jeune fille, sachant qu'une telle fable lui gagnerait leur sympathie. Quant à cette autre histoire, selon laquelle elle aurait vécu à la Jamaïque et aurait eu un oncle qui l'avait emmenée partout dans les Antilles, elle avait dû également être inventée par le docteur, uniquement pour lui permettre de demeurer en leur compagnie, afin qu'il puisse continuer à les surveiller à travers elle aussi facilement que dans l'objectif d'une caméra.

Un kaléidoscope d'images où lui-même et la jeune fille étaient réunis au cours de ces quelques derniers jours défila follement dans l'esprit de Simon. Il lui avait tenu la main et avait dansé avec elle et, n'eût été sa terrible anxiété pour ses amis, la nuit précédente, qui mettait son esprit dans l'incapacité de penser à autre chose durant ces heures effroyables où il ignorait s'ils étaient morts ou vivants, il lui aurait certainement fait la cour. Pourtant c'était un être mort, un corps sans âme, une chose sortie de la tombe.

A regarder sa bouche, ses joues légèrement bistrées et ses éclatantes lèvres rouges, cela semblait impossible, et pourtant, maintenant qu'il savait, il éprouvait un grand revirement de sentiments. Il trouvait quelque chose de plutôt repoussant à son apparence éclatante de santé, et l'idée même de la toucher lui donnait maintenant la nausée. En même temps il ressentait une irrésistible pitié pour elle — ou plutôt pour celle qu'elle avait dû être avant qu'on la dépouille de son âme.

Le bel objet qu'il regardait n'était qu'une motte d'argile « humaine », uniquement animée par l'extraordinaire puissance d'une autre volonté. L'esprit de la jeune fille devait être emprisonné quelque part, souffrant toutes les tortures de celui qui n'est ni incarné, ni désincarné, qui ne peut ni goûter cette tranquille période qui suit l'achèvement d'une vie sur Terre, ni partir comme un esprit libre pour animer un autre corps humain, mais doit contempler, dans un paroxysme de souffrance, l'emploi qui est fait de ce corps qu'il ne peut plus contrôler, jusqu'à ce qu'un fatal accident ou quelque maladie de la chair rende ce corps inhabitable pour l'entité étrangère qui en a pris possession.

Une autre pensée frappa Simon. Aussi longtemps qu'il s'était imaginé avoir la jeune muette pour compagne, il n'avait pas eu peur du docteur, bien qu'il sût parfaitement bien qu'elle n'aurait pas pu faire grand-chose pour le protéger — tout comme un homme traversant une jungle de nuit pourrait être réconforté par la présence de son chien, bien que celui-ci ne puisse le préserver de la morsure d'un serpent ou du bond d'une panthère. Les autres dormaient si profondément qu'il doutait de parvenir à les réveiller, aussi fort puisse-t-il crier. Quant à Philippa, elle n'était pas même un animal amical, c'était une marionnette à forme humaine animée par la seule volonté de son ennemi. Il était donc complètement seul face au sataniste malin.

Toutes ces pensées lui avaient traversé l'esprit comme un éclair. A la dernière, il avait éprouvé l'envie soudaine de bondir de son fauteuil et de se précipiter, pris de terreur, hors de la maison, mais il y résista et, selon la loi qui veut que toute résistance au Mal apporte une force accrue, une pensée nouvelle surgit dans son esprit. « Idiot ! Ton cas n'est pas pire maintenant qu'il l'a été toute la soirée. Tu avais dressé un plan, et Philippa n'avait aucun rôle à y jouer. Par conséquent cette effrayante révélation ne fait aucune différence. Il n'a démasqué Philippa que pour te terroriser. Ne le laisse pas y parvenir. Continue comme prévu, comme s'il n'avait rien énoncé de plus que son intention — ainsi que tu t'y attendais tôt ou tard — d'aller au lit. »

Le plan de Simon était très simple et il l'avait élaboré des heures auparavant. Il était parfaitement capable de prendre part à une discussion tout en pensant en même temps à quelque chose de complètement différent. D'ailleurs, durant toute la séance, c'est le docteur qui avait fait les neuf dixièmes des frais de la conversation, aussi Simon avait-il eu largement la possibilité de considérer la situation sous tous les angles.

Il était absolument convaincu que, quand il s'endormirait, le docteur n'avait pas l'intention de s'occuper de ceux de ses ennemis qu'il avait attirés dans sa propre maison : il partirait pour tendre un piège à Rex et à Richard. S'il pouvait empêcher leur retour, il aurait ensuite tout loisir de s'occuper des autres et, le lendemain, il prendrait à nouveau un plaisir sadique à les voir manifester les signes d'une fatigue croissante, jusqu'à ce que, finalement, ils y succombent. Simon avait décidé que le meilleur service qu'il lui était possible de rendre et, à vrai dire, autant qu'il puisse le prévoir, le seul qui offrait un espoir de les sauver tous, était de porter la guerre dans le camp de l'ennemi. Quel que soit le risque qu'il encourrait lui-même, il devait s'efforcer de saboter le plan du docteur afin que Richard et Rex puissent échapper à son attaque et parvenir à les rejoindre.

D'après ce qu'avait dit de Richleau, puisque les deux amis n'avaient pas réussi à revenir avant le crépuscule et qu'il n'y avait pas de système d'atterrissage de nuit à Port-au-Prince, il n'y avait maintenant aucun espoir qu'ils arrivent avant l'aube. Manifestement, le docteur avait pris cela en compte dans ses calculs — d'où sa complaisance à rester debout à parler jusqu'au beau milieu de la nuit. Il savait qu'ils ne décolleraient pas de l'aéroport de Kingston avant les deux heures précédant le lever du soleil, aussi, pourvu qu'il soit endormi à cinq, ou même six heures, aurait-il encore largement le temps de les attaquer au cours de la deuxième moitié de leur voyage. Simon s'était donc imposé la tâche de garder le docteur éveillé jusque bien après le lever du soleil et il avait passé une bonne partie des heures qui venaient de s'écouler à réfléchir aux meilleures méthodes pour y parvenir.

Si son revolver n'avait pas sombré avec l'avion, il aurait été fortement tenté d'abattre le docteur sur place, misant sur la chance que, de Richleau et Marie-Lou étant endormis, leur corps astral soit dans un voisinage assez proche pour s'emparer de l'esprit du Mal au moment du noir qui suit immédiatement la mort et l'emprisonner, remportant ainsi d'un seul coup audacieux la victoire dans le combat pour lequel ils étaient venus. Mais, si le corps astral de ses amis n'était pas à proximité, l'esprit du docteur s'échapperait et, comme ils n'avaient aucune protection, les tiendrait, *eux*, à sa merci. Aussi le risque était-il grand. De toute façon, il n'avait pas de revolver, ni aucun autre moyen d'infliger une mort rapide au sataniste. Il n'était donc pas appelé à jouer avec leur sort à tous.

Ce qui s'imposait à l'évidence, c'était de tenter de blesser le docteur ou de lui faire suffisamment mal pour qu'il soit empêché de dormir par la douleur. Hélas, c'était plus facile à dire qu'à faire, car si le mulâtre avait l'apparence d'un homme approchant la soixantaine, il était solidement bâti, et Simon, qui était très frêle, était certain de n'avoir pas le dessus dans un affrontement physique. Ce n'est qu'en l'attaquant par surprise qu'il pourrait lui infliger le genre de blessure voulu, mais, quand l'adversaire est parfaitement prévenu de votre animosité, a l'esprit prompt et est prêt à toute éventualité, il n'est guère aisé de trouver l'opportunité d'une telle attaque.

Néanmoins Simon était un adversaire redoutable quand il mettait à l'œuvre son cerveau subtil, et il avait pris grand soin de passer en revue chaque partie du corps humain sous l'angle à la fois de la douleur qu'elle peut provoquer en cas de lésion et de sa facilité d'accès lors d'une attaque subite.

Au cours de ces minutes terribles qui avaient suivi les révélations du docteur à propos de Philippa, Simon avait gardé les yeux baissés afin que son ennemi ne puisse lire ses pensées. Puis, brusquement il leva son pied droit à hauteur du genou et, de toute la force dont il était capable, la pointe de son talon vint frapper le cou-de-pied gauche du sataniste.

Le mulâtre vacilla en arrière, le visage tordu par la douleur. Le tranchant du talon s'était enfoncé en plein dans les délicats tendons de son cou-de-pied, juste au-dessus du laçage de ses souliers et, comme Simon écrasait dessus le dur tranchant, un des petits os fragiles qui constituent la cambrure du pied craqua.

Quand le docteur libéra son pied d'une secousse, il haletait légèrement et ses yeux semblaient jaillir de son visage jaune sous l'effet de son intense malveillance. Il ne fit pas un geste pour frapper Simon mais, levant son pied blessé, il marmonna :

— Par le Baron Cimeterre, je jure que vous me paierez ça.

Mais Simon n'avait fait que commencer. Blesser son adversaire constituait moins de la moitié de son plan. Saisissant la grosse lampe à huile posée sur la table il la souleva pour la jeter à la tête du docteur.

Se baissant, le docteur évita le dangereux projectile, mais la soudaineté et la violence de l'attaque le fit reculer et se retourner pour quitter la pièce en chancelant. La lampe s'écrasa et l'huile se répandit en une nappe de flammes qui bondit, dévorante, jusqu'aux légers rideaux. L'instant d'après, Simon avait sauté sur une chaise. Il y avait une autre lampe à huile suspendue à une poutre au centre de la pièce. L'ayant arrachée à ses attaches, il la jeta, elle aussi, sur son ennemi en train de battre en retraite.

La seconde lampe manqua également le docteur mais, au moment où elle éclata, une autre grande flaque d'huile enflammée se répandit sur le plancher en bois, dévorant au passage les nattes de jonc. Dans quelques instants la maison serait en flammes, exactement comme Simon l'avait délibérément projeté.

— Maintenant, démon, dors si tu peux ! hurla Simon et, bondissant de la chaise, il se précipita hors de la pièce pour réveiller de Richleau et Marie-Lou.

Ils dormaient tout habillés, dans la position où ils s'étaient écroulés sur leurs lits et, tout d'abord, Simon pensa qu'il ne pourrait jamais les réveiller. Il appela Marie-Lou et la mit en position assise, mais elle s'affala de nouveau en arrière avec un petit gémissement. Des mesures désespérées s'avéraient nécessaires et il dut la gifler plusieurs fois violemment avant qu'elle retrouve un semblant de conscience. Le duc se révéla également si difficile à réveiller que cinq précieuses minutes s'étaient écoulées avant que Simon soit parvenu à les remettre tous deux sur leurs jambes et qu'ils aient compris, par son récit haché, l'essentiel de ce qui s'était passé.

Encore à moitié endormis, ils le suivirent tous deux en trébuchant, tandis qu'il revenait en courant vers la salle de séjour. Pendant toute la durée de sa brève et violente attaque contre le docteur, Philippa n'avait pas sourcillé. Elle s'était contentée de rester assise dans son fauteuil, fixant devant elle un regard vide. Le feu s'était rapidement propagé dans les bâtiments de bois, et, au moment où ils entrèrent dans le salon, ils virent qu'il était maintenant à demi envahi par les flammes et la fumée. Le fauteuil de Philippa était vide, mais elle surgit soudain au milieu du rideau de fumée. Manifestement elle avait tenté de suivre le docteur jusqu'à sa chambre, mais elle en avait été incapable.

Tandis qu'elle se dirigeait vers eux en titubant, ils reculèrent un instant, emplis d'horreur. Ses grands yeux étaient fixes et sa bouche était grande ouverte comme pour pousser un cri, mais aucun son n'en sortait. Sa chevelure et ses vêtements étaient en feu et elle semblait affolée par la souffrance.

En une seconde, de Richleau ôta sa veste et l'en enveloppa, tandis que Marie-Lou et Simon s'efforçaient, de leurs mains nues d'éteindre les flammes de sa jupe en feu. Ils y réussirent juste avant qu'elle ne défaille et s'affale sur le plancher devant eux.

La majeure partie de la maison était maintenant une fournaise incandescente et la seule porte que les flammes crépitantes n'avaient pas encore atteinte était celle menant aux chambres d'ami. Le duc et Simon empoignèrent Philippa et, la traînant, la transportèrent sur la véranda en passant par la chambre la plus proche.

Un peu plus loin, ils virent que le feu avait déjà gagné la salle à manger et que, à moins d'être rapidement combattu, il consumerait bientôt la chambre et le bureau du docteur. Ils pouvaient entendre celui-ci, de l'autre côté d'un voile de fumée et d'étincelles jaillissantes, qui appelait ses boys, puis ils perçurent un bruit de pas lourds et précipités. Durant un bref instant Simon se permit de savourer son triomphe en s'exclamant méchamment :

— Guère de risques maintenant que ce salaud s'endorme cette nuit.

Puis il reporta son attention sur le pauvre corps sans âme qu'ils connaissaient sous le nom de Philippa.

Déjà de Richleau l'examinait et disait d'un ton découragé :

— La pauvre fille est terriblement brûlée à la tête, aux bras et aux jambes. Nous devons la descendre à l'hôpital aussi vite que possible.

— Ce... ce n'est pas du tout une fille, c'est un zombie, lança Simon. Le docteur Saturday me l'a dit... me l'a dit lui-même, juste avant que je lui tombe dessus.

— Qu'est-ce qu'un zombie ? demanda Marie-Lou d'une voix intriguée.

De Richleau lui répondit sombrement :

— Les zombies sont des corps sans âme, des morts qu'on a rappelés de la tombe pour servir le sorcier qui a capturé leur âme. Absolument effrayant !

En quelques phrases rapides, Simon leur raconta ce qu'avait dit le docteur et l'histoire de Philippa.

Le duc acquiesça de la tête.

— Je suis enclin à penser, alors, que tous les boys sont aussi des zombies. Mais, bien que ne pouvant parler, les zombies peuvent éprouver des sentiments, aussi ce corps misérable que nous appelons Philippa souffre tout autant que si l'esprit de la jeune fille l'habitait. Nous devons l'amener à l'hôpital comme si de rien n'était. Chargez-la sur mes épaules, Simon. Ce n'est qu'à un quart d'heure de marche, en bas, à l'entrée de la ville, et avec de la chance nous trouverons de l'aide en route.

Ils placèrent le corps de Philippa en travers du dos du duc qui, comme s'il eût été un pompier, ployant sous son poids, descendit d'un pas incertain l'escalier de la véranda, Marie-Lou ouvrant la marche et Simon la fermant pour protéger les arrières du petit groupe. Porter le corps constituait un effort considérable pour le duc et, tous les cent mètres environ, il devait se reposer un moment, mais, quand ils eurent parcouru un kilomètre, ils rencontrèrent une charrette matinale qui, venant d'une route secondaire, se rendait en ville, au marché.

Bien qu'ils ne parlassent pas le créole, la grande et grosse négresse qui la conduisait comprit la situation et les aida à installer le corps inanimé sur ses bottes de légumes. Fouettant son âne misérable pour le faire trotter, elle se dirigea tout droit vers l'hôpital, pendant que les autres couraient ou marchaient à côté de la petite charrette.

A l'hôpital, ils furent déchargés de leur responsabilité par une infirmière mulâtresse qui héla un interne en chirurgie noir. Après ce qu'ils avaient entendu sur Haïti, ce fut une agréable surprise de constater que l'hôpital, au moins, aurait pu rivaliser avec n'importe quel établissement européen d'une ville de même importance par sa propreté, son équipement et l'évidente efficacité de son personnel, dont tous les membres parlaient passablement bien le français. Les vêtements carbonisés de Philippa furent découpés et, sous une légère couverture, on l'emmena rapidement sur un chariot pour soigner ses brûlures. Quant à eux, on les invita à s'asseoir dans une pièce nue mais non dépourvue de confort, pour attendre le diagnostic du chirurgien.

Pendant ce temps, ils discutèrent des événements de la nuit et de Richleau ne ménagea pas ses louanges à Simon pour son attaque, bien préparée, courageuse et adroitement menée contre l'ennemi.

Le duc pensait que, normalement, un adepte de la magie noire aussi puissant que le docteur devrait être capable de surmonter sa propre douleur et de se placer lui-même en état de transe, mais que le fait d'avoir mis le feu à sa maison l'en empêcherait presque certainement. Il serait naturellement extrêmement désireux de sauver les précieux instruments de magie qu'il conservait sans doute dans son bureau, ainsi que d'autres biens. Il y avait donc des chances pour qu'il se passe au moins une couple d'heures avant qu'il ait récupéré ce qu'il pouvait et trouvé une pièce où dormir, dans une maison du voisinage.

Simon avait mis le feu aux environs de trois heures vingt. Il était maintenant exactement quatre heures. Deux heures supplémentaires les amèneraient à six heures, et il faudrait au moins une heure de plus au sataniste pour soigner son pied afin que la douleur aiguë le laisse, en s'apaisant, trouver le sommeil. Aussi était-il très peu vraisemblable qu'il soit capable de quitter son corps avant sept heures, et il était même probable qu'il ne réussirait à en sortir que beaucoup plus tard. Grâce, par conséquent, à l'habile stratégie de Simon, il y avait de bonnes raisons d'espérer qu'il n'aurait pas le temps d'agir sur le plan astral avant l'aube, et ils étaient convaincus que Rex et Richard seraient partis de Kingston à l'instant même qui leur permettrait d'atterrir avec le jour à Port-au-Prince.

Une demi-heure plus tard, le chirurgien noir descendit leur dire que les brûlures de Philippa étaient d'une gravité extrême et qu'il ne pouvait répondre de sa vie, mais qu'il était pourtant difficile d'affirmer qu'elle ne survivrait pas à ses blessures. C'était un homme aimable et bienveillant qui, voyant à quel point ils étaient déprimés, engagea l'une des infirmières à leur apporter du café chaud additionné de rhum pour les réconforter. Quand ils l'eurent bu, il leur proposa de revenir quelques heures plus tard, espérant avoir alors d'autres nouvelles à leur donner.

Il était cinq heures et demie quand ils sortirent dans la rue et ils virent que le ciel virait déjà au gris pâle au-dessus des montagnes, à l'est. Après avoir quitté la ville et marché un peu le long de la route qui montait chez le docteur, ils dépassèrent un tournant bordé par une épaisse végétation et, soudain, ils virent la maison. Tous les efforts pour maîtriser le feu avaient manifestement échoué. Le milieu du bâtiment s'était écroulé, une nappe d'épaisse fumée s'en élevait et ses deux extrémités étaient maintenant un bloc de flammes, aussi ne faisait-il aucun doute qu'elle serait totalement consumée dans une heure.

Un peu réconfortés d'avoir infligé un coup si dur à l'ennemi, ils firent demi-tour et couvrirent lentement les quatre kilomètres qui les séparaient du port. Peu après qu'ils l'eurent atteint, l'aube poignait et le ciel, derrière les collines, devenait une fantastique mer de feu aux éclatantes couleurs rouge et or.

Le port s'éveillait à ce nouveau jour. Des bateaux de pêche aux voiles déchirées et rapiécées étaient mis à l'eau, les cafetiers enlevaient les volets de pacotille de leurs bars sur le front de mer et on entendait dans le lointain le chant mélodieux d'une équipe de nègres en train de tirer sur les amarres d'un cargo sur le point de prendre la mer.

De Richleau et ses amis restèrent à scruter le ciel en direction de l'ouest, espérant à tout instant pouvoir distinguer le point qui se révélerait être Richard et Rex sur le chemin du retour, dans un avion de louage. Pendant plus d'une heure, ils attendirent, regardant par-dessus la baie bleue et le rivage, des deux côtés du port bordé de palmiers déchiquetés dont beaucoup avaient été décapités par un ouragan. Mais, bien que le soleil fût levé et que le jour baignât le paysage, le point impatiemment attendu n'apparaissait pas pour réjouir leurs yeux et emplir leur cœur d'une espérance nouvelle.

Grâce au stratagème de Simon, Marie-Lou et le duc étaient parvenus à prendre plus de cinq heures d'un bon sommeil, aussi, en dépit des vives émotions de la nuit, se sentaient-ils parfaitement reposés, mais cela faisait maintenant plus de vingt-quatre heures que Simon lui-même n'avait pas dormi, et il commençait à son tour à se sentir fatigué et les paupières lourdes.

En partie pour le réveiller, de Richleau, à sept heures et demie, l'envoya avec Marie-Lou à l'hôpital pour demander des nouvelles de Philippa, lui même restant pour guetter l'avion. A huit heures, ils revinrent lui annoncer que les blessures étaient trop graves pour qu'elle s'en remette et qu'elle mourrait vraisemblablement dans le courant de la matinée.

— A première vue, ça n'a pas l'air d'une bonne nouvelle, grogna le duc, mais c'en est une tout de même. Nous devrons pourtant veiller à ce que, cette fois, la pauvre créature soit réellement morte et à ce que son corps ne puisse jamais être réanimé de nouveau.

— Pourrait-il l'être ? demanda Marie-Lou.

— Certainement. Elle n'a aucune partie vitale atteinte, et même si ses brûlures ont pu altérer sa beauté, sa constitution physique est toujours jeune et robuste. Le démon à qui nous avons affaire pourrait fort bien, une fois encore, la tirer de sa tombe, cette fois pour la faire travailler comme esclave dans les plantations, à moins que nous ne prenions des mesures appropriées pour l'en empêcher.

— Comment ferez-vous ? s'informa Simon.

De Richleau haussa les épaules.

— Il y a des moyens. Mais ce n'est pas un sujet plaisant. Le point important c'est que, dès la disparition de l'apparence de vie, nous devrons réclamer son corps pour les funérailles. En attendant, essayons de penser à des choses plus agréables. Un petit déjeuner pourrait y aider.

Aucun d'eux n'avait pensé à manger au cours de ces heures pénibles, mais ils se rendirent compte alors qu'ils étaient tous incontestablement affamés. Ils se dirigèrent donc vers celui des petits restaurants du front de mer qui avait la moins crasseuse apparence et firent amplement justice à un excellent café et à une très convenable omelette.

Il était près de neuf heures quand ils eurent fini et ils commençaient à s'inquiéter vivement de ce qui avait pu arriver à Richard et à Rex. Même s'ils avaient attendu jusqu'à l'aube pour s'envoler de l'aéroport de Kingston, ils auraient dû être déjà arrivés à Port-au-Prince car, même avec un appareil vétuste, le voyage pouvait facilement s'accomplir en deux heures.

Sans y prêter un intérêt particulier, ils virent tous une longue et basse vedette de haute mer entrer dans le port à l'instant où ils finissaient leur omelette, mais aucun d'eux n'en fit la remarque. Seul Simon s'avisa qu'elle battait pavillon de la marine marchande anglaise.

A peine l'eut-il fait remarquer aux autres que deux personnages sortirent de la cabine de la vedette et, celle-ci à peine amarrée, sautèrent sur les dalles du port. C'étaient leurs amis. Disant en toute hâte au serveur nègre qu'ils allaient revenir, le visage rayonnant de bonheur, ils traversèrent la route pour courir à leur rencontre.

Rex portait une grosse valise et il agita sa main libre pour les saluer.

— Nous avons les fournitures ! Mais, Grand Dieu, que c'est bon de vous voir. Nous ne savions plus à quel saint nous vouer au cours des dernières heures en songeant que nous arriverions trop tard.

— Oui, dit Richard, rayonnant, en étreignant Marie-Lou, Dieu merci vous êtes encore sains et saufs. Nous avons atteint Kingston à une heure hier, mais tout l'or du monde ne nous aurait pas procuré un avion. Il n'y en avait tout bonnement pas. Par chance, nous avons repéré ce bateau. Il est beaucoup plus rapide que celui sur lequel nous étions arrivés, aussi l'avons-nous loué et, après avoir acheté ce qu'il fallait, nous nous sommes tout de suite mis en route pour le retour. Nous avons effectué le trajet en à peine un peu plus de quinze heures.

— Bien joué, dit le duc en souriant. Bien joué ! En fait, Marie-Lou et moi aurions trinqué la nuit dernière si Simon n'avait pas pris une magnifique initiative, mais il nous a obtenu un répit et a mis, par-dessus le marché, un vilain bâton dans les roues de l'ennemi.

— Alors vous êtes parvenus à identifier l'ennemi ? dit Richard.

— Grand Dieu, oui ! s'exclama le duc. Oh ! Naturellement vous ne le savez pas, c'est cet enjôleur de mulâtre, le docteur Saturday.

Mais je suppose que vous êtes tous les deux affamés, non ? Venez vous asseoir et nous vous raconterons tout ça.

On commanda de nouveau du café et des œufs et, pendant que les nouveaux arrivés se restauraient, on les mit au courant de ce qui s'était passé pendant leur absence. Tous les cinq commencèrent alors à discuter des plans à dresser.

— Vous feriez bien de garder cette vedette de haute mer pour le moment, Richard, suggéra le duc, et nous en ferions provisoirement notre quartier général.

— Il ne nous serait pas possible de faire un pentacle de six mètres de diamètre à l'intérieur pour nous protéger cette nuit, objecta Richard. C'est à peine si elle a cette largeur.

— Nous pourrions en faire plusieurs plus petits, suggéra Marie-Lou, mais le duc intervint.

— Maintenant que nous sommes à nouveau réunis, un grand pentacle nous contenant tous serait certes beaucoup plus efficace, mais je doute que nous puissions trouver une chambre de taille suffisante à l'hôtel. Il y aurait d'ailleurs toutes sortes d'autres inconvénients à y aller. Nous pourrions, bien sûr, louer une maison inoccupée, mais cela veut dire rencontrer des agents immobiliers et aller voir des endroits qui ne nous conviendront peut-être pas. Aussi, pour le moment, cela nous épargnera un tas de soucis si nous utilisons la vedette. La nuit venue, nous pourrons la tirer sur quelque plage tranquille et faire notre pentacle là, sur le sable, hors de portée de la marée. Entre-temps j'aurai peut-être trouvé un autre usage pour elle, et elle a l'avantage supplémentaire que son équipage est jamaïquain — pas haïtien — de sorte qu'il est beaucoup moins probable qu'il soit acheté par le docteur.

Après avoir payé leur addition, ils se dirigèrent vers la vedette et y déposèrent la valise que Rex portait. Puis le duc avança qu'il fallait remonter à l'hôpital pour y attendre que la vie qui animait le corps brûlé de Philippa l'ait quitté.

Simon fit remarquer que, même s'il ne courait pas le danger de s'endormir, il préfèrerait de beaucoup se reposer un peu, plutôt que de marcher encore, car il commençait maintenant à faire chaud, et de Richleau convint que c'était une bonne idée que quelqu'un restât sur la vedette pour veiller sur la précieuse valise. Ils le laissèrent donc là et se mirent une fois encore en route pour traverser la ville.

L'hôpital n'était qu'à une dizaine de minutes de marche du port. Quand ils y arrivèrent, un jeune étudiant en médecine de couleur leur dit que Philippa venait juste de mourir.

De Richleau répondit que, dans ce cas, ils se chargeraient tout de suite du corps de leur amie, si on pouvait trouver un moyen de transport pour l'emmener. Il ajouta de sang-froid un mensonge : les parents de la jeune fille habitant la Jamaïque, ils souhaiteraient naturellement qu'elle soit enterrée là-bas. Il fallait donc faire vite, sinon le corps commencerait à se décomposer à la chaleur avant qu'on puisse lui faire effectuer la traversée en bateau.

Le jeune interne étant à la fois compatissant et affable, il partit trouver le chirurgien qui, dit-il, établirait le certificat de décès et prendrait toutes dispositions pour que l'ambulance descende le corps jusqu'au port.

Ils attendirent ensuite pendant près de vingt minutes, et quand, enfin, le chirurgien apparut, son visage était très grave.

— Je dois m'excuser, commença-t-il en un excellent français, de paraître douter de vos droits à réclamer le corps de la jeune fille que vous avez amenée ici, de bonne heure ce matin, sous le nom de Philippa Ricardi, mais il s'est passé une chose très extraordinaire et des plus troublantes. Le visage de la jeune fille n'étant pas très gravement brûlé, une des infirmières est sûre de la reconnaître. Notre infirmière jure que c'est Marie Martineau, une jeune fille qui est née et a grandi à Port-au-Prince, et dont l'histoire, à partir de sa dix-neuvième année, est entourée de beaucoup de mystère. Naturellement nous avons envoyé chercher *Monsieur* et *Madame*[1] Martineau qui se sont rendus au chevet de la jeune fille avant qu'elle ne meure. Ils l'ont formellement identifiée comme leur fille disparue.

— A-t-elle repris conscience avant de mourir ? demanda le duc.

— Oui. Et, comme c'est fréquent en pareil cas, elle avait dépassé le stade de la souffrance, aussi a-t-elle eu une mort paisible.

— A-t-elle reconnu ces gens qui se disent ses parents ? poursuivit de Richleau.

— Non, dit le chirurgien avec une légère hésitation. Je ne peux pas dire qu'elle les ait reconnus. Mais ils sont tout à fait catégoriques à son sujet.

— Je pense qu'il vaudrait mieux que vous nous conduisiez à eux, dit le duc.

— Très bien.

Le chirurgien fit demi-tour et les précéda, après avoir emprunté un couloir et monté quelques marches, dans une longue salle d'une scrupuleuse propreté, avec une large véranda. A son extrémité, on avait disposé un rideau derrière lequel un homme se tenait debout, la main posée sur l'épaule d'une femme qui, pleurant à fendre l'âme, était agenouillée au pied du lit sur lequel reposait le corps.

Au moment où de Richleau et ses amis contournèrent le rideau, ils se rendirent compte que l'homme et la femme étaient tous deux des mulâtres d'un âge très avancé. L'homme avait la peau plus foncée et avait dû être très beau, ses traits présentant une ressemblance marquée avec ceux de Philippa, tandis que la femme ressemblait à

1. En français dans le texte.

un sac de graisse sans caractère, dans sa robe de soie de bonne qualité.

Le chirurgien murmura un semblant de présentation : *Monsieur et Madame* Martineau, voici les personnes qui ont amené votre fille à l'hôpital pour la faire soigner.

Le vieux mulâtre leur lança un regard furieux, comme s'il eût aimé leur arracher le cœur, tandis que la grosse femme se relevait soudain et hurlait en mauvais français :

— Goules ! Pilleurs de tombes ! Où l'aviez-vous emmenée ? Ma Marie ! Où est le Bon Dieu s'il ne vous tue pas raide pour ça ?

Frémissant d'une fureur indignée elle poursuivit :

« Nous l'avions sauvée, elle était en sécurité avec les bonnes sœurs de Marseille. Pauvre petite ! Elles disaient qu'elle semblait heureuse au couvent et nous payions très cher pour sa pension. Puisse la malédiction de l'Enfer tomber sur vous pour l'avoir ramenée ici où elle a déjà tant souffert ! »

— Je vous demande pardon, *Madame*, dit tranquillement de Richleau. Vous vous méprenez complètement, je le crains, sur la sorte de gens que nous sommes, et aussi sur l'identité de cette jeune morte. La ressemblance avec votre fille est peut-être très forte, mais elle s'appelle Philippa Ricardi, et je vous assure que vous faites erreur en croyant que c'est la jeune fille que vous avez envoyée dans un couvent à Marseille. Je connais intimement le père et la mère de cette jeune fille, et je la connais elle-même depuis qu'elle était enfant.

Les mensonges sortaient de ses lèvres avec une telle fermeté et une telle aisance que les autres purent constater que le chirurgien était au moins ébranlé dans sa conviction que *Monsieur* et *Madame* Martineau étaient vraiment le père et la mère éplorés. Mais ni l'un ni l'autre des parents ne céda d'un pouce. La femme continua d'affirmer avec insistance que Philippa était sa fille et l'homme, bien qu'ayant manifestement peur d'eux, la soutint.

Il s'ensuivit une scène horrible et dégradante au cours de laquelle, durant vingt minutes, ils se querellèrent par-dessus le corps de la jeune morte pour savoir qui avait le droit de l'emmener pour l'enterrer.

Les Martineau refusaient absolument de céder, mais le duc était d'une égale intransigeance. Il savait que s'ils faisaient inhumer la jeune fille, ils lui donneraient probablement des funérailles somptueuses et que la cérémonie serait conduite par un prêtre catholique. Mais cela n'empêcherait en rien le docteur Saturday de la rappeler de la tombe vingt-quatre heures plus tard. De Richleau doutait que quiconque, à l'exception de lui-même, pût lui assurer une protection convenable, et il était absolument déterminé à empêcher que le pauvre corps ne soit une deuxième fois transformé en zombie.

En fin de compte, le chirurgien intervint. Apaisant les Martineau, il dit que, même s'il regrettait grandement le scandale qui en résulterait, c'était maintenant devenu l'affaire de la police. Il ne permettrait ni aux uns ni aux autres d'enlever le corps avant que toutes les parties concernées aient comparu devant un magistrat et que le tribunal ait décidé à la demande de qui il ferait droit.

Le duc comprit alors qu'il jouait de malchance. Dans son propre esprit, il n'y avait pas le moindre doute que Philippa fût la fille des Martineau et que son véritable nom fût Marie. L'infirmière aussi l'avait reconnue et, en l'espace d'une heure ou deux, les Martineau produiraient sans doute une vingtaine d'autres personnes qui seraient prêtes à jurer de son identité, alors qu'il ne pourrait produire la moindre preuve que les parents de la jeune fille vivaient réellement à la Jamaïque. Un verdict en faveur des Martineau n'était manifestement pas douteux.

Il n'y avait qu'une seule chose qu'il puisse faire. C'était une mesure désespérée, mais, une fois qu'il avait pris une décision, quelle qu'elle soit, il ne laissait jamais les difficultés ou les périls l'en détourner.

— Rex ! Richard ! dit-il brusquement, et il continua en anglais : « Nous allons retourner à la vedette en balayant toute résistance. Princesse, vous passez devant ! »

Marie-Lou connaissait bien cette intonation dans la voix du duc. Chaque fois qu'elle l'avait entendue, il ne plaisantait pas, et les autres le savaient aussi. Sans hésiter une seconde, elle se retourna et, s'inclinant devant le chirurgien, parcourut rapidement toute la longueur de la salle, tandis que Rex et Richard se portaient aux côtés de de Richleau.

Le duc reprit la parole.

« Richard, votre revolver ! Rex, prenez ce corps — vite ! »

Les deux autres étaient déjà sous tension et ils agirent comme mus par des ressorts. Sortant brusquement son automatique, Richard fit un bond en arrière et tint les Martineau sous la menace de son arme, Rex plongea vers le lit et ses bras puissants soulevèrent la forme inerte sous le drap.

Madame Martineau poussa un cri perçant. Le chirurgien, ignorant le pistolet de Richard, bondit en avant pour s'interposer. De Richleau, tout en regrettant d'y être contraint, balança son poing et le lui envoya de toute sa force dans les côtes, lui coupant la respiration. Haletant et gémissant, il ne put que se plier en deux et s'effondra sur le sol.

Rex avait jeté le cadavre enveloppé dans le drap sur son épaule et traversait la salle de l'hôpital. De Richleau le suivit et Richard ferma la marche en brandissant son revolver. Les malades noirs et café-au-lait qui se trouvaient dans la double rangée de lits de chaque côté se mirent à pousser des cris et des hurlements. L'un d'entre eux jeta une bouteille de médicament qui atteignit de Richleau à l'oreille, une infirmière renversa à la hâte une chaise sur le passage de Rex avant de s'enfuir de la pièce en courant et criant au meurtre. Rex faillit trébucher mais parvint à s'arrêter juste à temps et à écarter la chaise du pied. Laissant le tumulte se déchaîner derrière eux, ils foncèrent hors de la salle et se précipitèrent dans l'escalier.

Dans l'entrée, une sœur noire stupéfaite s'aplatit contre le mur et ajouta au tumulte en lançant d'une voix de fausset de perçants appels à l'aide. Un concierge essaya de leur barrer la route, mais de Richleau l'écarta d'une poussée, tandis qu'ils franchissaient précipitamment la porte en groupe. Mais les médecins et les étudiants en médecine, attirés par l'agitation, affluèrent des couloirs et descendirent lourdement l'escalier à leur suite, pendant que, de l'étage, les Martineau, qui s'étaient précipités sur la véranda, excitaient contre eux les indigènes apathiques qui se trouvaient dans la rue.

— Goules ! Pilleurs de tombes ! criait *Madame* Martineau d'une voix stridente. Ils emportent le corps de mon enfant pour la transformer en zombie ! A l'aide ! A l'aide ! Oh, Sainte Vierge, sauvez-la !

Aussitôt les cris furent repris en créole et en mauvais français et ils purent saisir et comprendre bon nombre d'expressions : « Goules ! Pilleurs de tombes ! Ils ont un cadavre ! C'est le *Cochon gris* ! Non, non, c'est un bocor blanc qui fait des zombies. Arrêtez-les ! Mettez-les en pièces ! Goules ! Démons ! Suppôts de Satan ! »

Marie-Lou n'avait qu'une très courte avance. Elle s'était mise à courir dès qu'elle s'était échappée de l'hôpital et ils pouvaient la voir qui se dirigeait vers le port, à cinquante mètres devant eux. Mais la rue entière était maintenant en émoi ; tout le monde sortait des maisons et des boutiques. Avant qu'elle ait fait cent pas de plus, la route lui fut barrée : deux grands nègres se détachèrent du trottoir et coururent dans sa direction. Elle vit qu'il ne lui serait pas possible d'espérer les éviter, aussi elle s'arrêta, revint sur ses pas à toute vitesse, puis hésita un moment, regardant autour d'elle avec affolement jusqu'à ce que les autres arrivent en courant.

Ils galopaient maintenant tous les cinq de concert, mais d'un bout de la rue à l'autre les gens affluaient des immeubles et des ruelles. On leur jetait maintenant des fruits, des légumes et des pierres, de tous les côtés, et ils savaient que leur situation était désespérée. Une marée de visages noirs en colère montait devant eux et il semblait certain qu'ils seraient mis en pièces par la populace en fureur avant d'atteindre le port.

CHAPITRE XX

Les profanateurs de sépultures

Rex, qui était originaire de Virginie, était parfaitement au fait des lynchages dans les états du Sud. Enfant, il avait vu une ville soulevée de fureur en apprenant qu'un Noir avait violé une jeune Blanche. Hommes et femmes étaient sortis de chez eux à la nuit, avaient marché sur la prison, y avaient pénétré par effraction et en avaient tiré le Noir tremblant. Ils l'avaient bourré de coups de pied et de poing, griffé comme une meute de bêtes sauvages, jusqu'à ce qu'il soit à moitié mort, après quoi ils avaient aspergé son corps d'essence et avaient mis le feu. Ç'avait été un écœurant spectacle et, de temps en temps, il se produisait encore de pareils débordements. Même si l'accusation était entièrement dépourvue de fondement, la rumeur et l'arrestation suffisaient : à moins que la police ne puisse transporter discrètement l'accusé dans une autre ville, son sort était réglé, et pareil sort était la terreur de tous les Noirs.

Dans le cas présent, les rôles étaient inversés : une foule de gens de couleur était d'avis qu'elle avait un excellent motif d'appliquer la loi de la populace à quatre Blancs qui, croyait-elle, dérobaient le corps d'une jeune mulâtresse pour la transformer en zombie. Il n'était plus question maintenant de débattre l'affaire devant le juge. Pour peu qu'ils tombent, dans les quelques horribles instants qui suivraient, une centaine de lourdes chaussures leur briseraient les os et leur écraseraient le corps jusqu'à ce qu'ils soient réduits à cinq amas de chair sanguinolente.

Le corps sur l'épaule, Rex marchait en tête, mais il n'avait qu'une seule main libre et, du fait de l'effort, sa blessure à la jambe le faisait cruellement souffrir. Marie-Lou s'était glissée dans le groupe juste derrière lui, de sorte que Richard et de Richleau l'encadraient pendant qu'ils couraient. Au moment où les deux nègres arrivèrent sur eux, Rex, de sa main libre, repoussa violemment l'un d'eux d'un coup au visage qui le fit chanceler, tandis que le duc s'attaquait à l'autre, lui envoyant dans le tibia un coup de pied qui le fit hurler, tournoyer sur lui-même et s'étaler sur les pavés.

Durant un instant, la route fut dégagée devant eux, mais une grêle de projectiles les cribla en sifflant pendant qu'ils couraient. Marie-Lou reçut sur l'œil droit un citron qui l'aveugla à demi et une pierre écorcha les jointures de la main gauche de Richard. Une douzaine d'autres objets divers rebondirent sur leurs corps, leur portant nombre de coups douloureux.

Derrière, devant et de chaque côté, la foule donnait de la voix : un grand rugissement de colère emplissait la rue tout entière. A vingt mètres devant eux, il y avait un passage qui n'était que faiblement défendu par une demi-douzaine de personnes qui en débouchaient en courant. Rex obliqua à droite et s'y dirigea.

Une grande négresse munie d'un hache-viande le leva pour le frapper au passage, mais Rex avait joué au rugby du temps où il était à Harvard et, en dépit du handicap de sa jambe blessée, il fit un crochet avec une étonnante rapidité, juste à temps pour éviter le coup. Richard à son tour se jeta tête baissée contre un autre nègre et le renversa. Ensuite de quoi ils pénétrèrent tous dans le passage. Mais il était beaucoup plus étroit que la rue, et quantité d'autres gens, ameutés par les cris, affluaient vers eux, venant des ruelles et des impasses se ramifiant derrière les quais.

Un mulâtre lippu aux cheveux jaunes agrippa de Richleau et parvint un instant à le tirer en arrière, mais le poing du duc fit craquer l'os de son nez et il lâcha prise avec un glapissement de douleur.

Presque aveuglés par l'averse de projectiles et assourdis par les cris, ils parcoururent une autre centaine de mètres et débouchèrent dans une rue plus large. Conservant toute sa tête, Rex la prit vers la gauche, se dirigeant une fois encore vers le port, mais une grande partie de la foule semblait avoir deviné son intention et avait emprunté un raccourci dans le dessein de leur barrer la route. A cinquante mètres devant eux, des hommes, des femmes et des enfants culbutaient les uns sur les autres tandis qu'ils chargeaient pêle-mêle à la sortie d'une ruelle.

Le duc grogna et regarda rapidement en arrière. Une centaine ou plus de nègres à la tête crépue et au visage luisant étaient sur leurs talons. Toute fuite semblait complètement impossible. Dans quelques instants, ils seraient jetés à terre. Alors, à peu de distance devant eux, sur le côté gauche de la rue, le duc aperçut une petite église. Il pensa avoir une petite chance d'y trouver asile, à condition de l'atteindre.

— L'église ! Il hurlait pour couvrir le vacarme. Tous vers l'église !

Mais la route était barrée par une cinquantaine de faces noires ou jaunes, luisantes et courroucées. Richard, qui brandissait toujours son automatique, comprit que le moment était maintenant venu d'en faire usage.

Levant le pistolet, il tira deux coups au-dessus des têtes. Avec des cris de panique la foule alla se mettre à l'abri et se dispersa. Le petit groupe de Blancs poursuivit sa course, atteignit l'église et en gravit précipitamment les marches.

Au même instant, attiré par le bruit, un grand prêtre catholique aux cheveux d'un blond roux sortait en toute hâte par la grande porte voûtée. Il n'eut pas eu le temps de saisir la raison du tumulte et vit seulement qu'une foule de Noirs et de métis poursuivait cinq Européens, dont l'un transportait un gros paquet enveloppé d'un drap.

Aussitôt il s'avança sur les marches et leva sévèrement la main, interdisant à la populace de pourchasser sa proie plus avant. De Richleau comprit alors que, pour le moment du moins, les Puissances de Lumière étaient intervenues en leur faveur en dirigeant leur course vers l'église et en envoyant ce prêtre à leur aide à un moment particulièrement critique.

Sans s'arrêter pour voir l'effet de cet obstacle sur leurs poursuivants, de Richleau les poussa tous par la porte de l'église et se précipita derrière eux dans la nef, au fond de laquelle ils découvrirent une ouverture munie d'un rideau. Ils s'y précipitèrent et se retrouvèrent dans la sacristie. Là, contusionnés et hors d'haleine, ils s'arrêtèrent un moment pour reprendre leur souffle.

— Combien de temps croyez-vous que nous serons en sécurité ici ? dit Richard en haletant.

— Nous ne pouvons pas prendre le risque d'y rester, même si le prêtre parvient à tenir la populace à distance, répondit rapidement de Richleau. Dès qu'il apprendra pourquoi ils sont à nos trousses, il insistera pour que nous rendions le corps de Philippa et ça, je m'y refuse.

Tout en parlant il tournait déjà le bouton de la porte de la sacristie qui donnait sur la rue. Il l'ouvrit juste assez pour jeter un coup d'œil à l'extérieur.

« La voie est parfaitement libre vers la côte, murmura-t-il. En avant, vite ! Nous devons tirer le meilleur parti possible de l'avance que nous avons, avant qu'une partie de la foule ne fasse le tour jusqu'à cette porte. »

S'étant glissés par l'ouverture, ils parcoururent encore cent mètres en direction du front de mer avant d'être repérés par un petit garçon qui se mit à hurler après eux d'une voix perçante de soprano. En moins de deux minutes, la meute donnait de nouveau de la voix. Mais, maintenant, au bout de l'étroite ruelle qu'ils dévalaient, ils pouvaient voir les mâts des bateaux dans le port, à moins de quatre cents mètres de là.

On aurait dit qu'un millier de pieds martelaient, dans leur dos, les pavés brûlants et luisants, mais la route restait libre devant eux. Soudain un homme jaillit pourtant de l'embrasure d'une porte et, tendant sa jambe, fit un croc-en-jambe à de Richleau, qui tomba de tout son long sur un tas d'ordures nauséabondes, dans le caniveau.

Richard se retourna et porta à l'homme un cinglant coup au corps qui le laissa le souffle coupé et suffocant. De Richleau se releva avec difficulté, mais le retard pris avait suffi pour que les premiers poursuivants fussent presque sur eux.

Levant son automatique, Richard fit feu de nouveau, tirant une nouvelle fois par-dessus les têtes de la masse compacte d'hommes et de femmes vociférants.

Au bruit de la détonation, les yeux des meneurs tressautèrent de terreur et roulèrent dans les visages noirs. S'arrêtant brusquement, ceux qui venaient en tête essayèrent de jouer des pieds et des mains pour échapper à la menace de l'arme et s'abriter dans l'embrasure des portes. Mais la foule qui chargeait les força à continuer.

Néanmoins l'unique coup de feu avait donné aux fugitifs un bref répit. Rex, boitant maintenant de plus belle, ayant Marie-Lou à son côté, avait atteint la zone découverte, et ils couraient en diagonale sur l'embarcadère en direction de l'escalier près duquel la vedette était amarrée. De Richleau et Richard sprintaient derrière eux de toute la vitesse dont ils étaient capables.

Au moment où ils débouchaient de la ruelle, ils virent qu'ils avaient encore deux cents mètres à couvrir et que des groupes d'hommes qui se prélassaient dans les bars et les cafés du front de mer se précipitaient pour prêter main-forte à la populace, et de vilaine façon, car, la plupart étant des marins, ils étaient presque tous munis de couteaux.

Rex et Marie-Lou appelaient tous deux Simon et, au moment où de Richleau et Richard les rejoignirent, Simon apparut effectivement, sortant de la cabine de la vedette. Il avait compris l'évolution de la situation et était venu donner rapidement l'ordre aux trois Jamaïquains qui constituaient l'équipage de se tenir prêts à appareiller. Cela fait, s'emparant d'une hachette, il bondit à terre pour aider ses amis.

Cinq cents personnes de couleur, rendues folles par la superstition emplissaient maintenant la moitié de l'embarcadère, et d'autres, sortant de toutes les rues et ruelles, venaient s'y ajouter sans cesse. Les cris de colère étaient si violents qu'il était difficile de distinguer une voix en particulier mais, émergeant du tumulte, les Blancs aux abois pouvaient saisir l'équivalent de « Goules », « Profanateurs de sépultures », et « Zombie ! Zombie ! Zombie ! », en créole.

Au cours de ces quelques derniers mètres, ils faillirent succomber. Un couteau fut lancé, qui transperça le mollet de Richard qui, comme il s'arrêtait un instant pour le retirer, fut empoigné par deux solides gaillards. De Richleau le fut par un troisième, et Marie-Lou tomba aux pieds de Simon. Mais, ayant atteint le bord de l'embarcadère, Rex se contenta de jeter le corps dans la vedette et fit volte-face pour les aider. De ses poings puissants, pareils à des poids de dix livres, il fit le ménage de tous côtés autour de lui, jusqu'à ce qu'il ait dégagé un peu d'espace et que les assaillants de Richard et du duc se tordent sur le sol sous l'effet de ses coups de massue.

Marie-Lou se releva et bondit sur le pont avant de la vedette dont un des Jamaïquains avait déjà détaché l'amarre, cependant qu'un autre s'était posté au gouvernail après avoir mis le moteur en marche. Le troisième, enfin, avait rejoint Simon et, avec une gaffe, frappait la populace. Peu leur importait la raison du combat. Ils étaient des sujets britanniques et des Jamaïquains qui méprisaient la racaille de la République Nègre ; ils servaient donc loyalement leurs employeurs blancs.

Sans avoir jamais su comment, le restant du groupe se libéra de la multitude de mains qui s'accrochaient à eux et s'efforçaient de les tirer en arrière. Toujours frappant des mains et des pieds, ils montèrent laborieusement sur le bateau. A l'instant même où ils furent tous à bord, la vedette partit en trombe. Trois Haïtiens qui avaient bondi au dernier moment sur le pont furent tous précipités en même temps à la mer.

Mais la chasse n'était pas encore terminée. Tandis que la foule frustrée, forte d'un millier de personnes, s'étalait maintenant sur toute la longueur de l'embarcadère en leur lançant des imprécations, des centaines d'autres s'entassaient dans des embarcations de toutes sortes pour continuer la poursuite, et plusieurs bateaux qui, avant leur arrivée, étaient déjà en train de quitter le port modifièrent leur route pour essayer de les intercepter.

Dans les minutes qui suivirent, le jeune Jamaïquain qui tenait la barre réalisa des miracles dans l'art de la navigation, évitant une embarcation après l'autre, mais, à la sortie du port, ce ne fut qu'en tirant deux coups de feu de plus que Richard empêcha une vedette des douanes, commandée par un nègre dont l'uniforme d'amiral avait déjà au moins cinquante ans de service, de les éperonner.

Finalement, ils se retrouvèrent en pleine mer et, bien que trente ou quarante bateaux de tailles variées s'égrenassent derrière eux, ils ne doutaient raisonnablement plus que leur puissante embarcation distancerait les autres. Tandis qu'ils pansaient leurs blessures les plus graves, ils virent leurs poursuivants lâchés progressivement, mais l'expression de de Richleau n'en restait pas moins grave. La République d'Haïti possédait en effet une petite marine constituée de canonnières garde-côtes dont la plupart étaient pratiquement hors d'usage, mais qui étaient malgré tout armées tant bien que mal. Or, étant donné l'émeute gigantesque dont ils étaient responsables, il n'était pas impossible qu'on envoyât l'une d'entre elles à leur poursuite.

Quand Rex eut ramassé le corps de Philippa et l'eut transporté dans la cabine, le duc dit :

— Nous ne devons pas perdre de temps à l'enterrer. Marie-Lou ferait bien d'aller sur le pont s'occuper de cette vilaine blessure à la jambe de Richard. Tous deux en profiteraient pour veiller à ce que les Jamaïquains ne descendent pas. Vous autres vous resterez ici pour m'aider dans ce que j'ai à faire.

Tandis que Richard et Marie-Lou quittaient la cabine, Rex et Simon, sur l'ordre du duc, prirent le corps, ôtèrent le drap qui l'enveloppait et le déposèrent sur le plancher. De Richleau pénétra dans la minuscule galerie qui constituait la partie avant de la cabine et en revint avec une brochette, un marteau et un long couteau de cuisine. Plaçant la brochette au-dessus du cœur de Philippa, il murmura quelques mots que les autres ne purent comprendre et, en deux coups de marteau, il l'enfonça droit dans sa poitrine.

— La suite est plutôt horrible, dit-il à voix basse, aussi vous n'avez pas besoin de regarder, si vous préférez.

Mais Simon et Rex étaient tellement fascinés par la scène macabre qu'ils restèrent les yeux rivés sur le cadavre couvert de cloques qui n'offrait pas de résistance.

De Richleau prit alors le couteau de cuisine aiguisé et, murmurant d'autres paroles en une langue ancienne, il pesa sur lui de tout son poids pour séparer la tête du tronc de Philippa.

A la grande horreur de Simon, au moment où le cou fut sectionné, il vit les lèvres pleines esquisser un sourire, puis les yeux papillotèrent une seconde et il entendit distinctement murmurer ces mots : « *Merci, monsieur.* »[1]

Ce visage mort qui souriait et cette voix d'outre-tombe eurent un effet si terrifiant qu'il défaillit.

Après l'avoir assis sur l'un des divans, la tête ballottant entre les genoux, les deux autres enveloppèrent de nouveau le corps et la tête de la jeune fille dans le drap, puis le duc envoya Rex au coffre à pavillons. Mais il ne put trouver ni pavillon haïtien ni pavillon français, aussi revint-il avec un vieil Union Jack qu'ils enroulèrent autour du corps.

— Dieu merci, c'est terminé ! murmura le duc. Allez chercher Marie-Lou maintenant. Nous avons besoins d'elle pour coudre le linceul.

Mais, précisément à cet instant, Marie-Lou entra dans la cabine pour signaler, l'air anxieux, que, si les autres bateaux avaient presque tous abandonné la poursuite, en revanche, un petit vapeur de couleur grise qui ressemblait à un navire de guerre venait de quitter le port.

Simon, qui était revenu à lui depuis peu, déclara qu'il lui fallait de l'air. Aussi de Richleau expliqua-t-il à Marie-Lou ce qu'il attendait qu'elle fasse et, laissant Rex pour l'aider, prêta assistance à son ami encore vacillant pour monter sur le pont.

Rex trouva un morceau de chaîne qu'il noua autour des chevilles du cadavre pour le lester, et Marie-Lou fouilla partout jusqu'à ce qu'elle découvre de la ficelle et une aiguille à manche de voilier dans un des coffres de la cabine. Lorsqu'elle eut cousu ensemble les bords de l'Union Jack afin de constituer un sac pour la dépouille mortelle, Rex monta dire au duc que la jeune morte était prête pour ses funérailles.

Une fois sur le pont, Rex vit que la canonnière haïtienne, un remorqueur de haute-mer, un petit yacht et deux petits bateaux à moteur,

1. En français dans le texte.

tous filant à bonne vitesse, étaient groupés à un mille et demi derrière eux, et le duc lui dit craindre que cette armada, plus réduite mais plus puissante, ne soit en train de gagner progressivement sur eux. La sirène du remorqueur lançait une succession presque ininterrompue de coups brefs et perçants, leur intimant manifestement l'ordre de stopper et, de temps en temps, la canonnière y ajoutait un strident coup de sifflet.

Ignorant pour l'instant leurs signaux, les quatre hommes descendirent dans la cabine et en remontèrent la dépouille mortelle de Philippa. Ils étaient maintenant en haute mer, aussi de Richleau était-il certain qu'il n'y avait pas la moindre chance que le corps lesté soit retrouvé. Il dit une brève prière de sa propre invention, qu'il considérait comme adaptée aux circonstances, puis le cadavre enveloppé dans le drapeau fut jeté par-dessus le bastingage de la vedette et disparut dans l'eau avec un grand floc.

Les Jamaïquains, venant seulement de réaliser que le ballot enveloppé d'un drap apporté à bord par Rex était un cadavre, regardaient de travers leurs passagers. Tous trois se rassemblèrent à l'arrière pour comploter d'un air surexcité dans leur propre dialecte. Apparemment ils croyaient qu'un meurtre avait été commis et que leurs employeurs blancs avaient choisi cette manière de se débarrasser du corps de leur victime. Aussi étaient-ils maintenant effrayés par l'éventualité d'être accusés d'avoir aidé une bande de meurtriers à échapper à la justice. Leur inquiétude s'accrut de plus considérablement quelques instants plus tard — et pour une raison autrement compréhensible. Un éclair brilla en effet à l'avant de la canonnière, presque aussitôt suivi par une forte détonation, et un obus siffla au-dessus de leurs têtes.

Il explosa à plus d'un demi-mille à l'avant de la vedette, soulevant une grande gerbe d'eau. Apparemment, le maître-canonnier n'avait rien d'un tireur d'élite, à moins que son premier coup ne fût intentionnellement qu'un coup de semonce.

Les jeunes Jamaïquains se mirent soudain à adresser un concert de protestations à Rex qui avait loué leurs services. Ils n'avaient rien fait, ils ne voulaient pas être tués. La vedette devait stopper et les Blancs devaient se rendre. Sur quoi, celui qui était à la barre coupa le moteur.

Richard se sentait tout à fait désolé pour eux mais il n'en sortit pas moins son automatique et, faisant quelques pas vers l'arrière, il les fit sortir, toujours poussant des cris, de la cabine de pilotage. Alors Rex saisit le gouvernail et remit en marche.

Un deuxième obus tomba dans l'eau à quatre cents mètres d'eux, mais sans éclater. Il n'empêche que leurs poursuivants avaient gagné un bon quart de mille sur eux au cours du bref laps de temps où ils avaient stoppé, de sorte que le troisième obus siffla au-dessus d'eux et souleva une colonne d'eau à cent mètres seulement à tribord. De Richleau cria à Rex :

— Cap sur le rivage ! Nous tirerons la vedette à sec et nous nous réfugierons dans la forêt, si nous pouvons arriver à temps.

Tandis que Rex tournait le gouvernail et que la vedette virait de bord, un quatrième obus explosa en l'air à quelque six mètres derrière eux. Un éclat défonça le pont à moins de dix centimètres des pieds de Simon, un autre réduisit en morceaux les vitres de la cabine, et la force du souffle jeta de Richleau et Marie-Lou à genoux et précipita un des Jamaïquains par-dessus bord.

Malgré la gravité de leur propre situation, ils ne pouvaient laisser le pauvre garçon se noyer ou se faire dévorer par les requins. Ils ne pouvaient non plus lui laisser courir le risque d'être repêché par les Haïtiens et vraisemblablement lynché pour avoir appartenu à leur groupe. Avec un juron de dépit, Rex tourna le gouvernail et, décrivant un large cercle, revint en arrière. En toute hâte, ils hissèrent à bord le nègre ruisselant, mais, pendant ce temps, la canonnière et la flotille qui l'accompagnait s'étaient rapprochées à moins d'un demi-mille, et le point le plus proche de la côte était à bien plus d'un mille.

A l'instant où ils viraient de bord à nouveau, deux autres obus se succédèrent rapidement. L'un les manqua de beaucoup, mais l'autre, explosant sous l'eau, infligea à la vedette une telle secousse qu'elle faillit chavirer. Tandis qu'elle se redressait et continuait sa course, ils se retrouvèrent trempés jusqu'aux os par la gerbe d'écume et à plat ventre sur le pont. Le remorqueur changea alors de cap pour tenter de leur barrer la route, puis, comme il était plus près d'eux que tous les autres bateaux, il ouvrit le feu à la mitrailleuse, dès qu'ils furent à portée suffisante.

Les balles firent gicler l'eau et la mitrailleuse crépita de nouveau, les détonations se répercutant en écho dans la baie. Il leur restait à peine un demi-mille à couvrir pour atteindre la plage, mais la mitrailleuse tira plus haut et une rafale frappa la vedette avec un bruit sourd, trouant et déchirant ses bois. Presque au même instant, le moteur s'arrêta, un éclat provenant d'un autre obus qui avait éclaté en l'air ayant frappé une partie des machines avec un bruit métallique.

Il n'y avait plus rien à faire et de Richleau le comprit. Non seulement il ne leur était pas possible d'atteindre le rivage sans moteur, mais il réalisa soudain que la vedette était en train de couler, des impacts invisibles ayant vraisemblablement percé sa coque au-dessous de la ligne de flottaison. Tenter de gagner la terre à la nage, c'était s'exposer aux requins, ou à une honte supplémentaire, celle d'être sortis de l'eau, car la flottille de leurs poursuivants ne pouvait manquer de les rattraper dans quelques minutes. Il se releva donc, sortit son mouchoir blanc et l'agita en signe de reddition.

Cinq minutes après, ils étaient encerclés par la flottille haïtienne et une centaine d'hommes de couleur grondant de colère et d'indignation les fixaient avec curiosité. Sur la canonnière, un mulâtre en uniforme bleu ciel avec une ceinture d'étoffe et des glands en passement d'argent terni leur ordonna en français, à l'aide d'un mégaphone, d'attraper la corde qu'on allait leur jeter et d'accoster.

La cabine était pleine d'eau et la vedette s'enfonça sous eux, ils firent donc ce dont on les priait. Puis une échelle de corde fut descendue et de Richleau et les autres, y compris les Jamaïquains, en usèrent pour monter à bord de la canonnière.

Dès que le duc eut atteint le pont, il s'adressa à l'officier en un excellent français, avec la morgue d'un vainqueur plutôt qu'en prisonnier. D'un ton ferme, il déclara que parmi eux il y avait sept sujets britanniques, que le huitième était américain, et que les gouvernements britannique et américain demanderaient des comptes au gouvernement haïtien pour avoir, sans qu'il y ait eu la moindre provocation, mis en danger leur vie en ouvrant le feu sur eux.

L'officier fut tellement frappé de stupeur par cette impudence qu'il hésita avant de répondre. Finalement, il fit valoir que, bien que n'ayant pas été lui-même témoin de l'affaire, il croyait savoir que le duc et ses amis avaient attaqué un chirurgien à l'hôpital et, sous les yeux de ses parents, enlevé de force le corps d'une jeune fille qui y était morte le matin même.

— Avez-vous un mandat d'arrêt contre nous ? aboya le duc. Si oui, voulez-vous avoir la bonté de me le montrer ?

— Non, admit le capitaine haïtien, il n'avait pas de mandat, mais, étant donné l'urgence, il avait considéré que son plus élémentaire devoir était de prendre la mer afin d'empêcher de tels malfaiteurs de quitter le pays.

— Très bien, alors, dit le duc. Vous avez manifestement agi en conformité avec ce que vous pensiez savoir de la situation, même si ce fut avec une extrême témérité. Mais nous répondrons à toutes les accusations portées contre nous, aussi, dès que nous serons de retour au port, j'attendrai de vous que vous informiez les consuls britannique et américain de ce qui s'est passé et leur demandiez de nous rencontrer, afin que nous puissions leur donner notre version de l'affaire sans le moindre délai. Et, jusque-là, je vous tiens pour personnellement responsable de notre sécurité.

Le capitaine parut d'accord, car il approuva de la tête, avant d'ordonner à quelques-uns de ses hommes d'escorter les trois Jamaïquains à l'avant et les prisonniers blancs à l'arrière. Tandis qu'on les éloignait, l'équipage surexcité leur jetait de vilains regards, tout en sifflant, crachant et agitant le poing, mais un officier subalterne empêcha qu'ils s'en prennent ouvertement à eux et les fit descendre et enfermer à clé dans une cabine spacieuse qui paraissait être le carré des officiers du navire. Pendant que la canonnière rentrait poussivement au port, ils eurent, pour la première fois, la possibilité d'examiner de près les nombreuses blessures qu'ils avaient reçues, une heure auparavant, quand ils avaient failli être lynchés.

Peu après que le bateau fut à quai, le capitaine apparut, suivi de plusieurs marins en armes, pour leur annoncer qu'on allait les conduire à terre. La nouvelle de l'émeute et ses raisons s'étaient maintenant répandues dans toute la capitale haïtienne. Même les habitants des faubourgs éloignés, qui n'en avaient pas entendu parler, avaient été attirés par l'inhabituel bruit du canon et le spectacle d'un navire de guerre haïtien poursuivant une vedette dans la baie, de sorte que, en dépit de la chaleur du milieu de la matinée, l'embarcadère tout entier était bourré d'une masse hétérogène de gens dont la couleur allait du noir du cirage au jaune du citron.

Les prisonniers avaient vu par les hublots cette multitude en train de les attendre et de Richleau savait que, si lui et ses amis descendaient à terre dans ces conditions, il ne leur resterait pas un instant à vivre. Ce fut donc leurs sentiments à tous qu'il exprima en déclarant froidement au capitaine :

— Non, merci. Nous n'avons pas l'intention de quitter ce bateau tant que la foule ne sera pas dispersée. On a raconté aux gens de Port-au-Prince une version complètement fausse de ce qui est arrivé et ils pensent avoir d'excellentes raisons de nous considérer comme pires que des meurtriers. Avant que nous ayons fait cinquante mètres, ils déborderaient vos marins et nous mettraient en pièces. Si cela devait arriver, Sa Majesté britannique et le Président des Etats-Unis enverraient tous deux des navires de guerre ici. En juste châtiment pour notre mort je ne doute absolument pas qu'ils réduiraient en ruine la moitié de la ville et occuperaient ensuite le pays. A moins que vous ne souhaitiez qu'Haïti perde son indépendance à tout jamais, vous nous laisserez où nous sommes et ferez venir vos magistrats ici, en même temps que les consuls britannique et américain, aussi vite que vous le pourrez, afin que cette malheureuse affaire puisse se régler sans effusion de sang.

Comme la principale crainte de tout fonctionnaire haïtien est que son pays puisse, une fois encore, être occupé par les Blancs — infortune dont le capitaine n'aurait pour rien au monde voulu être tenu pour responsable — il reconnut le bon sens de cette suggestion et l'accepta. Il les enferma donc de nouveau à clé et les laissa.

Après le départ du capitaine, personne ne dit mot pendant un moment, trop occupés qu'ils étaient à essayer de se remettre de leur fatigue et de leurs émotions. Mais tous avaient conscience d'avoir à la fois remporté une grande victoire morale en donnant des funérailles convenables au corps de Philippa et en apportant enfin la paix à son âme, et de s'être placés dans une situation des plus délicates.

Certes, le corps n'était plus en leur possession quand on les avait pris, mais on présumerait que, craignant d'être arrêtés, ils avaient jeté la preuve de leur crime par-dessus bord simplement pour s'en débarrasser. Nul doute que les juges haïtiens sachent parfaitement à quoi s'en tenir au sujet des zombies, mais il était pratiquement certain qu'ils ne voudraient pas cautionner une telle croyance face à des Européens. Les Haïtiens de la bonne société répugnaient à ce qu'on sache qu'une aussi horrible et abusive utilisation des cadavres existait encore dans leur pays, mais, par peur — une peur qu'ils avaient absorbée avec le lait maternel — de quiconque qui soit mêlé, même de loin, à de telles pratiques, ils risquaient fort de condamner les prisonniers blancs sans même les entendre. En outre, quelle sorte de défense présenter ? Ils n'avaient pas la moindre parcelle de preuve de ce que le docteur Saturday fût un bocor dont ils auraient préservé le corps de la jeune fille, et ils ne pourraient pas plus prouver qu'elle n'était pas la fille de *Monsieur* et *Madame* Martineau.

Toute la noirceur de leur situation leur fut finalement révélée par Simon qui, recru de fatigue, après ses nombreuses heures d'activité physique et mentale ininterrompue, soupira avec lassitude, disant qu'il donnerait un millier de livres pour une heure de sommeil.

De Richleau eut un petit rire amer et leur rappela qu'il avait été contraint de laisser la valise contenant ce que Richard et Rex s'étaient donné tant de mal à rapporter de la Jamaïque dans la cabine inondée de la vedette, de sorte que, par son naufrage, ils se voyaient, une fois de plus, privés des moyens de s'assurer une protection efficace. Comme une armée assiégée par terre et par mer, ils étaient maintenant en danger physique, quelle que soit la mort que pussent leur réserver les autorités haïtiennes, car s'ils s'endormaient ils seraient en plus une proie facile pour leur impitoyable ennemi qui les attendrait à coup sûr sur l'autre plan.

Peu après midi, un officier subalterne entra dans la cabine, suivi d'un marin et d'un steward noir d'apparence peu soignée qui déposa un plateau sur lequel se trouvaient cinq bols de bouillie de farine de maïs, une main de bananes, quelques gobelets et une grande cruche d'eau. De Richleau demanda à l'officier s'ils pouvaient bientôt s'attendre à la visite des consuls britannique et américain, mais celui-ci secoua la tête et répondit en mauvais français qu'il n'en avait aucune idée. Tout ce qu'il avait entendu dire, c'était qu'on devait les mener à terre pour interrogatoire à la faveur du soir, lorsque une bonne partie de la foule se serait dispersée.

Quand lui et ses hommes se furent retirés, les prisonniers s'attaquèrent sans enthousiasme au repas. L'aspect de la bouillie de maïs ne plut à personne, mais ils mangèrent quelques bananes et, la chaleur étouffante leur ayant donné extrêmement soif à tous, ils burent avidement la plus grande partie de l'eau.

Tout en mangeant, ils parlèrent à voix basse de Philippa. Marie-Lou se demandant comment on avait pu imposer la jeune fille à sir Pellinore, le duc répondit avec lassitude :

— Comment savoir ? Cela a pu être arrangé d'une douzaine de façons différentes. Manifestement, notre adversaire est beaucoup plus puissant que je ne l'imaginais. Il a dû apprendre que nous avions l'intention de venir en Haïti. Peut-être tout simplement son corps astral était-il présent, écoutant notre conversation, le jour où sir Pellinore est venu déjeuner avec nous à Cardinals Folly. Si tel est le cas, il aura appris en quelques instants tous les plans que nous dressions pour notre voyage, et aura eu amplement le temps de prendre ensuite ses propres dispositions.

— Quand même, il a dû lui être joliment difficile de trouver à nous imposer la jeune fille aussi vite, fit remarquer Richard.

— Pas nécessairement. Son corps astral doit pouvoir communiquer avec bon nombre d'occultistes en Europe, et ce n'est pas parce qu'ils travaillent pour les nazis qu'ils se trouvent forcément en Allemagne. Il a pu donner des instructions en rêve à quelque membre de la Cinquième Colonne se trouvant sous ses ordres à Londres. Je ne peux bien sûr pas imaginer comment Philippa a pu venir de Marseille en Angleterre, mais il est tout à fait possible qu'elle ait quitté son couvent, avec d'autres réfugiés, au moment de la débâcle française. Et, une fois qu'il aura su que les Français cessaient le combat, ce démon de Saturday aura peut-être décidé qu'elle leur serait plus utile à Londres et lui aura fait prendre le bateau. Si elle était à portée de main, il n'aura pas été difficile à des agents allemands à Londres de s'arranger avec Ricardi — qui, s'il n'est pas l'un des leurs, doit du moins être sous leur coupe — pour qu'il la fasse passer pour sa fille. Après quoi, au cours d'une visite chez sir Pellinore, il ne lui restait plus qu'à évoquer son problème d'envoyer la jeune fille aux Antilles pour que, sir Pellinore lui ayant dit avoir des amis qui s'y rendaient, il lui demande d'obtenir d'eux qu'ils l'emmènent.

Ils sombrèrent de nouveau dans un silence pénible, évitant de parler des choses désagréables qui les attendaient peut-être le soir et la nuit suivante. Mais Simon était maintenant si fatigué qu'au bout d'un moment il avoua qu'il doutait pouvoir tenir plus longtemps sans sommeil. Les autres éprouvaient d'ailleurs une terrible somnolence due à la chaleur régnant dans cette cabine puante et mal aérée.

Ce fut Marie-Lou qui suggéra que, puisque l'eau magnétisée avait suffi à les protéger, le duc et elle-même, quand ils étaient éveillés, au cours de ces longues heures d'obscurité, deux nuits auparavant, elle pourrait sûrement constituer une barrière suffisamment puissante pour les protéger pendant leur sommeil, en plein jour. Par conséquent pourquoi le duc ne magnétiserait-il pas ce qui restait d'eau dans la cruche pour tracer un pentacle sur le plancher de la cabine, afin qu'ils puissent dérober quelques heures de bienheureux oubli à cet étouffant après-midi ?

Il reconnut que, même s'il y avait quelques risques à cela, ils étaient dans une situation si désespérée qu'il fallait les courir, et il allait saisir la cruche quand la porte s'ouvrit de nouveau. Le docteur Saturday se tenait sur le seuil.

Simon sortit suffisamment de son apathie pour noter avec une vague satisfaction que le docteur s'appuyait lourdement sur une canne et boitait. Il entra, ferma la porte derrière lui et s'appuya contre elle.

— Eh bien ? Ainsi votre petite heure de liberté a pris fin, dit-il, ses dents blanches étincelant en un sourire où maintenant ne se dissimulait plus une cruelle malveillance. Je dois féliciter *Monsieur* de Richleau pour ses ressources et son courage en tant que profanateur de sépultures. Ce n'est que par miracle que vous ne vous trouvez pas à la morgue, victimes sanglantes et déchiquetées de la populace déchaînée. Cependant, puisque vous vous en êtes tirés, cela me donnera le grand plaisir de régler personnellement votre affaire.

Il se tut un instant avant de poursuivre :

« Inutile de vous imaginer que les consuls britannique ou américain vous viendront en aide. J'ai des pouvoirs aussi considérables dans ce pays que sur le plan astral. J'ai donc pris aussitôt des mesures pour éviter que ces messieurs ne soient avertis, officiellement ou non, de la situation dans laquelle vous vous êtes placés. Si vous avez quelque appréhension quant à ce qui risque de vous arriver si vous êtes traduits devant un tribunal haïtien, je peux vous en délivrer : vous ne comparaîtrez jamais devant aucun tribunal, car vous serez morts avant ce soir. »

— Allez au diable ! Allez vous faire voir ailleurs ! gronda Rex.

Mais le docteur continua, parfaitement impassible :

— Dans la guerre qui se livre sur les océans, la Grande-Bretagne sera vaincue, et la race britannique sera à jamais brisée. Certains d'entre vous ont entendu parler de ce que les nazis ont fait en Pologne : comment ils ont déporté les Polonais par milliers dans des wagons à bestiaux pour les faire travailler enchaînés dans leurs usines, comment ils ont piqué toute la population mâle pour l'empêcher de procréer, comment ils ont envoyé les Polonaises par milliers dans des bordels pour l'amusement des soldats allemands.

« Eh bien, ce n'est rien comparé à ce qu'Hitler entend faire du peuple britannique à l'heure de sa victoire. Il le réduira en esclavage au plein sens du terme, et l'arrogante classe supérieure britannique se verra imposer les tâches les plus humbles. Les nazis ont conscience qu'ils ne pourront devenir définitivement les maîtres du monde tant que la race britannique n'aura pas cessé d'exister. Il n'y aura pas de nouvelle génération. Vos hommes seront transformés en eunuques et vos femmes rendues stériles. Les vieux et les inutiles seront abattus comme du bétail, puis les Iles Britanniques seront dépeuplées par bateaux entiers de ce qui restera d'hommes et de femmes dans le dessein de les faire travailler comme bêtes de somme pour leurs maîtres sur le continent, jusqu'à ce que la mort leur apporte la délivrance. »

— Ne vendez pas la peau de l'ours avant de l'avoir tué, ricana Richard. Tous les hommes et toutes les femmes de race britannique préféreraient mourir plutôt que se rendre et, d'ici peu, nous flanquerons à ces salauds de nazis une raclée de tous les diables.

— Vous et vos amis êtes déjà pris au piège, répondit doucement le docteur, et votre propre folie vous à tous conduits vers un sort pire encore que celui qui attend vos compatriotes. Je vous ai dit ce que leur feront les nazis. Et maintenant je vais vous dire pourquoi j'apporte mon aide à l'Allemagne, afin que vous, en tant que représentants de votre race, puissiez pour une fois comprendre la haine qu'elle a inspirée par sa cupidité et son arrogance.

« Mon père était anglais et ma mère une jeune mulâtresse. Quoique de bonne famille, il ne l'a pas trouvée assez bien pour l'épouser, aussi les siens, ayant le sentiment qu'elle les avait déshonorés, la jetèrent-ils à la rue. Ayant pris son plaisir avec elle, il n'avait plus qu'en faire et retourna dans son propre pays, la laissant sans ressources. Elle n'était rien de plus pour lui qu'une des « filles de couleur » qui avaient servi à l'amuser au cours de ses voyages. J'ai eu une dure jeunesse, mais j'étais intelligent et j'avais une volonté farouche. Quand j'ai eu dix-huit ans, grâce à mon travail, j'ai pu me rendre en Angleterre et, bien que parlant très peu la langue, j'ai retrouvé mon père. Non seulement il refusa de me reconnaître parce qu'un bâtard de couleur lui aurait fait honte, mais il me chassa de sa maison et, quand j'insistai, il me fit poursuivre comme fauteur de troubles. Ensuite la police anglaise m'expulsa comme étranger indésirable. »

— A en juger par ce que nous savons de vos activités récentes, elle avait probablement raison, dit de Richleau sur un ton aigre-doux.

Le visage du docteur devint un masque de fureur.

— Ainsi vous persistez à me braver, hurla-t-il presque. Mais je vais briser votre orgueil — et briser votre volonté — encore plus complètement que les nazis ne vont briser l'âme du peuple britannique. Vous vous croyez très malins de m'avoir dérobé cette fille que j'avais transformée en zombie. Mais une vie contre une vie ne suffit pas, et vous ne pouvez vous enfuir. Vous portez déjà en vous le germe de la mort. C'est ma volonté que vous mouriez tous dans les heures qui viennent et je ferai de vous cinq zombies, en échange de celui que vous m'avez enlevé.

Sans un mot de plus, il tourna les talons et, claquant la porte derrière lui, il la referma à clé.

— Du calme, du calme ! dit Richard, essayant de traiter à la légère ce qui, tous le sentaient, n'était pas une vaine menace, mais un dessein réel et mortel.

— Qu'a-t-il voulu laisser entendre quand il a dit que nous portions déjà en nous le germe de la mort ? demanda Marie-Lou.

— Je n'en ai pas la moindre idée, répondit le duc, à moins qu'il ne se soit arrangé pour que quelque insidieux poison ait été ajouté à notre repas de midi. Il semble avoir ici une autorité absolue. Les Haïtiens savent évidemment que c'est un puissant bocor et, en conséquence, en ont une peur bleue. Mais, de toute façon, il ne peut nous transformer en zombies tant que nous ne sommes pas vraiment morts.

— S'il a bien fait mettre du poison dans la nourriture, dit Rex, il y a gros à parier qu'il était mélangé à la bouteille de farine de maïs, et aucun de nous n'en a mangé. Nous l'aurions sûrement remarqué si on avait mis quelque chose dans les bananes, et nous n'avons bu que de l'eau pure.

Cela les soulagea beaucoup de penser que, si le docteur avait bien mis du poison dans leur nourriture, ils s'en étaient tirés encore une fois. Mais la cabine était pareille à un four et, mis à part leurs sombres et anxieuses pensées, ils n'avaient absolument rien pour s'occuper. Tous tombaient littéralement de fatigue et Simon, qui n'avait pas dormi depuis beaucoup plus longtemps que les autres, pouvait à peine garder les yeux ouverts, aussi le projet de faire un pentacle avec de l'eau magnétisée fut-il remis sur le tapis.

De Richleau disposa la cruche en terre devant lui et, l'index et le médius de sa main droite tendus vers elle à hauteur de son œil droit, il commença à capter le fluide magnétique qui le traversait, tel un courant invisible, pour pénétrer dans la cruche.

A sa grande surprise et à son extrême inquiétude, l'eau claire et tiède se mit soudain à bouillonner, et avec une amère grimace il abaissa sa main.

— Qu'y a-t-il ? demanda Marie-Lou.

Il soupira en jetant un regard circulaire aux visages anxieux de ses amis.

— J'ai peur que nous ne soyons poursuivis par la malchance. L'eau ne peut être magnétisée car elle n'est pas pure. Ce fils de l'Enfer l'a emporté sur nous — c'est à l'eau qu'il a mélangé quelque poison insipide et incolore, et chacun de nous en a bu au moins un gobelet, il y a plus d'une heure. Il est maintenant trop tard pour que nous nous fassions vomir, car le poison doit déjà circuler dans nos veines. C'est ce qu'il laissait entendre quand il a dit que nous portions déjà en nous le germe de la mort.

CHAPITRE XXI

Des cercueils pour cinq

Les minutes qui suivirent leur parurent une éternité : assis à méditer sur le sort terrible dont leur ennemi les avait menacés, ils commencèrent en outre presque tout de suite à croire qu'ils ressentaient les symptômes de la pernicieuse drogue, à peine eurent-ils su qu'ils l'avaient vraisemblablement absorbée.

La chaleur intense due au soleil tropical qui frappait le pont au-dessus de leurs têtes et l'odeur de renfermé de la cabine sans aération étaient de nature à provoquer la somnolence chez n'importe qui, mais Richard et Rex, qui avaient dormi bien et longtemps la nuit précédente, lors de leur retour de la Jamaïque en vedette, sentaient tous deux que la torpeur extrême qu'ils éprouvaient devait être en partie imputable à une autre cause que les conditions extérieures.

Marie-Lou, qui était longtemps demeurée assise dans la même position, sentit quand elle bougea sa jambe qu'elle avait des fourmis dans le pied, ce que, dans un brusque accès de panique, elle attribua au premiers effets du poison.

Quant à Simon, il éprouvait, en plus d'une complète lassitude, un affreux mal de tête, ce qu'il ne pouvait s'empêcher de considérer, avec une légère accélération du cœur, comme le premier signe de sa mort prochaine.

D'instinct, tous savaient qu'il fallait faire quelque chose — par exemple se lever et essayer de se frayer un chemin hors de la cabine — mais ils savaient aussi que, même s'ils y parvenaient, cela ne les sauverait pas.

A l'extérieur, les gardiens noirs, armés, pouvaient soit les tuer, soit les forcer à rebrousser chemin. D'autre part, en dépit de l'épuisante chaleur, une foule considérable était toujours massée sur le quai, tout près du bateau, attendant patiemment de savoir ce qu'on allait faire des profanateurs de sépultures. Peut-être pourraient-ils soudoyer les gardiens, mais s'ils tentaient de s'échapper, ils seraient purement et simplement mis en pièces, car, dès qu'elle les apercevrait, la populace serait certainement soulevée par une nouvelle vague de fureur. Enfin, même si, par quelque miracle, ils réussissaient à acheter leurs gardiens, puis à éviter d'être lynchés, ils n'avaient pas la moindre idée du genre de toxique qu'on avait utilisé pour les empoisonner, de sorte qu'ils n'avaient aucun moyen de savoir quel antidote ils devaient prendre, sans compter qu'à supposer qu'ils le connussent, il leur serait sans doute extrêmement difficile de se le procurer.

Il n'y avait rien qu'ils pussent faire, sinon attendre les événements et, quand ils sentiraient la mort s'insinuer en eux, recommander leur âme aux Seigneurs de Lumière, dans l'espoir que ces Éternels pourraient leur fournir quelque protection à leur dernière extrémité, quand ils atteindraient le plan astral.

Pourtant, même cela ne représentait qu'une faible espérance,car tous connaissaient suffisamment la Loi pour savoir que tout humain qui choisit de faire la guerre aux Puissances des Ténèbres le fait à ses risques et périls. Dans le grand livre de comptes, il sera dûment crédité de ses efforts, mais ne pas sortir vainqueur d'un tel conflit entraîne des châtiments qui doivent être supportés sans se plaindre, aussi doit-on en endurer parfois de grandes souffrances avant que le compte soit soldé et la juste récompense finalement obtenue.

Ils en avaient par ailleurs suffisamment appris sur les zombies au cours des quelques dernières heures pour savoir qu'à leur mort leur âme ne serait pas libre d'accéder à la vie éternelle tant que leur corps ne cesserait pas d'être animé par la puissance qui l'aurait retenu en esclavage, et que cette âme ressentirait toutes les épreuves qui pourraient être infligées à leur enveloppe terrestre.

De Richleau savait qu'il n'y avait qu'une seule issue. On n'avait pas enlevé son pistolet à Richard et il avait encore deux douzaines de cartouches. S'ils l'utilisaient pour s'entre-tuer, et que le dernier survivant se suicide, peut-être éviteraient-ils un tel sort, pourvu qu'ils se donnent la mort d'une façon qui rende leur corps inutilisable. Un coup de feu derrière le cou, brisant la moelle épinière à la base du crâne, ferait l'affaire, car il n'y aurait aucun moyen, après la mort, de réparer l'os détruit et un cadavre à la colonne vertébrale fracassée ne pourrait certes pas être utilisé comme zombie.

Mais c'était une issue qu'ils ne voulaient même pas envisager, car tuer ses amis à moins que ce ne soit par surprise, impliquerait qu'il obtienne leur consentement. Il lui serait en effet manifestement impossible d'emprunter le pistolet de Richard et de surprendre un seul d'entre eux sans courir le risque de rater son coup. Enfin, à supposer qu'ils soient d'accord pour le laisser les tuer, cela équivaudrait à un suicide collectif, car lui-même devrait ensuite se suicider. De toute façon c'était impensable, car il est écrit qu'il n'échoit jamais à une âme un fardeau de souffrance plus grand que celui qu'elle peut supporter en déployant toute sa volonté. Se suicider pour échapper à une autre forme de mort, c'est, par conséquent, intervenir dans son karma. Toute souffrance est le résultat de dettes passées qui se sont accumulées au cours des vies antérieures, et celles-ci doivent tôt ou tard être payées. Le suicide n'est donc pas une fuite, seulement un ajournement, et, pour ceux qui sont assez faibles pour y avoir recours, il y a une sanction supplémentaire à supporter : pendant un temps plus ou moins long, selon la plus ou moins grande lâcheté de l'acte, l'âme perd sa liberté de continuer le grand voyage, elle demeure attachée à ce qui fut son enveloppe terrestre et doit vivre encore et encore les derniers horribles instants de l'autodestruction, jusqu'à ce que, enfin, elle soit affranchie.

— Si seulement nous n'avions pas perdu le second lot d'instruments, dit Richard après un long silence, nous aurions pu construire un pentacle à l'intérieur duquel mourir. Il aurait au moins servi à nous protéger au cours de ces quelques minutes pendant lesquelles on est plongé dans les ténèbres, à la fin de chaque incarnation, et nous laisser une bonne chance de nous battre plus tard.

Le duc ne répondit pas, mais ce furent ces paroles qui provoquèrent une illumination dans son esprit. Il avait toujours su qu'il ne pratiquait pas tout à fait la magie blanche, mais juste un peu de magie grise. Il n'avait jamais utilisé ses pouvoirs pour son propre avancement ou à des fins personnelles, mais, presque sans le vouloir, il laissait toujours ses propres passions et ses convictions personnelles l'influencer. Par exemple, il ne considérait pas les nazis, avec un total détachement, comme une menace pour le bonheur de l'humanité, il les *haïssait*, de toute la haine dont sa virile personnalité était capable, et c'était mauvais.

Peut-être était-ce à cause de cette légère incertitude sur ses propres pouvoirs que, dans ses opérations de magie, il avait toujours servi le cérémonial prescrit dans les manuels et utilisé des objets tels que ail, assa fœtida, crucifix, fers à cheval et nombre d'autres symboles. Ces objets en eux-mêmes, il le savait, ne représentaient que des moyens pour focaliser l'énergie. Ils ne recelaient pas la moindre énergie en eux-mêmes, n'étant en réalité que des bottes d'herbes ou des morceaux de bois et de fer.

Un pur magicien blanc, confiant en sa propre force, les aurait dédaignés et aurait uniquement compté avec sa propre volonté. Sans tous ces objets, sans pentacle, sans marmonner de phrases provenant des anciens mystères, il serait sorti de son corps, seul et sans crainte, pour livrer bataille sur le plan astral. En cet étrange moment tout, enfin, s'éclairait pour le duc. Il avait été lâche. Il avait fui ses véritables responsabilités. Il aurait dû sortir combattre seul, tablant sur le fait intrinsèque que la Lumière est plus puissante que les Ténèbres.

Pendant qu'il restait là, assis, il crut sentir ses membres se raidir légèrement.Il les bougea un peu pour vérifier. Oui, le poison avait réellement commencé à agir sur lui. Mais il n'était pas trop tard. S'il n'attendait pas passivement la mort, mais se mettait en état de transe et quittait volontairement son corps avant qu'on ne le lui enlève, il avait encore une chance de vaincre.

Alors, il parla.

— Ecoutez tous. Je vais vous quitter maintenant. Quoi qu'il puisse arriver dans les quelques heures à venir, ne désespérez pas. Je serai avec vous, même si vous ne pouvez me voir. Vous supporterez avec courage, je le sais, tout ce qui peut vous être envoyé. Mais je pars devant parce que, ainsi, il y a une petite chance que je puisse conjurer l'horrible sort qui nous menace tous. Si j'échoue, nous devrons tous souffrir — peut-être pendant de nombreuses années. Mais n'oubliez pas que, si nous avons mérité pareille souffrance, c'est que nous avons dû, dans le passé, nous rendre coupable d'une action mauvaise pour laquelle nous paierons maintenant. Nous nous sommes tous beaucoup aimés, par conséquent rien ne peut nous séparer définitivement. Ou bien nous nous retrouverons en vainqueurs dans notre corps terrestre d'ici quelques heures, ou bien, quand nous aurons payé notre dette, nous nous retrouverons dans ces sphères plus élevées et plus heureuses que vous connaissez tous.

Et, tendant les mains vers eux, ses yeux gris emplis d'une nouvelle et éclatante lumière, il ajouta :

« Que la bénédiction et la protection des Eternels soient sur vous tous à l'heure de l'épreuve. »

Son visage maintenant radieux les emplit d'un tel respect qu'aucun d'eux ne chercha à le détourner de son intention. Ses paroles avaient été empreintes de trop de gravité pour qu'elles reçoivent une autre réponse qu'un murmure d'encouragement pour la tentative qu'il était sur le point d'effectuer.

Quand il eut accompli le rite de sceller les neuf ouvertures du corps et se fut confié à la protection des Puissances, Marie-Lou l'embrassa affectueusement sur la joue, puis tous dirigèrent leur pensée sur lui pour lui donner de la force pendant qu'il s'installait dans le coin d'un des deux canapés et fermait les yeux. Durant quelques instants, il concentra sa volonté, puis, progressivement, son corps devint flasque et ils comprirent qu'il l'avait quitté.

Dès qu'il fut libéré de son enveloppe terrestre, il jeta un long et ultime regard sur le visage bien-aimé de ses amis, puis, rassemblant ses forces, il traversa le pont et pris son essor au-dessus de la ville. Il ne pouvait pas livrer bataille si le magicien noir n'était pas lui aussi en dehors de son corps, mais, comme il n'était pas encore deux heures, il espérait pouvoir le surprendre endormi pendant la sieste de la mi-journée. En réalité, bien des choses dépendaient du fait que le docteur Saturday fît sa sieste, car autrement le duc serait privé de toute chance de sauver ses amis des terribles premières épreuves qu'ils seraient appeler à endurer après que l'apparence de la vie les aurait quittés. Son problème immédiat, par conséquent, était de trouver d'extrême urgence le sataniste.

En un éclair, il fut au-dessus de la maison à flanc de colline, mais, comme il s'y attendait, il la trouva réduite à l'état de ruine par l'incendie. A une centaine de mètres d'une de ses extrémités, il visita des dépendances qui avaient été les communs et à l'intérieur desquelles on avait entassé un certain nombre de meubles sauvés du feu. Mais le docteur ne s'y trouvait pas.

Il apparut très possible à de Richleau que l'ennemi eût établi ses quartiers dans quelque maison voisine, aussi visita-t-il un certain nombre d'habitations dans les alentours immédiats, mais sans succès. A la vitesse de la pensée, il revint à Port-au-Prince.

Le calme de la mi-journée régnait sur la ville. Les rues étaient presque dépourvues de circulation et il n'y avait que très peu de piétons. Même la foule de l'embarcadère s'était considérablement réduite, chacun s'étant soit réfugié dans les bars et les cafés, soit mis à l'abri de toute plage d'ombre qu'il soit possible de trouver derrière les hangars et les tas de marchandises, pour s'étendre sur le sol et faire la sieste.

En trois mille secondes, le duc traversa trois mille pièces dans différents immeubles, sans découvrir le docteur Saturday. Le trouver, de Richleau s'en rendait compte, c'était comme chercher une aiguille dans une meule de foin. L'heure au cours de laquelle le duc avait espéré accomplir tant de choses était déjà passée. Il était trois heures et, partout, dans la ville rôtie par le soleil, les gens se réveillaient et se levaient de leur lit, sofa, rocking-chair ou paillasse pour entamer la seconde moitié de leurs occupations quotidiennes.

Avec beaucoup de regret, de Richleau décida que ce serait gaspiller ses efforts que chercher davantage. Il avait rassemblé son courage et ses forces pour livrer bataille à tout moment, mais il était maintenant virtuellement certain que le docteur — où qu'il fût — avait dû s'éveiller et que de nombreuses heures passeraient avant qu'il ne se rendorme. Durant ce temps, les prisonniers, à bord de la canonnière seraient à sa merci et le duc savait, à son grand chagrin, qu'il serait dans l'incapacité de leur apporter le moindre réconfort — sans même parler d'une aide matérielle. Il ne pouvait qu'attendre, en priant pour que son courage ne décline pas, dans l'intervalle de temps qui allait s'écouler avant qu'il puisse affronter sa propre épreuve.

Sachant que le sorcier viendrait, tôt ou tard, prendre possession du corps de ses amis, il revint au bateau et nota qu'il y avait un net changement dans leur état. A l'instant de son arrivée, Rex, la voix hésitante et la respiration difficile, se plaignait de la raideur de ses membres et tentait de les fléchir, et Simon sortit de son apathie pour lui marmonner qu'il ressentait exactement la même chose et que cela ne ferait probablement que prolonger sa tension mentale s'il tentait de lutter contre le mal. Richard était assis, Marie-Lou sur ses genoux. Elle avait les bras autour de son cou et sa joue pressée contre la sienne. Tous deux gardaient les yeux clos et on aurait dit qu'ils étaient endormis, mais le duc savait qu'il n'en était rien.

Pendant une demi-heure, il demeura là, observant le poison faire son œuvre et se consolant un peu à la pensée qu'au moins il semblait ne pas leur causer de grandes souffrances physiques, même si, manifestement, ils souffraient moralement de sentir leurs membres se raidir progressivement et ne plus réagir.

Ce n'est pas chose facile d'accepter, avec calme et philosophie, sans tenter de lutter, une paralysie progressive dont on sait l'issue fatale, aussi, de temps en temps paraissaient-ils lutter un peu. Simon fut le premier à partir, il parut simplement s'endormir. Peu après, Marie-Lou eut un petit frisson et demeura immobile. Richard, le visage crispé, saisit son petit corps et tâcha de se redresser, mais l'effort se révéla trop grand et il retomba. Le dernier fut Rex : au prix d'un effort herculéen il s'éleva en titubant et se redressa de toute sa magnifique hauteur, puis il tomba en avant en travers de Simon, ses grands membres complètement raides.

Bien qu'ils eussent tous maintenant l'apparence de la mort, leurs esprits ne se détachèrent pas de leurs corps, et de Richleau comprit qu'ils y étaient enchaînés, incapables de se libérer, mais incapables également de continuer à animer leurs enveloppes de leur propre volonté.

Pendant un certain temps, rien ne se passa et il était près de quatre heures quand l'officier en uniforme bleu ciel entra dans la cabine, des papiers à la main. Il aperçut les cinq formes immobiles, poussa un cri de terreur et s'enfuit.

Le duc n'était pas trop d'humeur à s'amuser de quoi que ce fût, autrement, s'il avait suivi le capitaine sur le pont, il se serait beaucoup diverti de la scène qui s'ensuivit. Un certain nombre de notables haïtiens avaient manifestement été sur le point de pénétrer dans la cabine à la suite de l'officier qui, dans sa fuite, sous l'effet de la panique, en renversa plusieurs. Sans prendre le temps de vérifer la cause de sa terreur, ils se précipitèrent à sa suite par l'écoutille pour s'apercevoir qu'il continuait à fuir. Bondissant sur la passerelle de débarquement, il la descendit à la hâte et gagna le quai.

En réponse à leurs cris, un peloton de *Gardes haïtiens*[1] qui était au repos sur l'appontement lui barra la route et, à moitié le guidant, à moitié le poussant, le ramena à bord où il demeura sur le gaillard d'arrière, roulant des yeux, ses genoux s'entrechoquant sous l'effet d'une peur extrême, tout à fait incapable de parler.

A la fin ils parvinrent à le rassurer suffisamment pour qu'il avoue en bégayant que les prisonniers étaient morts tous les cinq pour une raison inconnue et que, comme ils avaient été des gens très méchants, il était terrifié à l'idée que leurs esprits, qui devaient encore être cachés là, s'emparent de lui.

Cette nouvelle remplit les délégués et généraux d'une évidente consternation et ils s'éloignèrent à la hâte de l'escalier menant à la cabine,

1. En français dans le texte.

beaucoup allant même jusqu'à quitter le bateau pour observer la suite des événements à distance plus sûre. Quand la nouvelle se répandit dans la foule, bon nombre de nègres et de négresses superstitieux, qui assistaient à la scène en badauds, demeurèrent cois et disparurent rapidement dans les rues et ruelles latérales. Car le fait que les esprits de cinq puissants bocors se soient échappés était loin d'être pour eux une plaisanterie.

Les notables, eux-mêmes, auraient manifestement préféré fuir un si dangereux voisinage, mais ils devaient sentir que leur prestige risquait d'en souffrir. Aussi les politiciens en habit et les officiers « d'opérette » restèrent-ils, parlant avec animation de part et d'autre de la passerelle, mais, bien que chacun y poussât l'autre, aucun ne se laissa persuader de s'aventurer de nouveau près de l'escalier des cabines.

De Richleau souhaita un instant que lui et ses amis soient tous de retour dans leur corps et en aient l'usage, car, si à cet instant-là ils étaient montés sur le pont, il ne faisait aucun doute qu'on les aurait regardés avec une telle stupéfaction que personne n'aurait osé mettre la main sur eux. Soldats, marins, délégués et menu peuple auraient déguerpi comme autant de lapins pendant que les prisonniers auraient choisi à loisir un autre bateau à moteur et se seraient enfuis par mer.

Cependant les corps de ses quatre amis n'étaient, maintenant, rien de plus que des cadavres, et s'il avait tenté de retourner dans le sien, il l'aurait trouvé, il le savait, rigide et rendu inhabitable par le poison. Aussi continua-t-il à surveiller la conversation animée des Haïtiens que, dans son corps astral, il pouvait suivre avec une parfaite facilité, bien qu'ils parlassent en créole.

Finalement, plusieurs d'entre eux prirent une décision et se dirigèrent d'un pas rapide vers la ville. Un quart d'heure plus tard, il revinrent accompagnés par le prêtre catholique dont l'église avait servi de refuge, ce matin-là, au duc et à ses amis.

Sans manifester la moindre crainte, le maigre prêtre aux cheveux roux se dirigea tout droit vers l'escalier et descendit, tenant un petit crucifix devant lui. Devant la cabine, il entama un long exorcisme en latin destiné à en chasser les esprits malins. L'ayant prononcé, il se retourna de la façon la plus naturelle vers la foule de métis qui s'étaient rassemblés, anxieux, derrière lui, et leur déclara qu'il n'y avait plus rien à craindre : ils pouvaient maintenant enlever les corps sans danger.

Sous les ordres d'un des hommes politiques haïtiens qui, courageusement, était constamment demeuré sur le pont, les marins sortirent des brancards de l'infirmerie, y déposèrent les corps et recouvrirent chacun d'une couverture. On les porta ensuite à terre, le prêtre ouvrant la marche.

Quand on atteignit l'embarcadère, il y eut une courte dicussion. Le prêtre souhaitait que les corps fussent portés à l'hôpital pour qu'un des médecins puisse certifier le décès, mais les Haïtiens s'y opposaient violemment, soutenant que leurs cinq esprits rôdaient sans doute encore dans le voisinage, n'attendant qu'une occasion de causer le mal le plus effroyable. Le prêtre devait par conséquent amener directement les corps à l'église, sinon les méchants esprits pourraient pénétrer dans les corps de certains malades à l'hôpital et les posséder.

On parvint à un compromis selon lequel le prêtre acceptait que les corps soient amenés à la sacristie de son église, pourvu qu'un docteur vînt y constater le décès.

Ces dispositions prises, le peloton de *Gardes d'Haïti*[1] forma les rangs. Le cortège se remit en route et les brancardiers transportèrent leurs fardeaux jusqu'à la sacristie d'où de Richleau et ses amis s'étaient échappés, plus tôt dans la journée. Peu après, le chirurgien nègre de l'hôpital arriva avec deux de ses confrères. Après un bref examen de chaque cadavre, ils furent unanimement d'avis qu'il n'y avait de vie dans aucun d'eux et ils rédigèrent le certificat de décès.

La sacristie fut alors fermée à clé, tandis que le prêtre s'en allait. Mais, un quart d'heure après, il revint avec deux vieilles négresses qui entreprirent d'accomplir les derniers rites. Chaque corps fut dévêtu, manipulé sans ménagement — ce que le duc observa avec une certaine répugnance — et lavé, après quoi, au lieu de l'envelopper dans un linceul, on lui remit ses vêtements, selon la coutume locale. Alors des hommes arrivèrent avec cinq cerceuils bon marché dans lesquels on plaça les corps, puis on cloua les couvercles, avec un bruit qui sonna sinistrement aux oreilles du duc.

Sur les instructions du prêtre, les cercueils furent portés dans l'église et disposés en rang dans le chœur. Après avoir allumé un unique cierge pour chacun et déposé celui-ci à la tête des cercueils, le prêtre dit une courte prière pour les disparus et quitta l'église.

De Richleau savait qu'en raison de la rapide décomposition des cadavres sous les tropiques, les funérailles auraient certainement lieu le soir-même. Jusque-là, le docteur Saturday ne s'était pas manifesté, mais le duc ne doutait pas que le sataniste, ayant les moyens de savoir exactement ce qui se passait, ferait son apparition en temps voulu.

De Richleau éprouvait une grande amertume de n'avoir pas réussi à trouver le docteur durant la dernière partie de la sieste, car, dans ce cas, il aurait soit triomphé, soit connu le pire, mais, en tout cas, dans la première hyphothèse, il aurait épargné à ses amis l'horreur que chacun devait maintenant éprouver. En effet, bien qu'ils fussent considérés comme morts, il savait que la conscience ne les avait jamais quittés. Ils étaient sur le point d'être enterrés vivants et les rites accomplis au cours de l'heure écoulée avaient dû être infiniment plus effrayants pour eux que pour lui.

1. En français dans le texte.

A cinq heures trente, le prêtre revint, accompagné des deux femmes qui avaient lavé les corps et des hommes qui avaient apporté les cercueils pour former une petite assemblée de fidèles. Manifestement effrayés, ils n'avaient accepté d'assister le prêtre que parce qu'ils le craignaient plus encore que les esprits des morts. Il célébra un bref service funèbre et les cercueils furent emportés sur une charrette qui attendait.

La rue était pleine de monde d'une extrémité à l'autre, la plupart des habitants de Port-au-Prince étant venus, mus par une curiosité mi-morbide, mi-superstitieuse, assister aux derniers stades de l'étrange affaire qui avait causé tant d'émoi dans toute la ville.

La charrette s'ébranla, le conducteur éprouvant quelque difficultés à faire fendre la foule aux deux ânes d'aspect galeux qui la tiraient. Le prêtre suivait dans une antique calèche délabrée. Parvenus hors de la ville, ils parcoururent encore quelque trois kilomètres jusqu'à un vaste cimetière, l'immense foule traînant derrière dans un silence plein d'une inquiétude respectueuse.

A l'intérieur du cimetière, on avait préparé un alignement de cinq tombes peu profondes, dans lesquelles furent descendus les cercueils. Seuls, les plus audacieux s'aventurèrent au-delà des grilles du cimetière pour assister aux derniers stades du service funèbre, et de Richleau, qui avait plané au-dessus du cortège, vit soudain que le docteur Saturday se trouvait parmi eux.

Le sataniste ne s'approcha pas des tombes. Il demeura à proximité du petit groupe, paraissant ne suivre la cérémonie que du coin de l'œil. Pourtant, quand le prêtre lut les derniers sacrements, de Richleau fut certain de voir un sourire de satisfaction crisper la commissure de ses lèvres.

Dès que le service religieux fut terminé, les fossoyeurs se hâtèrent de jeter sur les cercueils des pelletées de terre qui crépitèrent avec un bruit caverneux. Le prêtre remonta dans sa calèche et la foule massée à la porte commença à se dissiper comme par magie. Jetant des regards anxieux vers le soleil couchant, ceux qui étaient entrés dans le cimetière se hâtèrent de s'en éloigner, y compris le docteur qui ne semblait pas manifester l'intention de réclamer ses victimes tout de suite.

Il s'ensuivit pour le duc une longue et pénible attente, durant laquelle il lui fut impossible d'éloigner ses pensées des tortures que devaient endurer ses amis, là, sous la terre. C'est en vain qu'il s'efforça de les atteindre pour leur apporter du réconfort, même s'il doutait fort qu'ils pussent avoir conscience de sa présence astrale, leurs propres esprits n'ayant pour le moment absolument aucun moyen de s'exprimer.

Les ténèbres enveloppèrent la mer, la côte, les bouquets de gracieux palmiers, les petits champs de maïs, de café et de coton mal entretenus, les habitations clairsemées, l'épaisse jungle tropicale, plus loin vers l'intérieur, et les montagnes déchiquetées, dans le lointain. Le paysage redevint tel que de Richleau l'avait connu deux nuits auparavant, quand il l'avait contemplé depuis la véranda du docteur, un lieu exhalant des pulsions sexuelles primitives et imprégné d'un mal furtif et rampant.

Une à une les lumières s'éteignirent dans les maisons. Puis, vers onze heures, quelque part dans le lointain, il entendit le staccato aigu des tambours Petro qui commençaient à battre l'ouverture d'une cérémonie vaudou.

Les tambours continuèrent, augmentant la cadence de leurs battements jusqu'à ce que l'on ait l'impression que toute l'obscurité palpitait avec eux. Grâce à sa vue astrale, de Richleau, planant toujours au-dessus des tombes fraîches, pouvait voir la longue route menant du cimetière à la ville où rien ne bougeait. Et il comprit qu'après les événements de la journée pas une âme, à Port-au-Prince, à l'exception peut-être du prêtre catholique, n'oserait s'aventurer dans un rayon d'un kilomètre autour de l'endroit, tant que durerait l'obscurité. Or le prêtre, qui avait enterré les cinq corps avec la ferme conviction que les morts ne reviennent pas, ne ressortirait certainement pas pour se rendre au cimetière cette nuit.

Dans la direction opposée, la route s'élevait en lacet à flanc de colline jusqu'à une hauteur surplombant la mer et, vers minuit moins le quart, l'attention du duc fut attirée par un long serpent émergeant progressivement de l'obscurité de la lointaine colline. Quelques instants plus tard il disparut, pour réapparaître, plus proche et plus brillant, et le phénomène se répéta. Il suivait, comme le duc le savait, les tournants de la route qui descendait au cimetière et, chaque fois qu'il disparaissait, c'est qu'il passait derrière un amas de dense végétation tropicale.

Tandis que le serpent se rapprochait, le bruit des tambours devenait plus fort, jusqu'à ce qu'une mélopée pareille à un chant funèbre jaillisse dans l'atmosphère calme et étouffante. Au même moment, le serpent se sépara en une centaine de points lumineux, et le duc comprit qu'il s'agissait d'une longue procession dont chaque participant portait une torche de bois de pin allumée. La tête de ce qui avait été ce serpent atteignit les grilles du cimetière à minuit exactement.

La mélopée s'interrompit alors brusquement, les tambours cessèrent de battre et un grand cri s'éleva, poussé par les hommes et les femmes qui avaient constitué le serpent. Puis leur chef s'avança et, pendant qu'un brusque silence tombait, conjura à haute voix le Baron Cimeterre, Seigneur du Cimetière, de les laisser entrer. De Richleau ne comprit pas comment la chose se fit mais, silencieusement et en douceur, sans aucune intervention de main d'homme, les portes de fer pivotèrent et s'ouvrirent.

Les tombes fraîches étaient à quelque distance des portes mais, en réglant sa vue, le duc put voir très distinctement la tête de la procession les franchir. Le personnage qui se trouvait en tête était de nature à inspirer la terreur au cœur le plus courageux. C'était un homme de grande taille revêtu de la hideuse panoplie du sorcier africain.

Son corps et ses bras étaient enduits de peintures de différentes couleurs formant des spirales, des étoiles et des cercles. Au-dessus de sa courte et ample jupe d'herbe, pareille à celle d'une ballerine, pendait, accrochée à sa ceinture, une rangée de crânes humains ; passés autour de son cou, une douzaine de longs colliers de dents de requin et de mâchoires de barracuda s'entrechoquaient sur sa poitrine. Dans sa main il agitait un grand ascon, calebasse ornée de perles sacrées et de vertèbres de serpent dont le crépitement est, croient les adeptes du vaudou, la voix des dieux en train de murmurer à leurs prêtres. Sur la tête, il portait une fantastique construction d'où émergeait une paire de cornes pointues, et son visage était recouvert d'un masque diabolique. Mais de Richleau, qui pouvait voir à travers le hideux harnachement, savait que c'était le docteur Saturday.

Derrière lui, chacun ayant la main posée sur la hanche de celui qui le précédait, serpentait la longue procession qui avançait lentement dans une curieuse danse de petit trot, trois pas en avant, deux pas en arrière. Tout en avançant ils se mirent à chanter en l'honneur du sinistre seigneur de ce lieu terrifiant. Finalement, ils atteignirent les tombes et, plantant une à une leurs torches en terre devant eux, formèrent un cercle ondoyant autour de la parcelle de terre fraîchement retournée. Ensuite commença la plus macabre scène dont de Richleau ait jamais été témoin.

Au signal du docteur, une vingtaine de prêtres-assistants, tous bizarrement vêtus et couverts de hideuses peintures, se jetèrent sur les tombes et, de leurs mains nues, arrachèrent la terre jusqu'à découvrir les cinq cercueils. Cela fait, on versa dans la tombe une libation de rhum et on y déposa en offrande de petites coupes de céréales et de fruits. A un nouveau signal, certains adeptes arrachèrent le couvercle de l'un des cercueils. C'était celui de Rex. Agrippant son corps par les bras, ils le redressèrent en position assise.

Le docteur descendit alors dans la tombe pour lui faire face et, dans un silence de mort, lança à voix haute :

— Rex Van Ryn, je t'ordonne de te lever et de me répondre.

De Richleau savait que, grâce aux rites magiques accomplis par le sataniste, Rex ne pouvait manquer de répondre. Sa tête se mit soudain à osciller sur ses épaules d'une façon horriblement grotesque, et de ses lèvres toujours figées s'éleva un murmure : « Me voici. »

Le prêtre du Mal leva son ascon et en frappa la tête de Rex pour le réveiller davantage. Tandis que Rex se rejetait en arrière pour échapper aux coups, ses membres se mirent à s'agiter de mouvements spasmodiques montrant que son corps commençait à se ranimer. Les adeptes le tirèrent ensuite hors du cercueil et le poussèrent le long de la petite pente qui bordait la tombe.

Tandis qu'on ouvrait les autres cercueils, de Richleau assista trois fois encore à cet acte impie infligé à ses amis. Simon, Marie-Lou et Richard furent tour à tour réveillés du sommeil de la mort, ranimés et tirés, captifs, de la tombe. Par un pur hasard, les goules arrachèrent en dernier le couvercle du cercueil du duc. Il contempla alors son propre cadavre et entendit le sataniste l'appeler lui aussi par son nom. Pour la première fois depuis bien des heures, il sentit un peu de chaleur pénétrer son cœur froid et fatigué. Il n'y eut pas de réponse — il ne pouvait y en avoir — car son esprit était toujours libre.

Pendant un moment ce fut un complet silence, puis le magicien noir l'appela de nouveau par son nom. Il n'y eut pas plus de réponse.

Alors menaces, imprécations et blasphèmes se déversèrent des lèvres épaisses du prêtre du démon. Il se baissa et frappa le cadavre au visage à plusieurs reprises, en une furieuse tentative pour lui arracher une réponse. Mais il n'y en eut pas.

Après dix minutes d'efforts ininterrompus, il abandonna la lutte, ordonnant à quelques-uns de ses assistants de se charger du corps toujours inanimé et de l'emporter.

On célébra une cérémonie d'action de grâces au Seigneur du Cimetière, puis les adorateurs du diable se préparèrent au départ. Ils ne se retirèrent pas en file indienne comme ils étaient venus, mais, tenant toujours leurs torches levées, en un seul vaste groupe au milieu duquel furent entraînés Rex, Richard, Simon et Marie-Lou, debout sur leurs jambes, mais hébétés et seulement à demi conscients.

Les tambours et la mélopée recommencèrent, non plus chant funèbre, mais péan de triomphe au Mal ayant vaincu le Bien. Frappant du pied, gesticulant et dansant, la foule, dans son étrange accoutrement, se dirigea vers le sommet de la colline pendant près de cinq kilomètres, jusqu'à ce qu'elle eût atteint le grand hounfort sur la hauteur dominant la mer.

Le corps de de Richleau fut disposé devant l'autel du Baron Cimeterre et les quatre autres victimes furent poussées en avant et alignées de chaque côté du corps du duc, debout sur leurs jambes, mais tête et bras ballants. On apporta un brasero sur lequel le sorcier fit chauffer un liquide dans une petite cuiller. Quand il fut chaud, il y délaya un peu de poudre provenant d'un des crânes de sa ceinture. Ensuite on maintint les quatre victimes tandis qu'il en introduisait une goutte entre leurs lèvres.

Sur l'ordre du sataniste, tous les quatre furent entraînés et jetés dans une infecte cabane, où ils s'écroulèrent sur le sol, à demi inconscients. Elle était éclairée par une unique chandelle, de sorte que c'est à peine s'ils pouvaient y voir, mais le duc, qui avait pénétré dans la cabane et planait au-dessus de leurs têtes, sentit son cœur se déchirer devant le regard inexpressif avec lequel chacun considérait ses compagnons. Ils ne se reconnaissaient pas.

Dehors, une autre cérémonie était en cours, mais le duc réalisa que le mauvais prêtre la célébrait à la hâte et il en devina la raison. Tout n'était pas terminé dans le sinistre travail de la nuit. Un des cinq avait omis de répondre aux appels du docteur qui était impatient de se mettre au travail sur cet esprit récalcitrant qui le bravait encore.

Dès que le cérémonial fut terminé, le sataniste fit transporter le corps du duc dans un sanctuaire, derrière l'autel, et, aussitôt que ses principaux assistants furent hors portée de voix de la foule, ils commencèrent à le questionner avec anxiété sur ce qui n'avait pas marché. Il les rassura tout de suite : il n'y avait pas la moindre raison de s'inquiéter, il y avait des moyens de contraindre le corps à répondre et il avait l'intention de tous les mettre en œuvre en temps utile.

Tranquillisés à l'idée qu'il était peu vraisemblable que l'esprit du duc apparût soudain pour venger ses amis et se venger lui-même, les assistants sortirent pour se joindre à la scène de dépravation à laquelle les frères inférieurs de l'ordre étaient déjà en train de se livrer. Une centaine, voire plus, d'hommes et de femmes, dont tous avaient participé au rite des goules, étaient maintenant en train d'exécuter une danse obscène à l'intérieur de l'enceinte. Au rythme des furieux battements des tambours au son aigu, ils pirouettaient, cabriolaient et bondissaient haut en l'air, et beaucoup, parmi eux, semblaient avoir été saisis par quelque chose de plus mauvais et de plus puissant encore que leur propre esprit car, ici et là, un certain nombre d'entre eux avaient l'écume aux lèvres, comme s'ils étaient sur le point d'être frappés d'un accès d'épilepsie.

Le docteur sortit et les contempla un moment, puis il se dirigea à grandes enjambées vers l'infect appentis qui contenait les quatre prisonniers. Saisissant sur le mur un court fouet en cuir de vache, il se mit à les rouer de coups. Incapables d'émettre un cri, dépossédés de toute leur personnalité et de tout leur courage, ils se terrèrent, se tassant sur eux-mêmes comme des animaux à la torture, des larmes ruisselant de leurs yeux à demi aveugles, tandis qu'il continuait inlassablement à les frapper sur les épaules, le visage et les jambes.

— Zombies ! haleta-t-il avec une horrible exultation en jetant soudain le fouet. Vous êtes maintenant des zombies ! Vous effectuerez sans relâche un travail infernal dans mes champs, ou n'importe quelle tâche dégradante qu'il me plaira de vous confier. Pour vous il n'y aura ni possibilité de fuite ni répit pendant les années à venir. Vous êtes mes esclaves et, en tant que tels, vous travaillerez comme des bêtes de somme jusqu'à ce qu'un accident ou l'âge vous libère. Vous n'avez pas de cerveau, pas d'entendement et un souvenir si nébuleux du passé que vous ne reconnaîtrez même pas votre cinquième compagnon quand il viendra vous rejoindre, car je vais maintenant, parfaitement conscient de ma puissance, forcer son esprit et le contraindre à reconnaître que je suis son maître.

De Richleau savait qu'il n'y avait rien qu'il pût faire pour aider ses amis et que son propre corps était entièrement à la merci du sataniste. Il lui était même impossible de commencer la bataille — cette bataille si importante — avant que le docteur s'endorme et il n'avait aucun moyen de deviner quels pouvoirs le sataniste pouvait être capable de mettre en œuvre. Peut-être était-il déjà trop tard. Peut-être, par sa lâcheté passée, s'était-il privé de toute chance de combattre l'ennemi sur le plan astral.

Chassant cette terrible pensée qui sapait son courage, il fit appel à toute sa force d'âme pour supporter patiemment la nouvelle cérémonie que son adversaire était sur le point de pratiquer sur son cadavre, cependant qu'il ne pourrait qu'en demeurer un spectateur impuissant.

CHAPITRE XXII

Le Grand Dieu Pan

Une fois revenu dans le sanctuaire derrière l'autel, le docteur Saturday resta à considérer le corps du duc, tandis que de Richleau se postait juste au-dessus, derrière sa propre tête.

Il n'avait jamais pratiqué la nécromancie, mais il avait beaucoup lu sur ce sujet, aussi savait-il parfaitement que son malheureux cadavre risquait d'être maintenant l'objet de toutes sortes d'abominables traitements.

Sa seule consolation était d'avoir scellé les neuf ouvertures de son corps plus tôt dans l'après-midi. Il était donc raisonnablement persuadé que le docteur ne pourrait y faire entrer un élémental pour en prendre possession. Mais si tous les efforts du sataniste pour le réanimer échouaient, il était très probable que, dans un accès de fureur, il en écraserait ou couperait certaines parties vitales, le rendant par là impropre à tout nouvel usage.

S'il lui défonçait ou lui coupait la tête, ou lui plantait un couteau dans le cœur, l'estomac ou le foie, l'effet serait exactement le même que si sa victime s'était fait sauter la cervelle avant de partir pour le plan astral : le duc serait toujours en mesure de défier le docteur sur le plan astral, mais, même s'il venait à bout du mulâtre, jamais il ne pourrait revenir dans son propre corps.

Il savait que l'important était de triompher du sataniste. Qu'il puisse ou non regagner ensuite son propre corps n'était pas l'essentiel, car il se pouvait très bien que son incarnation en tant que Monseigneur le duc de Richleau, chevalier du Très Élevé Ordre de la Toison d'Or, fût alors terminée.

Il est écrit qu'à chacun de nous est attribuée une certaine durée pour chaque vie terrestre, et que nul n'a le pouvoir de prolonger d'une seconde son temps ici. En revanche, disposant du libre arbitre, nous pouvons, à nos risques et périls, mettre fin à notre vie par le suicide ou, au détriment de nos vies futures, abréger notre existence présente en endommageant notre corps par l'abus d'alcool ou tous autres excès.

Si sa dernière incarnation avait effectivement touché à sa fin, au moins serait-ce une puissante consolation de savoir que, par son dernier acte de libre arbitre, il avait sauvé ses amis de leur état de zombies, même s'il ne pouvait les rejoindre, mais cela dépendait de l'issue de la bataille qu'il lui restait à livrer.

Une pensée l'inquiétait bien davantage que la possibilité de voir infliger une blessure mortelle à son corps : que son ennemi pût le mutiler. Le duc était totalement impuissant à lever le petit doigt pour défendre son propre cadavre, et rien ne pouvait empêcher le docteur de l'émasculer avec un couteau, de lui couper les oreilles et le nez ou de lui arracher les yeux. Si cela se produisait, de Richleau, même s'il gagnait par la suite son combat astral, serait contraint de regagner les restes hideux de ce cadavre mutilé, et de continuer à vivre, peut-être pendant des années, comme un répugnant infirme au physique délabré. Et c'était là, il le craignait, exactement ce que *ferait* le docteur quand, ayant à nouveau évoqué l'esprit récalcitrant, ce dernier aurait encore refusé de répondre.

Le grand mulâtre ôta son masque terrifiant et sa haute coiffure cornue, puis il s'adressa au cadavre très calmement.

— Il est inutile que vous continuiez à me défier. Si vous êtes encore dans votre enveloppe physique, vous vous éviterez de très grandes souffrances en vous mettant sur votre séant tout de suite. Si vous n'êtes pas dans votre corps, vous ne devez pas être loin et vous allez y revenir immédiatement. De Richleau, je vous ordonne de me répondre.

Il attendit un moment, et comme il ne recevait pas de réponse, il poursuivit :

« Très bien, alors, nous allons bientôt voir si, oui ou non, votre esprit est dans votre corps. »

De ses longs doigts décharnés il délaça la chaussure droite du duc et l'ôta, ainsi que la chaussette. Il sortit ensuite du tiroir d'un vieux coffre sculpté, placé contre un mur de la pièce, un long cierge de cire noire, qu'il alluma et dont il approcha la flamme de la plante du pied nu.

De Richleau n'éprouva pas la moindre douleur, mais il regarda l'opération avec beaucoup de détresse, car il savait que, si jamais il retournait dans son corps, il allait se retrouver avec une brûlure extrêmement désagréable.

Pendant trois bonnes minutes le mulâtre maintint la flamme sous la cambrure du pied du duc, jusqu'à ce que la chair noircisse et dégage une odeur écœurante. Soudain il leva le cierge et le souffla. L'ayant remis dans le tiroir, il fit remarquer :

« Maintenant au moins nous savons que vous n'avez pas échappé aux effets de la drogue que j'ai mise dans l'eau que vous avez bue à midi. Vous avez seulement été assez malin pour quitter votre corps avant que la rigor mortis ne s'installe. Mais je ne doute pas que vous soyez tout près, à m'écouter et, plus tôt vous vous rendrez, mieux cela vaudra pour vous. Je vous ordonne de regagner votre corps. »

Encore une fois, il attendit un moment. Comme il ne reçut pas plus de réponse, il ajouta :

« Puisque vous refusez toujours, je dois vous faire revenir par la force. »

Retournant vers le coffre, il sortit d'un autre tiroir un petit sac en peau de serpent. L'ayant ouvert, il en renversa le contenu sur une table hexagonale, et de Richleau vit qu'il s'agissait d'un assortiment d'osselets.

Le docteur disposa ceux-ci d'une certaine façon et se mit à psalmodier à voix basse au-dessus d'eux. Presque aussitôt, le duc sentit son corps astral tiré en avant et vers le bas, en direction de la tête du cadavre.

De Richleau, c'est une métaphore, s'arc-bouta sur ses talons et résista à l'attraction de toute la force de sa volonté. Pendant plusieurs minutes d'affilée ce fut comme si le dos de son corps astral se brisait sous l'effort. Tout devint noir devant ses yeux astraux, et la monotone psalmodie martela son esprit comme des coups de tonnerre, empêchant son ouïe astrale d'entendre rien d'autre. Pourtant, il parvint à résister à la terrifiante attraction qui s'exerçait sur lui. Finalement, le sataniste arrêta sa psalmodie, et la traction que subissait le corps astral du duc cessa.

Avec un geste de contrariété, le mulâtre ramassa les osselets et les remit dans le sac qu'il jeta dans le coffre.

Pendant quelques minutes, il demeura à fixer le corps, un abîme de perplexité plissant son front. Puis il dit :

— Je pense savoir pourquoi les osselets n'ont pas réussi tout à l'heure à exercer la pression nécessaire sur vous. En tant qu'Européen vous n'êtes naturellement pas aussi sensible à la magie nègre que si vous étiez un homme de couleur. Cependant, comme j'ai à la fois du sang blanc et du sang noir dans les veines, inutile de vous flatter de parvenir à m'échapper. La vieille magie européenne brisera à coup sûr votre résistance. Je pense que vous n'affronterez pas longtemps sans succomber la terreur qu'inspire le Grand Dieu Pan.

Revenant vers le coffre, il choisit des objets très divers dont certains lui servirent à ériger soigneusement un pentacle pour sa propre protection. Quand l'ouvrage fut terminé, il plaça en son centre un petit chaudron sous lequel il empila trois sortes de bois et, avec l'aide d'un soufflet, il alluma rapidement du feu. Il versa ensuite sept liquides différents dans le pot de fer et attendit patiemment qu'ils chauffent. Aussitôt que le mélange eut été porté à ébullition, il commença à murmurer une invocation et, toutes les cinq minutes, après s'être incliné vers le nord, l'est, le sud et l'ouest, il jeta dans l'eau bouillonnante une des horribles choses qu'il avait sorties du coffre.

A mesure que la cérémonie avançait, le duc se rendait compte qu'un froid terrible se mettait à l'affecter sur le plan astral, et il comprit qu'une des grandes entités maléfiques du Cercle Extérieur approchait. Très faiblement tout d'abord, puis de plus en plus fort, il entendit le son d'une flûte, puis, brusquement, le dieu cornu apparut près de lui.

De Richleau ferma ses yeux astraux. Il n'osait poser son regard sur ce visage, car, dit-on, le spectacle de sa magnifique beauté, rend les hommes fous et empoisonne leur esprit.

Il sentit qu'une étreinte glacée saisissait sa main et un doux murmure parvint à son oreille. C'est en vain qu'il essaya de fermer son esprit pour s'en défendre. En dépit de tous ses efforts, il se sentit attiré et entraîné rapidement vers une autre sphère.

Puis le froid décrut, la température redevint d'une tiédeur agréable et, pour une raison qu'il ne put s'expliquer, tout sentiment de crainte l'abandonna soudain. Ouvrant les yeux, il vit qu'il se trouvait dans une clairière, au milieu d'une région boisée, et qu'assis près de lui sur une touffe d'herbe il y avait un beau jeune homme aux yeux bienveillants et pleins d'humour.

Le jeune homme sourit et dit :

— Vous avez eu terriblement peur, n'est-ce pas ? Mais je n'en suis pas surpris. Les gens ont sur moi des idées des plus extraordinaires qui sont totalement fausses. Ils croient que Pan est un être des plus terrifiants, mais vous pouvez voir par vous-même qu'il n'en est rien. Naturellement, je comprends, en un sens, la crainte que j'inspire : elle est entièrement due aux calomnies colportées sur mon compte par les prêtres du Dieu Chrétien. C'est un individu ennuyeux et cela me stupéfiera toujours qu'au cours des derniers siècles tant de gens aient choisi de le suivre, lui, au lieu de me suivre, moi.

De Richleau s'assit, envoûté et quasi fasciné, tandis que le jeune homme poursuivait :

« C'est une chance extraordinaire pour vous que ce mulâtre ait décidé de m'invoquer. C'est un adversaire non négligeable, notez bien, mais il a commis une erreur fatale en pensant que ses pouvoirs s'étendaient au-delà de l'aide qu'il peut attendre de ses propres dieux vaudou. Naturellement, en tant que divinité européenne, je suis de votre côté, pas du sien. Vous n'avez donc plus de souci à vous faire : tout va s'arranger. »

En dépit de ses craintes et de ses premiers soupçons, Richleau ne pouvait s'empêcher d'éprouver un sentiment chaleureux envers ce jeune homme franc et sympathique. En effet, à bien y réfléchir, il était parfaitement clair que le docteur Saturday avait commis une rare maladresse. Le duc, bien que chrétien de nom, et mis à part son inébranlable croyance en l'Ancienne Sagesse selon laquelle chacun porte Dieu en lui-même, était païen de cœur. Pan était par conséquent la dernière entité qu'un sorcier vaudou aurait dû invoquer pour l'aider à soumettre un Européen cultivé qui admirait et respectait la civilisation de la Grèce Antique.

« Je suis bien heureux que vous commenciez enfin à voir les choses sous leur vrai jour, fit remarquer Pan, lisant manifestement dans les pensées du duc. Vous avez traversé des moments extraordinairement épuisants avec ce sorcier, mais l'imbécile s'est maintenant pris à son propre piège. Vous en savez assez sur la sorcellerie pour qu'il soit à peine nécessaire que je vous rappelle la loi immuable : si quelqu'un ordonne à une entité d'exécuter ses ordres et ne parvient pas à la contrôler, cette entité est tenue de se retourner contre la personne qui l'a évoquée. Je n'ai pas la moindre intention de faire ce que le mulâtre exige, c'est-à-dire de vous contraindre à regagner votre corps. Pourtant la chose me serait facile, si je le désirais. Mais non ! Je vais apparaître au docteur Saturday sous l'un de mes plus sinistres aspects et lui régler son compte pour de bon. Vous n'aurez ensuite plus rien à craindre, et quand vous vous réveillerez dans votre corps, vous découvrirez que le docteur est mort. »

— Et mes amis ? demanda lentement le duc.

— Oh, inutile de vous tourmenter pour eux, répondit le jeune dieu antique. A la mort du docteur, leur esprit retrouvera automatiquement sa liberté.

De Richleau soupira.

— Si vous avez réellement l'intention de faire cela, j'aurai une immense dette envers vous.

— Considérez qu'elle est déjà payée, dit Pan en souriant. Après tout, je suis, moi aussi, votre obligé car vous avez été, de cœur, un de mes fidèles au cours de nombre de vos incarnations passées. Et puis un autre élément est en jeu. Je connais les raisons de votre visite en Haïti et, encore que j'aie bien d'autres apparences beaucoup plus anciennes, sur Terre, c'est en tant que dieu grec que je suis surtout connu, aussi, voyez-vous, nous sommes alliés, et je suis tout autant que vous pour qu'on remette à leur place ces fauteurs de troubles de dictateurs sans humour.

— Certes, dit le duc en souriant, je ne pensais guère, au début de la nuit, trouver pour allié un dieu grec, mais naturellement je comprends ce que vous devez ressentir. Vous avez toujours été le patron du rire, de la danse et de l'amour : l'antithèse même de la guerre et de cette sinistre enrégimentation des jeunes comme des vieux dont les chefs totalitaires sont le parfait symbole.

Finalement le duc parvint à se détendre et à goûter pleinement la beauté du paysage attique. Avec béatitude, il laissa ses yeux errer sur les chênes rabougris, les talus moussus et les clairières parsemées de crocus et de scilles. C'était un des principes fondamentaux de sa foi qu'à la fin les Puissances de Lumière prennent toujours au piège les Puissances des Ténèbres, faisant en sorte qu'elles provoquent leur propre ruine par leurs mauvaises actions, et c'est ce qui était arrivé à son ennemi.

L'épreuve après tout, avait été moins horrible qu'il ne s'y était attendu, et on lui avait envoyé de l'aide beaucoup plus tôt qu'il n'aurait pu l'espérer. Dans ce qui aurait dû être son heure la plus sombre, il avait été appelé à affronter le grand dieu Pan, mais Pan s'était révélé un ami. Le sort du docteur Saturday était maintenant réglé et les Puissances de Lumière avaient remporté une magnifique victoire.

— Partons, en ce cas, dit Pan, retournons en Haïti et finissons-en avec votre ennemi sans scrupule.

En une fraction de seconde, tous deux revinrent donc dans le sanctuaire du hounfort.

Le sorcier marmonnait toujours au-dessus de son chaudron et il n'entendit ni Pan ni le duc arriver près du cadavre.

— Retournez dans votre corps, ordonna Pan, après quoi je donnerai une leçon décisive à cet impudent métis pour avoir osé invoquer une divinité européenne. Quand je lui apparaîtrai, il mourra d'une crise cardiaque, ce qui est une mort désagréable et douloureuse.

— Ne vaudrait-il pas mieux commencer par la crise cardiaque ? suggéra le duc.

— Oh, non, dit Pan. Cela ne marcherait pas. Je vous apparaîtrais alors comme je vais lui apparaître, et vous aussi seriez foudroyé par une incontrôlable terreur. Cela affecterait votre corps astral et l'estropierait pour les siècles à venir, tandis que si vous êtes de retour dans votre corps physique et gardez les yeux fermés, vous ne pourrez me voir, aussi tout ira-t-il bien pour vous.

De Richleau reconnut l'incontestable bon sens de ces paroles, aussi n'hésita-t-il pas davantage. Remerciant Pan, il se glissa dans son corps, mais demeura complètement immobile, ne manifestant aucun signe de vie.

Dès qu'il y fut, il sentit le sang solidifié dans ses veines commencer à se dégeler, provoquant des crampes horriblement douloureuses, alors, en dépit de tous ses efforts pour l'en empêcher, son pied droit blessé se contracta.

Dans la seconde qui suivit, il entendit un rire argentin et ironique. Il n'émanait pas du docteur, mais de Pan, et il était froid, cruel et moqueur. A sa grande horreur, il comprit qu'on s'était joué de lui. Il se rendit compte alors que, pas un instant, il n'aurait dû écouter les subtils raisonnements et les belles promesses de Pan. Le frisson de mort de son corps astral à l'approche du dieu aurait dû constituer un avertissement suffisant. Tel un éclair il se glissa de nouveau hors de son corps.

Pan était toujours là. La colère assombrit son beau visage.

— Pourquoi êtes-vous parti ? lança-t-il. Revenez tout de suite !

De Richleau eut un frisson mental et cria .

— Je refuse, je refuse !

En une fraction de seconde l'aspect de Pan changea. Il devint grand et terrible. Le duc s'efforça de protéger sa vue astrale mais n'y parvint pas. Frappé d'une peur folle, il appela à son aide les Puissances de Lumière.

Juste avant que de Richleau ne se soit glissé hors de son corps, le sorcier avait remarqué la légère contraction du pied. Son visage s'illuminant d'un air de triomphe méchant, il s'était jeté soudain en avant. C'est alors que l'orbite vide d'un des crânes qui brinquebalaient à sa ceinture accrocha une saillie du chaudron. Le pot de fer n'était pas disposé bien d'aplomb sur le feu. Basculant, il se renversa avec fracas, répandant son contenu sur le sol.

Le sataniste poussa un hurlement de rage. Avant que Pan n'ait, sous son nouvel aspect, produit son plein effet terrifiant, l'apparence qu'il affectait frémit soudain et disparut. Une fois la potion maléfique répandue le sortilège s'était rompu, et de Richleau comprit qu'on avait répondu à son appel.

Durant quelques instants, le docteur trépigna, blasphéma et jura. Au moment où la victoire etait enfin à sa portée, sa maladresse avait réduit à néant toute la cérémonie, car lui comme le duc savaient bien que nul ne pouvait invoquer Pan deux fois la même nuit.

Son corps astral transpirant encore de terreur, après l'avoir à l'instant échappé belle, de Richleau se demanda quelles nouvelles épreuves il aurait à subir, mais il semblait que le sataniste eût fait usage de tous les pouvoirs dont il était capable sur le plan physique.

Quand, après sa bordée de malédictions, il eut repris son souffle, il s'adressa de nouveau au duc :

— C'est par pure chance que vous vous en êtes tiré cette fois. Mais n'allez pas croire que vous m'échapperez. J'ai mille moyens de vous soumettre dès que j'atteindrai le plan astral.

Après avoir épongé le brouet de sorcière renversé, il projeta sur le feu un liquide qui provoqua son extinction immédiate, puis s'assit sur un trône de sorcier qui occupait une extrémité du sanctuaire. Le dossier du trône était constitué de deux grosses défenses d'éléphant, la pointe en l'air et la courbure à l'intérieur, qui avaient sans doute été rapportées d'Afrique. Quant au reste du meuble, il était construit avec des morceaux d'animaux, de reptiles et même d'êtres humains, principalement les os, les dents et la peau. Deux crânes humains, à l'extrémité antérieure des bras, servaient à poser les mains. Bien que ne portant plus son masque ni sa coiffure, le docteur, assis sur un tel siège, le regard fixé droit devant lui, avait l'air redoutable.

Tout d'abord, le duc raidit sa volonté, croyant que son ennemi était sur le point de se placer en état de transe pour lancer immédiatement un attaque astrale. Mais, rien ne se produisant, il en conclut qu'il n'aurait pas à faire appel si tôt à ses pouvoirs de résistance. Il n'était pas suffisamment initié pour pénétrer les pensées du sataniste, mais il pouvait jusqu'à un certain point percevoir sa condition mentale et il se rendit compte d'une chose qui ranima son courage comme rien d'autre ne l'avait fait jusqu'ici : le magicien noir était soucieux.

Se pouvait-il, se demanda le duc, que sachant que tous ses sortilèges avaient jusqu'ici échoué et qu'il allait désormais devoir livrer bataille sur le plan astral, le sataniste ait peur ? De Richleau osait à peine l'espérer. Pourtant, quelle autre raison pouvait-il y avoir pour que son adversaire renâclât à régler immédiatement la question ?

Les minutes s'écoulèrent et le mulâtre ne donnait aucun signe qu'il allait tenter de se mettre en état de transe. Au contraire, il se leva bientôt et se mit à arpenter la pièce avec inquiétude.

Pendant plus d'une demi-heure il alla et vint comme un animal en cage. Finalement, il se rassit, mais seulement pour quelques minutes. Après quoi, étant manifestement parvenu à une décision, il mit son masque et sa coiffure, sortit et demeura à contempler la danse effrénée de ses adeptes qui continuait toujours.

Encore plus rasséréné, quoique se méfiant de quelque piège, de Richleau méditait sur le comportement du docteur et cherchait à comprendre la raison pour laquelle il avait apparemment abandonné la lutte, du moins temporairement. Et il vint soudain à l'esprit du duc une théorie qui pouvait expliquer la conduite de son ennemi, mais celle-ci l'emplit d'une nouvelle inquiétude.

En son état actuel, il n'était pas réellement mort. Le fait qu'il ait pu entrer dans son corps et le réanimer, même pour quelques secondes, le prouvait de façon concluante. Par conséquent, tôt ou tard, la loi de la nature le contraindrait à y retourner, qu'il le veuille ou non, sans que la volonté du désir du magicien noir y soit même pour quoi que ce soit.

La situation dans laquelle il se trouvait ressemblait à celle qu'il avait connue la dernière nuit où il était sorti pour inspecter le convoi de l'Atlantique. Sachant alors qu'il ne pourrait rester endormi qu'un certain temps, il s'était arrangé pour que Simon et Marie-Lou le relèvent. Mais maintenant il ne saurait être question de relève. Quand il aurait atteint les limites extrêmes de sa capacité de sommeil, il devrait revenir, et non pas, cette fois, dans un corps en bonne santé couché dans la sécurité d'un pentacle à Cardinals Folly, mais dans le cadavre en catalepsie qui gisait au-dessous de lui, dans le sanctuaire du temple vaudou.

Tel était, sans doute, le plan du sataniste. Il ne craignait probablement pas un conflit sur le plan astral, il préférait simplement l'éviter. Tout ce qu'il avait à faire était de rester éveillé plus longtemps que le duc ne pourrait demeurer en état de transe, et le duc *devrait* alors répondre à l'appel qui le ferait transformer en zombie.

Avec rapidité et anxiété, le duc se mit à calculer les temps. Cela le soulagea beaucoup de pouvoir se rappeler tout de suite que, depuis le moment où il avait quitté son lit à Miami, il n'avait pas dormi plus que ces six petites heures durant lesquelles Simon avait occupé l'ennemi. Il était resté éveillé durant une période de trente-neuf heures avant l'arrivée de Simon et, à nouveau, de trois heures et demie le matin suivant jusqu'aux environs de deux heures cet après-midi, soit encore dix heures et demie. Il était maintenant à peine plus de deux heures du matin, aussi se trouvait-il dans un état assimilable au sommeil depuis environ douze heures mais, en tout, il n'avait eu que quelque dix-huit heures de sommeil sur un total de soixante-sept heures.

S'il avait été appelé à affronter une nouvelle longue veille, sa situation n'aurait pas été très bonne, mais maintenant, au contraire, sa sécurité ne dépendait que du temps pendant lequel il pourrait rester sur le plan astral.

Il se mit alors à spéculer sur la situation de l'ennemi. Si le docteur n'avait pas dormi depuis la nuit avant l'incendie, il était déjà resté éveillé sans interruption pendant quarante-trois heures. Le duc doutait beaucoup que le sataniste eût pu prendre le moindre sommeil la nuit précédente, mais il était possible qu'il soit parvenu à faire une courte sieste dans l'après-midi. Mais un tel répit n'avait pas pu durer plus de trois heures. Il apparaissait donc que la position du docteur était considérablement plus grave que la sienne : quels que soient ses pouvoirs, la Nature pourrait le contraindre à dormir avant qu'elle n'ait forcé le duc à revenir dans son corps.

Rassuré à l'idée que leurs chances étaient au moins égales, de Richleau décida d'attendre, tout en continuant à observer de près les mouvements de l'ennemi.

La nuit était calme, tiède et sans un souffle d'air. Tel un fond sonore assourdi aux tambours vaudou, parvenait le battement du ressac contre la grève de corail, au bas de la proche falaise. Dans la vaste enceinte, des formes noires, brunes et café-au-lait se mêlaient dans une danse féroce, le corps agité d'un trémoussement obscène, s'appariant parfois pour donner libre cours à une licence effrénée.

Le sataniste demeura dehors pendant plus de deux heures, tantôt silencieux, tantôt poussant ses adeptes à de nouveaux excès. Mais à trois heures et demie, la plupart des adorateurs du diable avaient rassasié leur lubricité, et beaucoup, après s'être inclinés devant leur chef, s'en allaient pour prendre quelques heures de sommeil avant d'avoir à faire face aux tâches de la journée. A quatre heures les tout derniers étaient partis et le grand prêtre du Mal resta seul, debout, dans la clairière déserte.

Pendant quelques instants il fit les cent pas, plongé dans ses pensées ; puis il rentra pour observer de nouveau le corps du duc. Ayant ôté son masque, il battit des paupières une fois ou deux et passa sa main devant elles en un geste de lassitude. En voyant ces signes de fatigue, de Richleau se sentit de plus en plus convaincu qu'au jeu qu'ils étaient en train de jouer maintenant il pouvait tenir plus longtemps que son ennemi, mais cette exaltation nouvelle fut de courte durée. Avec une soudaine résolution le sataniste marcha vers son trône, s'y assit et s'adressa de nouveau à lui.

— Vous avez défié mes sortilèges et, par hasard, échappé à la contrainte de Pan. Si j'avais dormi la nuit dernière, j'attendrais que la Nature vous force à revenir pour obéir à mon appel, mais pourquoi me fatiguerais-je davantage ici, alors qu'en passant sur un autre plan je serai instantanément aussi dispos qu'un dormeur qui s'éveille ? Sans avoir la moindre idée de ce que vous seriez appelé à affronter, vous avez cherché le combat. Très bien, vous l'aurez. Je vais venir vous prendre.

Rejetant la tête en arrière, il fit rouler ses globes oculaires jusqu'à ce que, seul, le blanc en soit visible, puis il ferma les yeux. Il demeura ainsi pendant à peine une minute. Puis une volute de fumée noire jaillit de sa bouche.

De Richleau savait que, pour que son ennemi soit capable de quitter son corps de pareille façon, sans que son corps astral apparaisse sous sa forme humaine, il fallait qu'il soit extrêmement puissant. Mais il y avait pire : la volute de fumée s'était dissipée en une seconde, de sorte que le duc, à sa grande consternation, resta là, sans la moindre trace de son adversaire et sans aucun moyen de deviner quelle forme prendrait l'attaque astrale.

Pendant ce qui lui parut un long moment, de Richleau attendit, tous ses nerfs tendus pour résister à un soudain assaut dévastateur. Mais rien ne se passa et, bien qu'il ne relâchât pas sa vigilance, sa tension diminua progressivement. Alors, rassemblant tout son courage, il sortit dans l'enceinte et lança d'une voix forte :

— Je suis ici, Saturday, prêt à livrer bataille. Pourquoi m'évitez-vous ? Serait-ce que vous avez peur ?

Il n'y eut pas de réponse à ce défi et de nouveau l'anxiété jeta le trouble dans l'esprit du duc. Par son rapide transfert du plan physique au plan astral, son ennemi lui avait faussé compagnie. Un moment viendrait où le sataniste serait contraint de regagner son corps, mais cela pourrait demander des heures et de Richleau aurait été forcer de regagner le sien bien avant. Et, cette fois, il serait anéanti. Sa seule chance était de trouver le sataniste et de le vaincre avant. Mais, chercher, sur le plan astral, un individu qui ne veut pas vous rencontrer, c'est comme chercher un grain de sable précis sur toutes les plages de tous les océans du monde.

Maintenant, à l'intérieur de l'enceinte, bougeaient d'autres corps astraux : ceux de certains habitants du hounfort et d'autres indigènes qui dormaient dans le voisinage. La plupart étaient « noirs » et s'éloignèrent à la vue du duc, le sachant leur ennemi et beaucoup plus puissant qu'eux. Mais certains étaient simplement des créatures presque aveugles, à un stade d'initiation très bas. Bientôt apparut, au milieu de ces ombres obscures et vagues, une forme claire et distincte, et le duc reconnut le corps astral du vieil ami avec qui il avait bavardé en Chine, quand il était sorti pour suivre l'amiral.

— Que faites-vous ici ? s'exclama-t-il avec un vif intérêt, grandement réconforté par l'arrivée inattendue de son puissant ami.

— Je suis venu voir comment vous allez, répondit l'autre. Vous avez l'air un peu fatigué, aussi j'imagine que vous avez dû en voir de dures.

De Richleau soupira et, reprenant courage, il relata rapidement ce qui s'était passé, puis il décrivit la situation critique dans laquelle il se trouvait.

Son ami lui exprima immédiatement sa compassion et lui promit son aide.

— Je vais vous dire, cependant, ce que nous devons faire, dit-il. Il n'y a pas grande différence entre nous en matière de force spirituelle, puisque nous sommes tous deux presque au même stade du grand voyage. L'un ou l'autre d'entre nous pourrait donc, j'en suis certain, tenir l'adversaire en échec pendant quelques instants, et tous deux réunis nous pourrions en venir à bout. Il est peut-être capable de rester caché loin de son corps pendant vingt heures, ou même plus, aussi la meilleure façon de nous organiser serait que je veille pendant que vous vous reposez. Tôt ou tard ce sorcier du diable devra se montrer, alors je vous appellerai immédiatement et, en unissant nos forces, nous le vaincrons.

Ce plan parut excellent à de Richleau et, comme son ami lui demandait depuis combien de temps il dormait, il répondit :

— Il était environ deux heures, hier après-midi, quand je me suis placé en état de transe, aussi cela fait-il plus de quatorze heures.

— C'est un joli temps, médita son ami, aussi je pense que vous feriez bien de prendre un peu de repos maintenant et de me laisser tenir la place jusqu'à ce que j'aie à faire appel à votre aide, au cas où l'ennemi ferait soudain son apparition.

Il y avait maintenant plus de deux heures que Pan avait trompé le duc pour lui faire regagner son corps, mais le fait d'en avoir réchappé de si peu restait présent à son esprit. Il n'y avait rien d'anormal à ce que son ami soit venu à sa recherche, car les esprits qui sont liés par les attaches de l'amour n'ont guère de difficulté à savoir où se trouvent ceux qu'ils aiment. Pourtant, la seule suggestion de regagner à nouveau son corps le mit immédiatement sur ses gardes. En y réfléchissant, il parvint à la ferme conviction qu'il n'*était pas destiné* à recevoir de l'aide, pas plus des dieux que des hommes. C'était *son* combat — et il devait le livrer seul.

Comme il se tournait pour remercier son ami, tout en lui disant qu'il avait décidé de mener l'affaire seul jusqu'au bout, il se rendit soudain compte que l'autre portait un chapeau ecclésiastique dont le bord projetait une ombre sur ses yeux.

Mû par une impulsion qui lui parut venir d'ailleurs, il saisit le bord du chapeau et l'arracha. Alors il comprit que ce qu'il avait soupçonné, à cette toute dernière seconde où son bras était parti, était vrai. Un puissant corps astral peut prendre la forme de n'importe quel humain, poussant la ressemblance jusqu'au moindre cheveu et à la moindre ride. Il peut aussi imiter une voix à une fraction de ton près, mais il ne peut modifier ses yeux. Les yeux du corps astral qu'il avait devant lui n'étaient pas ceux de son ami, c'étaient ceux du docteur Saturday.

Aussitôt le docteur changea d'apparence et devint le grand nègre sous la forme duquel le duc l'avait vu pour la première fois, la nuit où Marie-Lou et lui l'avaient pourchassé au-dessus de l'Atlantique jusqu'en Haïti.

Le nègre ne fit aucun geste pour se défendre ni attaquer. Il se borna à sourire et à parler par le truchement de son esprit :

— Félicitations, mon ami. Vous avez franchi toutes les épreuves. Je suis fier de l'honneur qui m'a échu d'avoir été choisi pour être votre adversaire.

De Richleau dit durement :

— Vous admettez votre défaite ? Vous êtes prêt à vous rendre à moi ?

L'autre se borna à rire, disant :

— Il n'y a aucune raison pour cela, car je n'ai rien fait de plus que jouer mon rôle dans une ordalie qui a été ordonnée en vue d'éprouver votre courage. Vous vous en êtes tiré superbement et, quand vous retournerez sur Terre, vous vous éveillerez avec tous vos amis, sains et saufs, sur la vedette, pour vous apercevoir que vos plus récentes mésaventures n'ont été rien de plus qu'un rêve. La cérémonie des funérailles à laquelle vous avez assisté, les rites des goules et les événements survenus dans le hounfort après que vous eûtes quitté votre corps n'ont, en fait, pas eu lieu du tout. Ce n'était que des scènes créées dans votre esprit par les Grands qui ont le pouvoir, comme vous le savez, de nous faire croire, à nous les Petits, en la réalité de tout ce qu'il leur plaît de nous présenter.

De Richleau secoua lentement la tête.

— Je n'en crois rien. Si on avait monté à mon intention une telle épreuve, comme vous le suggérez, et que je l'aie franchie avec succès, les Grands n'auraient pas envoyé, pour m'informer de ma victoire, celui qu'ils m'avaient choisi pour adversaire dans l'épreuve.

Le nègre haussa ses larges épaules.

— Je ne fais qu'obéir aux ordres et, personnellement, je ne suis pas surpris que vous soyez quelque peu sceptique, mais la circonspection même peut être excessive. Il se peut que ce soit encore une autre épreuve. Naturellement, si vous refusez de me croire, c'est votre choix. Mais j'en serais extrêmement désolé pour vous, car la persistance d'une telle obstination contre une acceptation franche de la loi connue vous mettra gravement en danger.

— Pourquoi ? demanda le duc d'une voix dure.

— Parce que, mon jeune ami, bien que vous ne paraissiez pas vous en rendre compte, dans votre tentative désespérée pour éviter d'être, comme vous le pensiez, transformé en zombie, vous êtes en ce moment en train de vous suicider.

— Votre remarque exige une petite explication, dit le duc, mais en disant cela il avait déjà un vague et inquiétant pressentiment de ce que l'autre voulait dire.

— Considérez un instant votre situation, poursuivit tranquillement le nègre. Parce que vous craigniez de mourir, vous vous êtes placé, de votre propre volonté, en état de transe et avez quitté votre corps avant que le poison n'ait produit son effet. Il n'y aurait pas de mal à cela si vous aviez l'intention d'y retourner, mais apparemment vous vous y refusez et, si vous n'y retournez pas, votre corps devra, naturellement, se décomposer, jusqu'à n'être plus bon à servir d'enveloppe humaine. Vous aurez alors arbitrairement, et de votre propre fait, provoqué la fin de votre dernière incarnation. Pouvez-vous nier qu'une telle conduite serait un suicide ?

— Non, admit le duc, et il vit tout de suite qu'il se trouvait maintenant entre l'enclume et le marteau. Si, pour de bonnes raisons qui leur étaient propres, les Grands lui avaient effectivement fait subir une très sévère épreuve, il avait manifestement été dans leurs intentions qu'il devienne un zombie, et paye sous cette forme quelque dette passée. Mais il avait fui cette épreuve et, pour cela, il s'était virtuellement suicidé : le pire péché contre l'esprit dont tout individu puisse se rendre coupable.

Si, ayant été averti, il ne retournait pas maintenant dans son corps, il devrait subir, pendant des centaines d'années, le châtiment de revivre sans fin les horribles heures qu'il avait connues depuis qu'il avait quitté la vedette. D'innombrables fois, il éprouverait à nouveau le sentiment d'impuissance et de détresse qui l'avait étreint lorsqu'il avait vu enterrer ses amis, ainsi que la même peur et la même horreur qu'il avait renssenties tandis qu'il veillait près de son cadavre, dans le sanctuaire derrière l'autel. Pourtant, retourner maintenant dans son corps, quoi que pût affirmer le corps astral qui lui parlait — qu'il fût bon ou mauvais — lui semblait un acte de reddition.

Au prix d'un effort colossal, il prit sa décision et parla fermement :

— Cette épreuve dépasse mon jugement, mais elle ne dépasse pas ma volonté. Même si je dois subir les châtiments qui punissent le suicide pendant d'innombrables années futures, je refuse toujours de regagner mon corps.

Les paupières du nègre battirent et tombèrent. Instantanément, le duc comprit que sa décision avait été la bonne. Se lançant en avant, il se rua sur son adversaire à la seconde même où l'entité maléfique se retournait pour prendre la fuite. Il sentit brusquement un énorme flot de forces neuves monter en lui et, avec un cri de triomphe, il fonça à sa poursuite.

L'adversaire monta jusqu'au troisième plan, le duc derrière lui. Leur progression se ralentit, mais ils arrivèrent en titubant au quatrième, puis parvinrent au cinquième. C'était le plus haut que de Richleau eût jamais atteint en tant que mortel et tous deux devaient fournir un terrible effort pour s'y maintenir. Le duc se sentait écrasé, le souffle coupé, désorienté, aveuglé, mais son ennemi était dans un état pire encore : dans un sursaut de peur, il se laissa tomber comme un plomb directement sur Terre.

Le duc le poursuivit alors avec une indomptable énergie, comme si le fait d'avoir récemment approché les grandes Béatitudes l'avait empli de l'essence même de la Lumière. Ils revinrent dans l'enceinte du hounfort et le sataniste se tapit sur le sol, geignant comme un animal battu, tandis que de Richleau planait au-dessus se lui, créature brillante et rayonnante, entourée d'une vaste aura palpitante de flammes irisées.

— Pitié ! hurla le prêtre du Mal. Pitié, pitié !

Mais le cœur de de Richleau était aussi dur que l'agate et il poussa le misérable scélérat la tête la première dans le sanctuaire.

— Dans ton corps ! ordonna le duc.

Un instant, le sataniste fit un dernier effort désespéré, se relevant, noir et redoutable, mais de Richleau le rejeta au sol par la puissance de sa volonté. Le corps astral gémit, envahi par la peur, et soudain se dissipa. Au même instant, les paupières du corps mortel du docteur Saturday battirent et ses yeux s'ouvrirent.

— Bien joué, dit une voix argentine que le duc reconnut, sans crainte désormais, pour celle de Pan. « Ce que j'ai fait auparavant, j'y ai été contraint par la force de ses enchantements mais, maintenant, je ferai avec plaisir ce que j'ai promis. Il vous suffit de commander. »

— Apparaissez-lui ! s'écria de Richleau d'une voix vibrante.

Alors, tandis que le duc protégeait ses yeux d'un rutilant bouclier de lumière qui se forma immédiatement par l'effet de sa volonté, Pan se matérialisa dans toute sa terrible gloire.

Avec un cri aigu qui perça la nuit, le sorcier sauta sur ses pieds et se précipita hors du temple vaudou, mais de Richleau, tel un Chien du Ciel, fila sur ses talons.

L'aube poignait au moment où le sataniste, pieds nus, traversa en courant la cour et déboucha sur la route. Les yeux lui sortaient de la tête et son corps transpirait de terreur. Tout en fuyant il hurlait de folles imprécations et mettait en pièces, avec des gestes de fou, le lourd harnachement de cérémonie dont il était encore paré.

En quelques secondes il avait arraché ses colliers qui semblaient l'étouffer et il s'écorchait maintenant le corps de ses ongles en cherchant à rompre la ceinture qui maintenait sa courte jupe.

Soudain, elle céda et, au moment où elle glissa sur ses genoux, il trébucha et tomba. Il s'en dégagea en se tortillant, se remit debout d'un bond et continua sa course, maintenant complètement nu. Vingt mètres plus loin, il fit un écart, enjamba un talus et se mit à dévaler l'autre versant qui était très abrupt et se terminait par une falaise dominant la mer d'un à-pic de trente mètres. Tel le cochon gadarénien, le sataniste dévala la pente jusqu'à ce qu'il trébuchât et tombât de nouveau, alors il se mit à rouler, rebondissant d'une touffe d'herbe grossière à l'autre jusqu'à ce que, fou furieux, il passât par-dessus la falaise et chût, bras et jambes tournoyant, pour se fracasser en bas sur les rochers.

De Richleau plana sur les lieux jusqu'à ce que l'esprit sortît du corps disloqué. Celui-ci était maintenant calme et soumis, dépourvu de toute combativité. Puisqu'il avait déjà été vaincu sur le plan astral, il n'était donc pas nécessaire de tirer avantage du noir momentané qui succède à la mort pour s'en saisir et l'enchaîner. Avec humilité, il ouvrit tous grands les bras et baissa la tête en signe de reddition. A l'appel du duc, deux Gardiens de la Lumière apparurent et, tandis qu'ils emmenaient le prisonnier, une triomphale fanfare de trompettes emplit l'air.

Quand de Richleau regagna son propre corps, il le trouva en triste état. Il souffrait toujours de l'effet du poison qui s'y était répandu avec l'eau qu'ils avaient bue plusieurs heures auparavant, mais il le força à lui obéir et rampa hors du sanctuaire en direction de la hutte sordide où on avait jeté ses amis.

Eux aussi étaient d'une lourdeur de plomb, la drogue les ayant mis dans un état de catalepsie, mais, en vertu de la loi des Éternels, du fait de la reddition du sataniste, l'esprit de ses prisonniers avait recouvré sa liberté. Ils venaient juste de reprendre conscience. Ils se reconnaissaient de nouveau et quand de Richleau apparut, ils comprirent qu'il était victorieux.

Au bout d'une demi-heure, ils furent suffisamment remis pour quitter la hutte. A l'intérieur de l'enceinte, quelques indigènes allaient se mettre à leurs tâches matinales mais, quand ils virent le petit groupe se mettre en route, la vue et la voix intactes, ils s'enfuirent, pris de terreur.

C'est mal en point, fatigués et traînant la jambe qu'ils clopinèrent le long de la route, jusqu'à ce qu'ils tombent sur un nègre se rendant au marché dans sa carriole, qui accepta de les faire monter avec lui et de les mener jusqu'au consulat britannique à Port-au-Prince. Là, pensait de Richleau, ils seraient à l'abri de toutes les manifestations importunes que pourrait provoquer leur réapparition en ville et, si nécessaire, on pourrait envoyer un câble à sir Pellinore, lequel userait de tout le pouvoir et le prestige de la Grande-Bretagne pour leur assurer un sauf-conduit entre Haïti et les Etats-Unis.

Ce fut Simon qui fit remarquer, tandis que la carriole avançait cahin-caha dans la lumière du petit matin :

— Je me demande si les nazis seront capables de trouver un autre magicien noir suffisamment puissant pour continuer le travail du docteur Saturday ?

— J'en doute, répondit le duc, autrement ils n'auraient jamais été chercher, pour le placer en première ligne, un occultiste habitant aussi loin qu'en Haïti.

— Alors pouvons-nous raisonnablement penser que nous avons balayé la menace nazie sur le plan astral ? murmura Marie-Lou.

De Richleau sourit, mais secoua tristement la tête.

— Non, non, princesse. Elle ne cessera jamais tant que le totalitarisme, sous toutes ses formes, ne sera pas extirpé jusqu'à sa racine. Qu'Hitler et Mussolini eux-mêmes soient ou non de grands maîtres de la magie noire, nul ne peut contester que c'est par le truchement de tels hommes, ambitieux et sans scrupules, allemands, italiens *et* japonais, que les Puissances des Ténèbres agissent et ont acquis, au cours de ces dernières années, un si terrifiant surcroît de force sur notre terre.

« L'ordre nouveau qu'ils souhaitent instaurer dans le monde n'est qu'une autre dénomination de l'Enfer. Si, à travers eux, le Mal l'emportait, tous les hommes et toutes les femmes de toutes les races et de toutes les couleurs seraient finalement réduits en esclavage, du berceau à la tombe. Ils seraient élevés pour adorer la force à la place du droit, et on leur apprendrait à trouver des excuses — voire même à en faire l'éloge — au meurtre, à la torture et à la suppression de toute liberté, comme "nécessaires" au bien-être de "l'État". »

« Une preuve incontestable nous en a déjà été fournie par la façon dont les jeunes Allemands, endoctrinés par les nazis, se sont conduits dans des pays comme la Pologne, la Tchécoslovaquie, la Norvège, la Hollande, la Belgique ou la France. Ils ont massacré des vieillards, des femmes et des enfants, qui ne cherchaient même pas à s'opposer à eux. Cela faisait partie du Plan, et ils ont obéi à l'ordre de commettre ces meurtres de sang-froid sans qu'on ait noté un seul exemple de la moindre protestation de la part des officiers ou des soldats. Sept années du poison totalitaire ont suffi pour que le Mal s'empare de cinq millions de jeunes Allemands et rende leur cœur froid et dur comme la pierre. S'ils triomphent, en moins de soixante-dix ans, des mots tels que justice, tolérance, liberté et compassion auront cessé d'avoir leur place dans le vocabulaire des peuples de l'humanité. »

« Dans l'ordre nouveau de leur monde, toute vie familiale sera bannie, sauf pour les conquérants eux-mêmes, et seuls les pires éléments sur le plan spirituel seront autorisés à procréer pour peupler un monde divisé en maîtres et esclaves. Le droit d'avoir une maison et des enfants à soi serait réservé aux suzerains, les autres seraient entassés dans des baraquements et réduits à l'état de robots privés du droit de lire, de parler et surtout de penser par eux-mêmes. Il ne pourrait y avoir de révolte parce que tous les officiers, prêtres, députés, éditeurs, magistrats, écrivains et autres représentants de la liberté de pensée et d'action auraient déjà été passés par les armes et qu'un troupeau sans chef ne peut l'emporter contre les tanks, les gaz lacrymogènes, les bombes et les mitrailleuses. »

« Or, à moins d'être libres, comment les hommes pourraient-ils progresser dans le grand voyage spirituel que chacun doit faire ? »

« Cette guerre n'a pas pour enjeu un territoire, un bénéfice ou la gloire, il s'agit de cet Armageddon prophétisé depuis longtemps. C'est pourquoi tous les Enfants de Lumière, où qu'ils puissent être, prisonniers ou libres, doivent se cramponner plus que jamais à leur intégrité spirituelle et ne reculer devant rien, dans ce combat. Sinon, le monde entier tomberait sous la domination de ces marionnettes qui sont animées par les Puissances des Ténèbres. »

Lorsqu'il se fut tu, tous sentirent que, quand bien même il faudrait des jours et des jours pour que leurs brûlures, leurs marques de coups et leurs blessures soient guéries, il était entré dans leur cœur un peu de chaleur. La Bataille était encore loin d'être gagnée, mais ils avaient mené à bien ce qu'ils avaient entrepris. Leur victoire n'était qu'un épisode — rien de plus — dans la lutte titanesque qui était en cours, mais la flamme qui animait leur esprit n'en brûlait que plus vivement, et ils repartaient pour continuer le combat pour cette Angleterre qu'ils aimaient.

On eût dit que le duc devinait leurs pensées, car il reprit :

« Aussi longtemps que la Grande-Bretagne sera debout, les Puis-

Table

Chez 

Collection « Fantastique/SF/Aventure »
205 titres parus
Collection « Le miroir obscur/policiers »
144 titres parus
Harry Dickson/L'intégrale/Reliée
complète en 21 volumes

Néo/Plus :

1) Graham Masterton : Le démon des morts
2) Wilkie Collins : La dame en blanc
3) H. Rider Haggard : La fille de Montezuma
4) Ambrose Bierce : La fille du Bourreau
5) Francis Marion Crawford : La sorcière de Prague
6) Erle Cox : La sphère d'or
7) Wilkie Collins : La pierre de lune
8) Ann Radcliffe : Les mystères d'Udolpho
9) David Seltzer : Prophétie
10) Guy Endore : Le loup-garou de Paris
11) Richard Marsh : Le Scarabée
12) Guy Boothby : Pharos l'Égyptien
13) Erchmann-Chatrian : Contes fantastiques complets
14) Graham Masterton : Le portrait du mal
15) Dennis Wheatley : Etrange conflit

et

EDGAR RICE BURROUGHS
L'intégrale de Tarzan en 24 volumes
(8 volumes parus)

SIR ARTHUR CONAN DOYLE
L'intégrale des œuvres de fiction, ésotériques, fantastiques et d'aventures
(12 volumes parus)

Série
« Fantastique/Science-fiction/Aventure »

sous la direction de Hélène Oswald

Des œuvres insolites et rares appartenant à chacun des genres ou même aux trois à la fois : des livres toujours plus passionnants.

1. **Abraham Merritt :** ***Sept pas vers Satan.***
2. **Robert E. Howard :** ***Le pacte noir*** (inédit).
3. **W.-H. Hodgson :** ***La chose dans les algues*** (partiellement inédit).
4. **B.R. Bruss : Les espaces enchevêtrés** (inédit).
5. **W.-H. Hodgson :** ***Les canots du « Glen Carrig ».***
6. **Abraham Merritt :** ***La femme-renard*** (inédit).
7. **C.S. Lewis :** ***Cette hideuse puissance.***
8. **Olaf Stapledon :** ***Créateurs d'étoiles.***
9. **Fred Hoyle :** ***Le nuage noir.***
10. **Robert E. Howard :** ***Kull le roi barbare*** (inédit).
11. **Colin Wilson :** ***Les parasites de l'esprit.***
12. **Bernard Blanc :** ***Que sont les fantômes devenus ?*** (inédit).
13. **Fitz James O'Brien :** ***Qu'était-ce ?***
14. **Albert et Jean Crémieux :** ***Chute libre.***
15. **Jean-Pierre Fontana :** ***La femme truquée*** (inédit).
16. **Michel Jeury :** ***La machine du pouvoir.***
17. **Gérard Klein :** ***Le gambit des étoiles.***
18. **Raymond F. Jones :** ***Les Imaginox.***
19. **Talbot Mundy :** ***L'œuf de jade.***
20. **Daniel Walther :** ***Les quatre saisons de la nuit.*** (inédit).
21. **John Amila :** ***Le 9 de Pique.***
22. **Robert Bloch :** ***Retour à Arkham*** (inédit).
23. **Jack Williamson :** ***La nef d'Antim.***
24. **Sir Arthur Conan Doyle :** ***La ville du gouffre.***
25. **Théodore Sturgeon :** ***La sorcière du marais.***
26. **Robert E. Howard :** ***Solomon Kane*** (inédit).
27. **John Buchan :** ***Le collier du prêtre Jean.***
28. **Donald Wandrei :** ***Cimetière de l'effroi.***
29. **Abraham Merritt :** ***Rampe, ombre, rampe !*** **(inédit).**
30. **B.R. Bruss :** ***Nous avons tous peur.***
31. **H. Rider Haggard :** ***La fille de la sagesse.***
32. **C.S. Lewis :** ***Le silence de la Terre.***
33. **C.S. Lewis :** ***Voyage à Vénus.***
34. **Norman Spinrad :** ***Les Solariens.***
35. **Sheridan Le Fanu :** ***Le mystérieux locataire*** (inédit).
36. **Charles-Gustave Burg :** ***Le pantacle de l'ange déchu.***

37. **Daniel Walther :** ***L'hôpital et autres fables cliniques*** (inédit).
38. **Robert E. Howard :** ***Le retour de Kane*** (inédit).
39. **J.H. Rosny aîné :** ***L'étonnant voyage de Hareton Ironcastle.***
40. **Robert E. Howard :** ***L'homme noir.***
41. **Jean-Pierre Fontana :** ***La geste du Halaguen.***
42. **Robert F. Young :** ***Le Pays d'Esprit.***
43. **Claude Seignolle :** ***Histoires maléfiques.***
44. **William H. Hodgson :** ***Carnacki et les fantômes.***
45. **Colin Wilson :** ***La pierre philosophale*** (inédit).
46. **J.-H. Rosny aîné :** ***La force mystérieuse*** suivi de ***Les Xipéhuz.***
47. **H. Rider Haggard :** ***Aycha.***
48. **B.R. Bruss :** ***Le tambour d'angoisse.***
49. **Robert Bloch :** ***Parlez-moi d'horreur...***
50. **Bram Stoker :** ***Le joyau des sept étoiles.***
51. **W.-H. Hodgson :** ***Le Pays de la Nuit,*** tome 1.
52. **W.-H. Hodgson :** ***Le Pays de la Nuit,*** tome 2.
53. **H. Rider Haggard :** ***Le peuple du brouillard.***
54. **Sir Arthur Conan Doyle :** ***Le monde perdu.***
55. **Daniel Walther :** ***Requiem pour demain.***
56. **Edmund Cooper :** ***Le jour des fous.***
57. **H. Rider Haggard :** ***Aycha et Allan,*** tome 1 (inédit).
58. **H. Rider Haggard :** ***Aycha et Allan,*** tome 2 (inédit).
59. **Jack Williamson :** ***Les dents du Dragon.***
60. **Robert E. Howard :** ***Bran Mak Morn*** (inédit).
61. **J.-H. Rosny aîné :** ***L'énigme de Givreuse.***
62. **Montague Rhodes James :** ***Siffle et je viendrai...***
63. **Jean Ray :** ***Visages et choses crépusculaires.***
64. **Lyon Sprague De Camp :** ***Le règne du gorille.***
65. **Henry James :** ***Les fantômes de la jalousie.***
66. **Robert E. Howard :** ***Cormac Mac Art*** (inédit).
67. **H. Rider Haggard :** ***She,*** tome 1.
68. **H. Rider Haggard :** ***She,*** tome 2.
69. **W.-H Hodgson :** ***L'horreur tropicale*** (inédit).
70. **Sprague De Camp :** ***De peur que les ténèbres...***
71. **Donald Wandrei :** ***L'œil et le doigt.***
72. **Abraham Merritt :** ***Le monstre de métal.***
73. **Sir Arthur Conan Doyle :** ***La ceinture empoisonnée.***
74. **James Blish :** ***Pâques noires.***
75. **H. Rider Haggard :** ***La fleur sacrée,*** tome 1.
76. **H. Rider Haggard :** ***La fleur sacrée,*** tome 2.
77. **Robert Bloch :** ***La fourmilière,*** suivi de ***Matriarchie.***
78. **Robert E. Howard :** ***Agnès de Chastillon*** (inédit).
79. **Evangeline Walton :** ***La maison des sorcières.***
80. **Marc Agapit :** ***Ecole des monstres.***
81. **Andre Norton :** ***Le miroir de Merlin*** (inédit).
82. **H. Rider Haggard :** ***Les mines du roi Salomon.***
83. **B.R. Bruss :** ***Le grand Kirn.***
84. **Jules Verne :** ***L'étonnante aventure de la mission Barsac,*** tome 1.
85. **Jules Verne :** ***L'étonnante aventure de la mission Barsac,*** tome 2.
86. **Frank Belknap Long :** ***Le gnome rouge.***
87. **Robert E. Howard :** ***El Borak l'invincible*** (inédit).
88. **John Buchan :** ***Le vingt-sixième rêve ou l'aire de danse*** (inédit).

89. **Henry James :** ***Owen Wingrave.***
90. **Sir Arthur Conan Doyle :** ***Au pays des brumes.***
91. **Alfred Kubin :** ***L'autre côté.***
92. **H. Rider Haggard :** ***La vierge du soleil.***
93. **H. Rider Haggard :** ***Allan Quatermain,*** tome 1 (inédit).
94. **H. Rider Haggard :** ***Allan Quatermain,*** tome 2 (inédit).
95. **John Taine :** ***Le flot du temps.***
96. **Jean Ray :** ***La gerbe noire.***
97. **Robert Bloch :** ***Les yeux de la momie.***
98. **Raymond de Rienzi :** ***Les Formiciens.***
99. **Robert E. Howard :** ***El Borak le Redoutable*** (inédit).
100. **John Flanders :** ***Visions nocturnes*** (inédit).
101. **Dennis Wheatley :** ***La découverte de l'Atlantique.***
102. **Robert E. Howard :** ***El Borak le Magnifique*** (inédit).
103. **John Flanders :** ***Visions infernales.***
104. **Jean Ray :** ***Trois aventures inconnues de Harry Dickson*** (inédit).
105. **Abraham Merrit :** ***La femme du bois*** (partiellement inédit).
106. **Jean Ray :** ***La croisière des ombres.***
107. **H. Rider Haggard :** ***L'Esclave Reine.***
108. **Robert E. Howard :** ***El Borak l'Eternel*** (inédit).
109. **Robert Bloch :** ***Le train pour l'enfer.***
110. **Daniel Walther :** ***Nocturne sur fond d'épées, la saga de Synge et Brennan*** (inédit).
111. **Abraham Merritt :** ***Brûle, sorcière, brûle !***
112. **Jean-Pierre Andrevon :** ***Ce qui vient de la nuit*** (inédit).
113. **Jean Ray :** ***Trois aventures inconnues de Harry Dickson/2*** (inédit).
114. **Robert E. Howard :** ***Wild Bill Clanton*** (inédit).
115. **Robert Bloch :** ***Nounours est pyromane.***
116. **John Taine :** ***Germes de vie.***
117. **Robert E. Howard :** ***Kirby O'Donnell*** (inédit).
118. **Graham Masterton :** ***Le faiseur d'épouvantes.***
119. **Fred Hoyle :** ***Le premier octobre il sera trop tard.***
120. **Dennis Wheatley :** ***Les vierges de Satan,*** tome 1.
121. **Dennis Wheatley :** ***Les vierges de Satan,*** tome 2.
122. **John Flanders :** ***La malédiction de Machrood*** (inédit).
123. **Robert E. Howard :** ***Cormac Fitzgeoffrey*** (inédit).
124. **Sir Arthur Conan Doyle :** ***Du fond de l'abîme.***
125. **Daniel Walther :** ***Cœur moite et autres maladies modernes*** (inédit).
126. **H. Rider Haggard :** ***L'épouse d'Allan*** (inédit).
127. **Robert E. Howard :** ***Steve Harrison et le Maître des morts*** (inédit).
128. **Thomas Owen :** ***Les chemins étranges.***
129. **Graham Masterton :** ***La vengeance du Manitou*** (inédit).
130. **Jean Ray :** ***La cité de l'indicible peur.***
131. **Gérard Klein :** ***Histoires comme si...***
132. **Robert E. Howard : Steve Harrison et le Talon d'argent** (inédit).
133. **Lord Dunsany :** ***Encore un whiskey, Monsieur Jorkens ?*** (inédit).
134. **John Flanders :** ***La neuvaine d'épouvante*** (inédit en France).
135. **Jean Ray :** ***Le livre des fantômes.***
136. **Graham Masterton :** ***La maison de chair.***
137. **August Derleth :** ***L'amulette tibétaine.***
138. **Robert E. Howard :** ***Vulmea le pirate noir.*** (inédit).
139. **Maurice Renard :** ***Le papillon de la mort.***

140. Dennis Wheatley : ***Territoire interdit.***
141. Graham Masterton : ***Les puits de l'enfer*** (inédit).
142. Robert F. Young : ***Le Léviathan de l'espace.***
143. Jean Ray : ***Les contes du whisky.***
144. Robert E. Howard : ***Sonya la Rouge*** (inédit).
145/146. H. Rider Haggard : ***Eve la Rouge*** (inédit).
147. Robert Bloch : ***L'homme qui criait au loup.***
148. Robert E. Howard : ***Les Habitants des tombes*** (inédit)
149. Clark Ashton Smith : ***L'île inconnue*** (partiellement inédit).
150. Jean Ray : ***Le carrousel des maléfices.***
151. John Flanders : ***La brume verte*** (inédit).
152. H. Rider Haggard : ***La nuit des Pharaons*** (inédit).
153. Graham Masterton : ***Le Djinn.***
154. Robert E. Howard : ***Le tertre maudit*** (partiellement inédit).
155. Clark Ashton Smith : ***Ubbo-Sathla*** (partiellement inédit).
156. Jean Ray : ***Les derniers contes de Canterbury.***
157. Jacques Finné : ***Trois saigneurs de la nuit*** (partiellement inédit).
158. Robert E. Howard : ***Le chien de la mort*** (inédit).
159. Jean Ray : ***Les contes noirs du golf.***
160. John Flanders : ***Les feux follets de Satan*** (inédit)
161/162. H. Rider Haggard : ***Cœur du Monde*** (première édition complète).
163. Robert Marasco : ***Notre vénérée chérie.***
164. Robert E. Howard : ***La main de la déesse noire*** (inédit).
165. Clark Asthon Smith : ***L'empire des nécromants*** (partiellement inédit).
166. Richard Matheson : ***Une aiguille en plein cœur.***
167. W.H. Hodgson : ***Les pirates fantômes.***
168. Bram Stoker : ***Le repaire du ver blanc.***
169. Thomas Owen : ***La cave aux crapauds.***
170. Robert E. Howard : ***La route d'Azraël*** (inédit).
171. John Flanders : ***Les contes du Fulmar*** (inédit).
172/173. John Buchan : ***Salut aux coureurs d'aventures.***
174. Robert E. Howard : ***Almuric*** (inédit).
175. Clark Ashton Smith : ***La Gorgone*** (inédit).
176. Edmond Hamilton : ***Le dieu monstrueux de Mamurth.***
177. Thomas Owen : ***Cérémonial nocturne.***
178. Brian Lumley : ***L'avant-poste des Grands Anciens*** (inédit).
179. Robert E. Howard : ***Le seigneur de Samarcande*** (inédit).
180. Robert E. Howard : ***Steve Costigan*** (inédit).
181. Edgar Rice Burroughs : ***Le démon apache.***
182. John Flanders : ***L'île noire*** (inédit).
183. Robert E. Howard : ***Steve Costigan et le Signe du Serpent*** (inédit).
184. Jacques Finné : ***Trois saigneurs de la nuit/2*** (partiellement inédit).
185. August Derleth : ***Le fantôme du lac*** (inédit).
186. Marion Zimmer Bradlev : ***Marée montante.***
187. Robert E. Howard : ***Steve Costigan le champion*** (inédit).
188. Francis Marion Crawford : ***Car la vie est dans le sang*** (partiellement inédit).
189. Graham Masterton : ***Le jour J du jugement*** (inédit).
190. Clark Ashton Smith : ***Le dieu carnivore/1*** (partiellement inédit).
191. Clark Ashton Smith : ***Le dieu carnivore/2*** (partiellement inédit).
192. Robert E. Howard : ***Dennis Dorgan*** (inédit).
193. John Flanders : ***La nef des bourreaux*** (inédit).
194. E. Bulwer-Lytton : ***La race à venir.***

195. Brian Lumley : *Le seigneur des vers* (partiellement inédit).
196. Robert E. Howard : *Le manoir de la terreur* (inédit)
197. Ambrose Bierce : *Le mort et son veilleur.*
198. Sheridan Le Fanu : *Le hobereau maudit.*
199. Robert E. Howard : *L'île des épouvantes* (inédit).
200. Daniel Walther : *Le Rêve du Scorpion* **201. W.H. Hodgson :** *La maison au bord du monde.*
202. Charles L. Grant : *Les proies de l'ombre* (inédit).
203/204. Clarck Ashton Smith : *Les abominations de Yondo* (inédit).
205. Hugh B. Cave : La femme de marbre (inédit).

A paraître en mars 1988 :

206. Robert E. Howard : *La flamme de la vengeance* (inédit).
207. J. Sheridan Le Fanu : *Le fantôme de Madame Crowl.*

Hors série :

H.P. Lovecraft : *Fungi de Yuggoth et autres poèmes fantastiques* (inédit).
Ambrose Bierce : *Le dictionnaire du diable.*

A paraître en mars 1988 :

L. Sprague de Camp : *Lovecraft, le roman de sa vie* (inédit).
John Flanders : *L'ombre rouge et autres enquêtes d'Edmund Bell* (inédit, en coédition avec Claude Lefrancq, Bruxelles).

Toutes les couvertures de la série sont illustrées par Jean-Michel Nicollet.

Cet ouvrage reproduit par procédé photomécanique
a été achevé d'imprimer en février 1988
sur les presses de l'Imprimerie Bussière
à Saint-Amand (Cher)

Composé par
COMPO 2000
50001 Saint-Lô
(33.05.07.30)

Dépôt légal : février 1988
N° d'impression : 3648
N° d'édition : 475

Imprimé en France